DE OPDRACHT

Zwarte Beertjes 1749

Van Sjöwall en Wahlöö:

1288 De man op het balkon
1289 De vrouw in het Göta kanaal
1439 De lachende politieman
1440 De man die in rook opging
1511 De man die even wilde afrekenen
1512 De brandweerauto die verdween
1577 De gesloten kamer
1578 De verschrikkelijke man uit Säffle
1648 De politiemoordenaar
1693 De terroristen

Van Per Wahlöö:

1649 Springveer
1650 De moord op de 31ste verdieping
1749 De opdracht
1750 De vrachtwagen
1798 De generaals
1816 Het opperhoofd

PER WAHLÖÖ

DE OPDRACHT

A. W. BRUNA & ZOON
UTRECHT/AARTSELAAR

oorspronkelijke titel
Uppdraget

vertaling
Cora Polet
omslag
Henk van Reeuwijk AVK
1e druk in de Zwarte Beertjes augustus 1977
5e druk juni 1981
ISBN 90 229 1749 5
D/1979/0939/276

Voor Maj
zonder wier medewerking dit boek niet
tot stand zou zijn gekomen

I

De auto was een 8-cylinder Packard van het jaar 1937. Hij was zwart, evenals de uniformen van de soldaten en de Amerikaanse motoren van het escorte. Het was drie minuten over acht in de ochtend en het was al zeer warm. De inzittenden op de achterbank waren met elkaar in gesprek.

'Papa, bent u nooit bang?'

'Waar zou ik bang voor moeten zijn, meisje?'

'Al die mensen...'

'Blaffende honden bijten niet. Eén ding moet je goed onthouden: vertrouw op het leger – dat is het enige betrouwbare element hier, aangenomen tenminste dat het de juiste leiders heeft. Dat hadden de laatste jaren je overigens moeten doen inzien.'

'Waarom verbiedt u de bedienden niet de vlugschriften te lezen?'

'Zou dat enig verschil maken?'

Het werd stil in de auto. De generaal wendde zijn hoofd af en keek naar de voorbijglijdende witte villa's zonder ze in werkelijkheid te zien. Het konvooi gleed door de lange, steile bochten; de weg was egaal en bedekt met witgrijs gruis. De genietroepen hadden hem drie jaar geleden aangelegd en hij was nog steeds berijdbaar, hoewel de kanten begonnen af te brokkelen. Bij de voet van de helling hield het kunstmatig geïrrigeerde gebied op, het escorte stelde z'n sirenes in werking en draaide de brede met stenen geplaveide hoofdstraat in, die kaarsrecht door de hoofdstad van de provincie liep, van noord naar zuid.

Aan beide zijden van de straat bevonden zich witgekalkte muren die het fascistische regime daar vijftien jaar geleden was begonnen op te trekken. Ze hadden één aaneengesloten geheel moeten vormen, maar het werk was nooit klaargekomen. Hier en daar zaten open plekken tussen de muren en op andere plaatsen had het slechte cement in de voegen losgelaten, zodat de steenblokken naar beneden waren komen vallen. Daar had men toen gewoon rasterwerk aangebracht, maar het prikkeldraad was reeds roestig geworden en de inwoners hadden dit hier en daar met nijptangen doorgeknipt en er ovale openingen in gemaakt door de randen om te krullen. Door deze gaten kon men de bouwsels achter de muren zien, een warwinkel van bouwvallige hutten, vervaardigd uit zakken, planken en plaatijzer.

Een witte jeep, die aan de kant van de weg geparkeerd had gestaan, sloot zich bij het konvooi aan. Er zaten vier mannen in. Hun helmen en uniformen waren wit en hun bruine boerengezichten strak en uitdrukkingsloos. Ze behoorden tot de federale politie.

'Ik heb heel wat verschillende soorten politie gezien, onder heel wat regimes,' zei de man in de auto.

Het klonk onverschillig, alsof hij niet iets speciaals bedoelde of zich tot niemand in het bijzonder richtte.

Het escorte trok een gillende zwarte streep door de voorsteden. Er werd niet erg hard gereden, maar de sirenes wekten de indruk van doortastend en snel optreden. Kippen, naakte kinderen en magere zwarte varkens maakten zich snel uit de voeten.

Vlak voor de toegang tot het centrum van de stad stond met manshoge, hoekige letters op de ruwe, witte muur: Dood aan Larrinaga! Iemand had het daar gedurende de nacht met rode verf neergekalkt. Over een paar uur zouden de mannen van de gemeentereiniging komen met hun emmers om het opschrift over te kalken en de volgende morgen zou het er opnieuw staan. Daar of ergens anders. De generaal glimlachte even en haalde zijn schouders op.

Het escorte snelde voort tussen de lage, stoffige palmen die langs de hoofdstraat stonden. Hier waren de huizen hoog en modern, vierhoekige witte dozen van glas en beton, maar het was niet bepaald druk op de trottoirs. De enkele voetgangers bleven staan en staarden het escorte na toen het voorbij reed. De meesten van hen waren in uniform en praktisch iedereen was gewapend.

De bevelvoerende officier van het escorte reed schuin het mooie, met tegels geplaveide plein over tot voor de ingang van het paleis van de gouverneur en gaf met opgeheven rechterhand een stopteken. Het plein was groot en wit en leeg en voor de ingang stonden slechts twee mensen; een infanterist in een zwart uniform en een politieagent in een wit. De politieagent had een pistool in de holster van zijn koppelriem en de soldaat een machinegeweer aan een riem om zijn hals. Het machinegeweer was van Amerikaanse makelij met een recht magazijn en een uitklapbaar metalen onderstuk.

We hebben nog steeds een tekort aan die dingen, dacht de generaal.

'Ondanks alles zijn ze belangrijker dan alle landbouwhervormingen,' mompelde hij voor zich heen.

De Packard stond nu stil, maar het paar op de achterbank bleef zitten. De escorte-officier zette zijn motor op de standaard, trok zijn handschoenen uit en opende persoonlijk het portier van de auto. Nu pas bewoog de generaal zich. Hij boog zich naar opzij, kuste zijn dochter op de wang en stapte met stijve benen het trottoir op. Hij beantwoordde de groet van de wachtposten en liep door de tochtdeur naar binnen. De officier van het escorte volgde op drie meter afstand. Generaal Orestes de Larrinaga betrad nu de witmarmeren hal. Recht voor hem bevonden zich de brede trap en de liften en links stond een lange, gladde toonbank met daarachter een receptionist met een uniformpet op en een zwart satijnen jasje aan. De generaal wierp hem een vriendelijke blik toe en de man glimlachte.

'Meneer de generaal,' zei hij en verder niets meer.

Hij bukte zich en nam iets van de plank onder de toonbank. De generaal hield zijn pas in en knikte welwillend. De receptionist was een heel jonge man met een open gezicht en donkerbruine ogen.

Hij ziet er bang uit, dacht de generaal. De mensen zijn bang, zelfs hier.

Tien seconden later was generaal Orestes de Larrinaga dood. Hij lag op z'n rug op de marmeren vloer met open ogen en een uiteengereten borstkas. Rode vlekken verspreidden zich reeds over de stof van zijn uniform als op wit vloeipapier.

Hij had nog tijd gehad het machinepistool heel duidelijk te zien en zijn laatste gedachte was dat het er een van Tsjechisch fabrikaat was, met een houten kolf en een gebogen magazijn.

De officier van het escorte had het ook gezien, maar hij reageerde te laat.

Buiten op het plein hoorden de soldaten en het meisje in de auto het korte ratelende salvo en spoedig daarop de duidelijker te onderscheiden schoten, die iemand met een 11 millimeter pistool afvuurde.

De zuidelijkste provincie van de federale republiek is de armste en minst welvarende. Er wonen ongeveer driehonderdveertigduizend mensen maar het aantal grondbezitters bedraagt niet meer dan tweeduizend. Tachtig procent van de bevolking wordt gevormd door de inheemse bewoners, meest landarbeiders of mijnwerkers. De meesten van hen zijn analfabeet. Het overige vijfde deel bestaat uit afstammelingen van Europese kolonisten; het is deze groep die het land bezit en de produktiemiddelen beheerst. De provincie werd als te arm en te dunbevolkt beschouwd om als zelfstandige staat deel uit te maken van de federale republiek. Zij staat onder federaal gezag en haar hoogste ambtsdrager is een officier: de militaire gouverneur. Deze heeft zijn zetel in de hoofdstad van de provincie, die bijna zeventienduizend inwoners telt en gelegen is op een hoogvlakte tussen de bergen in het noorden van het district. De blanke bevolking woont óf in het centrum van de stad, óf in een villawijk op de kunstmatig bevloeide heuvel in het noordoosten. De circa veertigduizend inheemsen huizen in de warwinkel van 'bidon' steden die op een veilige afstand liggen van de moderne gebouwen in het centrum. De meesten van deze inheemsen werken in de steenkool- en mangaanmijnen boven in de bergen. Dwars door de stad loopt de brede, met stenen geplaveide autoweg uit het noorden, maar op slechts enkele kilometers van de zuidelijke stadsgrens vernauwt deze zich tot een stenige, bochtige bergweg, net toereikend voor het normale personenvervoer. Bij de zuidelijke toegang tot de stad ligt ook een rij lange, witte, stenen kazernes. Het Derde Gemotoriseerde Infanterie Regiment is hier ondergebracht.

De onlusten in dit gebied begonnen in maart 1960 toen groepen terroristen de bergstreek in het zuiden begonnen te infiltreren. De partizanen traden op in patrouilles van een man of tien, die hun opleiding in een socialistisch buurland hadden ontvangen; ze waren goed gewapend en deden spoedig de nodige ervaring op.

In de zomer van dat jaar werd begonnen met uitgebreide zuiveringsacties, maar het terrein en de houding van de bevolking waren in het voordeel van de guerrillastrijders en na anderhalf jaar hadden de militaire acties nog steeds niet het gewenste resultaat opgeleverd. Integendeel, de onrust had zich over alle delen van de provincie uitgebreid. De voormalige, communistische partij verscheen weer op het toneel in de vorm van een ondergrondse, socialistische organisatie, het Bevrijdingsfront, dat door middel van lokale stakingen en sabotage het recht om aan de onderhandelingstafel plaats te nemen, wilde afdwingen. Tegelijkertijd formeerde de blanke bevolking een Burgerwacht, die aanslagen met terreurdaden beantwoordde. In september 1961 was de toestand onhoudbaar geworden. Arbeid of transport was niet mogelijk zonder militaire bewaking. In het zuiden van de provincie was een groot deel van de bezittingen door de eigenaars in de steek gelaten, het aantal terreurmoorden nam onrustbarend toe, en hoe langer hoe meer mensen werden na een oppervlakkig proces door het militaire tribunaal terechtgesteld.

Op dat tijdstip kwam de federale regering ten val en in de daarop volgende presidentsverkiezingen zegevierde de liberale kandidaat Miroslavan Radamek, autodidact, advocaat en boerenzoon, afkomstig uit een van de landbouwstaten in het noorden. De verkiezingen vonden plaats onder sterke internationale druk en Radameks naam was naar voren geschoven als de meest geschikte compromiskandidaat, waarmee alle partijen zich min of meer konden verenigen.

De regering deed energieke pogingen een einde te maken aan de crisis in de getroffen provincie. De militaire acties werden stopgezet en het leger kreeg de opdracht een afwachtende houding aan te nemen. De verantwoordelijkheid voor de openbare orde kwam te rusten bij de federale gendarmerie, die uit propaganda-oogpunt werd omgedoopt tot 'La Policía de la Paz', oftewel 'Het Vredeskorps'. Toen de president toezegging deed het vraagstuk van provinciaal zelfbestuur te zullen bestuderen en landbouwhervormingen en diverse sociale verbeteringen in het vooruitzicht stelde, leek het erop of de toestand zich zou gaan normaliseren. Zeven maanden nadat Radamek aan de macht gekomen was laaiden de onlusten echter weer op. Slechts enkele van de beloften inzake sociale gelijkgerechtigdheid waren ingelost; de werkgevers treiterden hun ondergeschikten meer dan ooit en de gemengde technisch-juridische commissie had geen enkele vordering gemaakt. Er brak openlijk strijd uit tussen het Bevrijdingsfront en de Burgerwacht en de staat van beleg die een half jaar tevoren was opgeheven, werd opnieuw afgekondigd. De president nam nu zijn toevlucht tot het enige middel dat overbleef: hij stelde directe onderhandelingen voor tussen de strijdende partijen ten overstaan van een neutrale arbitragecommissie. Aan het hoofd hiervan werd een provinciale gouverneur benoemd. De keuze viel op een gepensioneerd legerofficier: generaal Orestes de Larrinaga. Hij was tweeënzestig jaar, had zich nooit met politiek ingelaten en werd algemeen gerespecteerd wegens zijn militaire verdiensten.

Generaal Larrinaga's intrek in het paleis van de gouverneur bracht een tijdelijke ontspanning teweeg, maar na enkele weken werd de toestand opnieuw kritiek. De aanslagen op burgers en privé-eigendommen werden voortgezet. Het kwam steeds vaker voor dat de landmeters die door het landbouwhervormingscomité waren uitgezonden door de eigenaars van de grond werden weggejaagd vóór zij hun werk hadden kunnen verrichten; een deel werd vermoord aangetroffen, een ander deel verdween spoorloos. Het Bevrijdingsfront nam wraak door overvallen op het platteland en in de stad patrouilleerden gewapende groepjes van de Burgerwacht openlijk in de straten.

Op de twintigste mei werd een door het Bevrijdingsfront ondertekend vlugschrift verspreid, waarin de gouverneur van de provincie ervan werd beschuldigd dat hij zich had laten omkopen door rechts en dat hij de belangen van de grondbezitters en kapitalisten behartigde. Enige dagen later werd hij opnieuw met de dood bedreigd. Ofschoon een vertegenwoordiger van het Bevrijdingsfront iedere verantwoordelijkheid van de hand wees, werd het dreigement in de loop van één week nog twee maal herhaald; de laatste keer op de avond van de vijfde juni. De dreigementen resulteerden in nieuwe gewelddaden tegen de inheemse bevolking.

De enige die er zich niets van aan scheen te trekken was de gouverneur zelf. Iedere ochtend reed hij onder militair geleide van zijn huis in de villawijk naar het gouvernementspaleis, waar hij zijn werkkamer had. Vaak werd hij vergezeld door zijn zesentwintigjarige dochter, die omstreeks die tijd naar de katholieke school ging. Ze gaf daar les.

Orestes de Larrinaga speelde zijn rol van nationale held consequent en met imponerende gemoedsrust. Ofschoon weinig bekend was over zijn bezigheden binnen de vier muren van zijn werkkamer was hij er op de een of andere manier in geslaagd tot een symbool te worden van zekerheid, van veiligheid voor tienduizenden mensen.

Zo zag de toestand eruit op de morgen van de zesde juni in de hoofdstad van de provincie.

De benoeming van de nieuwe gouverneur geschiedde binnen vierentwintig uur na de moord op generaal Larrinaga. Hij heette Manuel Ortega en maar heel weinig mensen hadden ooit van hem gehoord. De aanstelling bereikte hem telegrafisch op de ochtend van de zevende juni en hij kreeg precies vier uur de tijd om te beslissen of zijn antwoord ja of nee zou zijn.

Manuel Ortega was tweede handelsattaché op de ambassade van de federale republiek in Stockholm. Het was geen permanente post, maar hij had hem nu al twee jaar bekleed en dus de tijd gehad aan de Zweedse verhoudingen te wennen. Hij woonde niet in het gebouw van de ambassade, maar in een gemeubileerde huurflat aan de Karlavägen in de stadswijk Östermalm en anderhalf jaar geleden had hij zijn gezin laten overkomen.

Hij had een alledaags voorkomen dat vaag aan dat van een zuiderling deed denken, maar niemand zou verbaasd opgekeken hebben als hij een Griek, een Pool of een Fin geweest was. Hij had bruin haar en bruine ogen, zijn lengte bedroeg 1,74 m en hij woog 75 kg. Een tijdens zijn studententijd opgelopen en verwaarloosde voetbalblessure veroorzaakte dat hij een tikje met het rechterbeen sleepte, maar dat viel eigenlijk alleen op als hij zich moest haasten.

Hij werd om even voor achten op de ambassade ontboden en de ambassadeur in eigen persoon overhandigde hem het telegram dat ondertekend was door de president van de federale republiek. Manuel Ortega las het langzaam en aandachtig door; hij was niet in het minst verwonderd, zoals zo vaak wanneer mensen met iets volkomen onverwachts geconfronteerd worden.

Wat is dat voor een rotbaantje, dacht hij onverschillig.

En onmiddellijk daarop: Ik kan net zo goed meteen nee zeggen.

De ambassadeur was gekleed in een huisjasje en had nog geen tijd gehad zich te scheren. Hij was achter zijn schrijftafel blijven staan, te verbouwereerd dan dat het in hem opgekomen was te gaan zitten en hij beoordeelde de houding van de andere man volkomen foutief.

'U vraagt zich natuurlijk af waarom de keuze juist op u is gevallen? Misschien kan ik helpen op dit punt althans enige klaarheid te verschaffen. U bent jurist, tevens econoom en gewend de dingen zakelijk aan te pakken. Wat ze daarginds nodig hebben is iemand met gezond verstand en een open oog voor praktische, uitvoerbare oplossingen. Bovendien bemoeit u zich niet met politiek, dat hebt u ook vroeger nooit gedaan. De meesten van ons zijn wat dat betreft... eh, enigszins belast.'

De ambassadeur had verschillende ministerzetels bezet onder drie achtereenvolgende fascistisch getinte regeringen en vervolgens met moeite een aantal regimewisselingen overleefd.

Hij vervolgde: 'Het is natuurlijk een interessant aanbod en zeker de moeite waard het in overweging te nemen. Mocht u erin slagen daarginds succes te boeken, dan is uw carrière gemaakt. Zou dit echter niet het geval zijn, dan...'

Hij schraapte z'n keel en nam eindelijk plaats achter zijn bureau.

'Ga toch zitten, beste kerel,' zei hij.

Manuel Ortega ging in de bezoekersfauteuil zitten en legde het telegram op de schrijftafel. Daarna leunde hij achterover en sloeg met de nodige voorzichtigheid z'n benen over elkaar om de vouw in zijn broek niet te kreukelen.

'Anderzijds,' zei de ambassadeur, 'moet u de zaak natuurlijk niet overschatten, net zo min als de ernst van de situatie. Ons land is groot en rijk en wordt goed bestuurd. Dit grensgebied – tussen twee haakjes bent u er ooit geweest?'

'Nee.'

'Oh, – wel ik ben er enkele malen overheen gevlogen. Zoals ik al zei, dit grensgebied is, zoals u waarschijnlijk wel weet, dunbevolkt en zeer onvruchtbaar. Dank zij een handjevol vooruitstrevende pioniers en dank zij hun opofferingsgezindheid is het althans in economisch opzicht enigermate vooruitgegaan. Het spreekt vanzelf, dat deze mensen en hun nakomelingen zekere rechten hebben. De rest van de bevolking bestaat uit een achtergebleven minderheid, die uiteraard geleidelijk aan een zekere ontwikkeling dient door te maken, maar die daar momenteel praktisch gesproken nog nauwelijks aan toe is. Zulke minderheden vind je in ieder land, ook hier, ik bedoel de...'

'De Lappen.'

'Juist, maar hier is het mogelijk geweest ze tot een toeristische attractie te maken, dank zij de gunstige topografische omstandigheden. Het district waar we het over hebben mist deze ten ene male; het is een door de zon verschroeid en ontoegankelijk gebied. Ondanks alle inspanningen is het, met uitzonderingen van wat mijnen, nog steeds zowel economisch als qua bevolkingsaantal niet erg belangrijk. Wel, ik neem aan dat u dat net zo goed weet als ik.'

Manuel Ortega maakte een vaag doch beleefd gebaar.

'Hoe dan ook, de huidige situatie had nooit kunnen ontstaan als de sfeer niet door buitenlandse provocatie en leugenachtige propaganda vergiftigd was geworden. Het leger is in het verleden altijd capabel genoeg geweest om dit gebied onder controle te houden. Als het een half jaar geleden zijn acties had mogen voortzetten dan... ja, dan zouden we hier nu niet zitten om dit vraagstuk te bespreken.'

Hij sloeg even een roffel met zijn vingers op het bureau en keek uit het raam. Toen zei hij: 'Ik kende Orestes de Larrinaga al heel lang. Hij was een buitengewoon bekwaam officier en een groot man. Het is eenvoudig belachelijk dat een dergelijke opdracht tot zijn dood moest leiden. Hij was te goed voor een dergelijke post en ik begrijp niet waarom hij zich heeft laten overhalen de benoeming te aanvaarden.'

Manuel Ortega boog zich voorover en knipte wat as van zijn broekspijp. Opeens zei hij: 'Misschien wilde hij zich nuttig maken.'

'Ik waag het te betwijfelen of dit de juiste manier was. Maar het tragische is natuurlijk dat hij inderdaad van nut is geweest. Door zijn dood. Die heeft de ogen van het volk geopend. Zelfs de zogenaamde wereldopinie moet nu wel de ware toedracht inzien. En op hetzelfde moment dat de buitenlandse propaganda verstomt zal het vraagstuk ophouden te bestaan.'

Hij wachtte even en slaakte een zucht.

'Hoe dan ook, ik wil geen invloed uitoefenen op uw besluit,

maar ik vind wel dat u recht hebt kennis te nemen van een bericht dat gisteravond laat binnenkwam.'

Hij nam een afgescheurd en dichtgevouwen telexbericht uit een la en schoof dit over de schrijftafel naar Ortega. De man in de fauteuil pakte het stukje papier met een zekere aarzeling op, alsof hij niet goed wist of hij het bij zich moest steken of het onmiddellijk lezen.

'Gaat uw gang, lees maar.'

Manuel Ortega nam zijn bril uit zijn borstzakje, ademde erop en vouwde het roze papiertje open. Al lezende hoorde hij de vingers van de ambassadeur voortdurend een roffel slaan tegen de zijkant van de schrijftafel.

'van het ministerie van buitenlandse zaken aan alle ambassades, bestemd voor intern gebruik. drie uur na de moord op de gouverneur van de provincie hebben de leiders van de burgerwacht het volgende communiqué uitgegeven: een van de meest vooraanstaande mannen van ons land, generaal orestes de larrinaga, is vandaag het slachtoffer geworden van een communistische aanslag. het doel van deze afschuwelijke misdaad was drieledig: 1) het uit de weg ruimen van een briljante persoonlijkheid en een objectief en rechtschapen vertegenwoordiger van regering en wet. 2) een weg te banen voor een politiek beleid en een bestuur dat minder goed opgewassen is tegen de buitenlandse provocaties. 3) het scheppen van anarchie. de moord heeft een diepe indruk gemaakt op alle rechtschapen inwoners van de provincie. het meest verontrustend is de wetenschap dat generaal larrinaga gevallen is op een zinloze post en dat zijn leven en dat van vele andere achtenswaardige mannen gespaard had kunnen blijven als het leger toestemming had gekregen zijn plicht te vervullen. wij, die als burgers van deze stad en deze provincie onze verantwoordelijkheden kennen, eisen een onmiddellijk optreden van het leger. wij stellen ons hierbij onder bescherming van het leger en verbinden ons de troepenmacht alle denkbare steun te verlenen in de strijd tegen de communisten die ons land dreigen te overspoelen. wij eisen tevens dat de gouverneur – als er al een opvolger van generaal larrinaga benoemd mocht worden – militaire machtsmiddelen tot zijn beschikking zal krijgen. als gouverneur

is voor ons uitsluitend aanvaardbaar een officier met een diepgaande technische kennis van deze streek. mocht de regering willen wijken voor druk van buitenaf en iemand anders aanstellen dan eisen wij dat deze in het belang van het land zijn opdracht zal weigeren. indien niet, dan zullen wij tegen onze zin gedwongen zijn geweld te gebruiken. een ieder die als niet-militair deze post wil bekleden en niet de volledige steun van het leger geniet heeft op het moment dat hij zijn opdracht aanvaardt zijn doodvonnis getekend. dit vonnis zal uiterlijk twee weken na zijn aankomst ten uitvoer worden gebracht. (dit bericht werd als vlugschrift verspreid, aangeslagen op voor het publiek toegankelijke plaatsen en uitgezonden tijdens de normale bulletins van de radionieuwsdienst.)

Manuel Ortega vouwde het papier op en legde het op de schrijftafel. Opnieuw dacht hij bij zichzelf: Wat een rotbaantje. Zei hardop: 'Dit heeft niet in de kranten gestaan.'

'M'n beste kerel, in groter verband gezien is ons probleem niet erg belangrijk en trekt het nauwelijks de aandacht. Ik ben er niet eens zeker van dat onze eigen kranten erover zullen schrijven. Het is niet meer dan een futiliteit. Als generaal Larrinaga niet zo'n bekend man geweest was, zou zijn dood niet de minste aandacht getrokken hebben, in ieder geval niet in het buitenland. Uiteindelijk betreft het hier maar een handjevol mensen dat ver weg zit, zowel in eigen land als voor ons.'

Manuel Ortega wees naar het telexbericht en zei: 'Excellentie, meent u dat het standpunt van deze mensen valt te verdedigen?'

'Formeel niet, natuurlijk. Maar ik kan mij zo voorstellen dat de situatie voor die mensen heel moeilijk, werkelijk heel moeilijk is. De moord op Larrinaga heeft hun aanzienlijk angst aangejaagd. Hij was het symbool van hun veiligheid. Ze strijden momenteel een wanhopige strijd, niet alleen voor hun recht, maar ook voor hun leven. En hun enige hoop is het leger.'

'Acht u het waarschijnlijk dat president Radamek het leger de vrije hand zal laten?'

'Ik ben er niet zeker van dat het de president is, die hierover te beslissen zal krijgen.'

'Wie wordt er bedoeld met "een officier met een diepgaande technische kennis van deze streek"?'

'Waarschijnlijk de militaire districtscommandant, generaal Gami, of zijn stafchef, kolonel Orbal.'

De ambassadeur keek opnieuw uit het raam.

'Voortreffelijke kerels, allebei,' zei hij.

Het bleef enige seconden stil. Toen zei Manuel Ortega: 'En generaal Larrinaga werd vermoord door de communisten?'

'Ja, en ze zullen ieder ander die hun belangen tegenwerkt ook vermoorden.'

'De nieuwe gouverneur is dus bij voorbaat door beide partijen ter dood veroordeeld.'

'Ja, zo schijnt de situatie te liggen. Tenzij het leger ingrijpt.'

De ambassadeur keek op zijn horloge.

'U hebt iets meer dan drie uur de tijd,' zei hij verontschuldigend. 'Of hebt u al een besluit genomen?'

Manuel Ortega rees aarzelend overeind.

'Stond u niet op het punt om met vakantie te gaan?' vroeg de man in het huisjasje.

'Ja, vandaag.'

'Waar had u gedacht naar toe te gaan?'

'Tylösand.'

'Ah, Tylösand. Díe keus was niet moeilijk.'

'Nee,' zei Manuel Ortega.

'Dus uiterlijk om twaalf uur geeft u mij uw antwoord. Als u ja zegt, moet u er rekening mee houden dat u vanmiddag nog vertrekt.'

'Ja.'

Manuel Ortega liep de schemerige hal door, trok zijn overschoenen en zijn regenjas aan en wou zijn paraplu opsteken. Maar toen hij op de stoep van het gebouw aan de Valhallavägen stond, had het opgehouden te regenen. Hij hing de paraplu over zijn arm en liep langzaam over het natglimmende trottoir. Hij kocht een krant aan de kiosk op het Karlaplan en ging een eindje verderop op een bank zitten om na te denken. Dat lukte niet al te best; hij voelde zich besluiteloos en geprikkeld, omdat het gesprek hem niet veel verder had gebracht. Hij sloeg een vluchtige blik op de voorpagina van de krant en bladerde toen verder naar de rubriek buitenland. Daar stond het. Een kort berichtje met een éénkoloms kop. Politieke moord. De naam van de generaal was fout gespeld. De ambassadeur had gelijk: hun vaderland speelde ongetwijfeld geen hoofdrol op het politieke wereldtoneel.

Manuel Ortega stond op en liep verder. Dikke regendruppels vielen van de bomen op zijn kruin en zijn schouders. Op het kruispunt met de Sibyllegatan liep hij door een rood licht en werd bijna aangereden door een taxi. Drie minuten later opende hij de deur van zijn flat. Hij wist niet wat hij nu eigenlijk wilde en wat hij moest doen.

Even later zat hij koffie te drinken. Hij had zijn schoenen uitgetrokken, maar niet zijn jasje en hij leunde achterover in zijn fauteuil en volgde zijn vrouw met zijn blik toen ze de huiskamer uitging. Met een licht gevoel van onbehagen zag hij hoe haar billen zich onder de iets te nauwe jurk bewogen en hij merkte hoe zich onder de dikke zwarte haarwrong een vetlaagje had gevormd. Toch was ze bepaald niet lelijk. Hij zuchtte, zette zijn kopje neer en liep naar het openslaande raam. Het regende weer en het water stroomde door het lichte bladerdak op de afgeknotte bomen van de Karlavägen.

Met een sigaret in zijn mondhoek en zijn handen in zijn broekzakken stond hij naar de regen te kijken, die kleine meertjes en beekjes vormde op het zanderige middenpad van de laan. Hij hoorde zijn vrouw de kamer binnenkomen.

'Wat vind jij dat ik moet doen?' vroeg hij.

'Dat is mijn zaak niet.'

'Dat heb je al gezegd.'

'Maar als je denkt dat hier een kans ligt, dat dit van belang voor je zou kunnen zijn...'

'Misschien zou ik voor één keer in mijn leven iets van belang kunnen *doen*.'

'Doen? Voor wie?'

'Voor al die mensen daar...'

'Die hebben immers zelf gezegd dat ze soldaten nodig hebben, anders niet.'

'En al die anderen dan? Er wonen daarnaast nog driehonderd-duizend mensen.'

'Dat gespuis? Dat lezen kan noch schrijven? Dat als beesten leeft? Wat zou je voor hen kunnen doen? Als je nu arts was of priester, maar...'

Zo eenvoudig was het dus.

'In zekere zin heb je natuurlijk gelijk,' zei hij.

'Maar als hier een kans voor je ligt, moet je die aangrijpen. Ik wil je geen raad geven. Het zou absurd zijn als ik je raad ging geven wat je werk betreft.'

'Er is ook een zeker risico aan verbonden.'

'Je denkt aan Larrinaga. Maar jij bent toch geen generaal, Manuel. Bovendien is Miguel er nog, als dat nodig mocht zijn.'

Miguel Uribarri was haar broer; sinds enkele jaren was hij bij de criminele politie in de hoofdstad van de republiek.

Na even gezwegen te hebben, zei ze: 'Maar als je het niet helemaal met jezelf eens bent dat dit een kans voor je is, moet je weigeren.'

Manuel Ortega balde zijn vuist en sloeg tegen het raamkozijn.

'Maar begrijp je dan niet dat ik ook wel eens een keer iets wil doen? Iets reëels?'

'Je werk hier is voor het land waarschijnlijk veel belangrijker.'

Nuchter en zakelijk. Ze was niet onintelligent en ze had vanuit haar standpunt gezien zeker gelijk. En veel mensen zouden er net zo over denken.

'Bovendien wil ik niet laf zijn.'

'Dat is iets waar ik veel meer begrip voor op kan brengen. Als het tenminste begrip is dat je van mij vraagt.'

Hij hoorde haar de kamer uitgaan. Na een minuut of wat liep hij terug naar zijn stoel en ging zitten. Keek op zijn horloge. Het was al kwart over elf.

Ze kwam weer binnen.

'Heb je al een besluit genomen?'

'Ja. Ik doe het.'

'Hoelang blijf je weg?'

'Hooguit een half jaar. Waarschijnlijk korter. Denk je dat het lastig zal zijn? Met het oog op de kinderen?'

'Ik heb me al vaker alleen moeten redden.'

'Maak je daar maar geen zorgen over,' voegde ze er met een plotselinge zweem van tederheid aan toe.

Hij bleef in zijn stoel zitten, voelde zich wat lusteloos en apatisch. De kinderen kwamen de kamer binnen.

'Luister eens jongens, papa gaat niet met ons mee naar het strand.'

'Waarom niet?'

'Hij heeft belangrijk werk te doen.'

'Oh.'

'Zo, en nu – hup – naar je eigen kamer.'

Ze gingen.

Manuel Ortega dacht niet meer aan zijn opdracht. Hij dacht aan zichzelf, zijn huwelijk, zijn gezin. Alles even volmaakt. Een volmaakte echtgenote, zij het dat ze een ietsje te dik was. Hun huwelijk was van het begin af aan zeer succesvol geweest en dat was zo gebleven ook. Ook op seksueel gebied was het technisch volmaakt. Hij vroeg zich wel eens af of de jaren, die ze in dit geperfectioneerde land met zijn slechte klimaat hadden doorgebracht, hen niet definitief tot het ideale gezin hadden gemaakt, een gezin dat zo in het museum geplaatst kon worden. Hij zag het al voor zich: glazen vitrines met metalen plaatjes. Huisvader, 42 jaar, geboren in Aztacán, Latijns type. Jongetje, 7 jaar, geboren in Londen, zeer bevredigend exemplaar. Meisje, vijf jaar, geboren in Parijs. Vrouw, 35 jaar, moeder van twee kinderen, goed geconserveerd. En verder: Volmaakte coïtus tussen gelijkwaardige partners, de zg. borst-buikligging. N.B. De tederheid en absolute openheid van beide partners tegenover elkaar.

Ze zei op vriendelijke toon: 'Moet je de ambassadeur niet bellen?'

Hij werd zich bewust van z'n omgeving, stond op en liep naar de telefoon. Draaide het nummer dat hem rechtstreeks met de ambassadeur zou moeten verbinden, maar kreeg geen aansluiting. Daarom belde hij de secretaris en deelde zijn besluit mede.

'U moet om kwart over drie op de luchthaven Arlanda zijn. Om halfdrie precies wordt u met de auto gehaald. Vliegbiljetten en geld liggen voor u gereed.'

Het was allemaal zo zakelijk.

Op het moment dat hij de hoorn neerlegde, ging de telefoon. Het was de ambassadeur.

'Na ons gesprek van vanochtend heb ik nog eens over de zaak nagedacht. Ik moet beginnen met u te zeggen dat ik van mening veranderd ben. Het zou onjuist van u zijn als u de opdracht weigerde, als u het in u gestelde vertrouwen zou beschamen.'

'Dank u, ik heb al gemeld dat ik het accepteer.'

'Wat? Uitstekend. Het doet me genoegen dat mijn experiment zo goed geslaagd is.'

'Experiment?'

'Ja. Ik kan u nu wel vertellen, dat wat ik eerder op de dag zei niet helemaal serieus bedoeld was. Het was een nogal domme poging van mij om uw doortastendheid en besluitvaardigheid op de proef te stellen. Gedeeltelijk tenminste. Maar, begrijp me goed, de feiten waar het om ging waren juist. In ieder geval hoop ik dat u het mij niet kwalijk neemt.'

'Natuurlijk niet.'

Hij kreeg een droge mond.

'En dan nog iets. In Kopenhagen zult u reeds een van uw naaste medewerkers ontmoeten. Een dame die uw secretaresse zal zijn. Zij komt uit die streek en is bovendien uitstekend voor haar werk geschikt. Ze heet – een ogenblikje – brr, die Slavische namen... Oh wel, ik wil natuurlijk geen kwaadspreken van de president, ha, ha, ja – hier heb ik het... Danića Rodriguez. Ze heeft reeds instructies ontvangen. Akkoord?'

'Ja.'

'Wel, succes dan. U hebt een moeilijke maar interessante taak voor de boeg.'

'Dank u.'

'En Manuel... wees voorzichtig. Het is hun ernst.'

'Ja.'

Manuel Ortega legde langzaam de hoorn neer. De ambassadeur had hem nooit eerder bij de voornaam genoemd of op deze toon tegen hem gesproken. In grote lijnen was het een verwarrend gesprek geweest, bijna irreëel.

Wees voorzichtig. Het is hun ernst.

'Hoe laat vertrek je?'

'Om halfdrie.'

'Dan zal ik meteen gaan pakken.'

Volmaakt. Nu de zaak zijn beslag had gekregen, had ze geen enkel commentaar, was ze alleen maar efficiënt en vriendelijk en behulpzaam. Hij hoefde zelf niets te doen, nergens op te letten.

Wees voorzichtig. Het is hun ernst.

Na geruime tijd zei hij: 'Waar is mijn revolver?'

'Daar had ik al aan gedacht; het zou daarginds wel eens gevaarlijk kunnen zijn. Hij ligt in de onderste la van je bureau, rechts. Pak hem zelf even, wil je?'

'Goed.'

Vanzelfsprekend vond hij hem daar, gewikkeld in een zachte doek en keurig in de schouderholster gestoken. Hij maakte de riemen los, vouwde de doek open en woog het wapen in zijn hand. Het voelde zwaar en stevig aan en was goed geolied. Hij pakte ook nog drie dozen met patronen en legde alles te zamen boven in zijn koffer. Daarna deed zijn vrouw de koffer dicht en sloot hem af.

Om twee minuten voor halfdrie kuste Manuel Ortega zijn vrouw en kinderen en nam plaats in de auto naast de chauffeur. Zijn vrouw zei: 'Denk aan de veiligheidsgordel.'

De auto reed weg. Zijn gezin stond op het trottoir en wuifde. Hij wuifde terug.

Om vijf minuten over halfvier liep hij de trap op naar het vliegtuig. Op het moment dat hij zich, glimlachend, tegen het meisje dat daar stond te wachten, bukte en naar binnen stapte, voelde hij een hevige angststeek in zijn maagstreek.

Het kwam als een schok, zonder enige waarschuwing.

Orestes de Larrinaga had drie weken uitstel van executie gehad. Zoveel tijd zou hem niet gegund worden.

Uiterlijk veertien dagen na aankomst zou het vonnis voltrokken worden.

Wees voorzichtig. Het is hun ernst.

Hij voelde het zweet op zijn rug en terwijl hij zich tussen de mensen op het middenpad doorwrong, zocht hij onzeker naar iets dan hem een gevoel van veiligheid kon geven. Hij dacht aan zijn revolver. Hoe deze zwaar en koud en geruststellend op zijn hand had gelegen. De revolver was een 9 millimeter Astra-Orbea met een kolf van walnotenhout, gefabriceerd in 1923 in Eibar. Manuel Ortega had hem op zijn eenentwintigste verjaardag van zijn vader gekregen. Sindsdien had hij hem altijd bij zich gehad. Er was nimmer een aanleiding geweest hem op enig levend wezen te richten, zelfs niet uit de grap, maar zo nu en dan had hij er mee geoefend op lege flessen en blikjes.

3

Boven Zuid-Scandinavië leek het erop dat het wolkendek ging breken en toen Manuel Ortega tegen het venster van de cabine leunde kon hij de contouren van het land duidelijk onderscheiden; het was net een topografische landkaart die onder hem doorgleed. Hun koers was praktisch pal west; in het zuiden was vaag een grote stad te zien. Dat moest Malmö zijn. Het liep tegen de avond en de stralen van de zon vielen reeds schuin en met een rode goudachtige glans over het landschap.

Het vliegtuig begon zijn afdaling boven het water, scheerde in glijvlucht over een vlak, vierkant eilandje en gleed met zijn langvleugelige schaduw over een vreedzaam haventje met rode douanebarakken, vissersboten en een veerpont. Vlak daarop kregen de rubber banden vat op de landingsbaan en taxiede het vliegtuig naar de luchthavengebouwen van Kastrup.

Manuel Ortega ademde uit en maakte zijn veiligheidsriem los. Hij had nooit echt kunnen wennen aan het landen, hoe bekwaam het ook gedaan werd en ook deze keer had het gebeuren al zijn gedachten in beslag genomen. Gedurende enkele minuten had hij aan niets anders gedacht.

De wachtkamer voor doorgaande reizigers was gelijk aan die op alle andere vlieghavens die hij gezien had, van Dublin Airport tot Santa Cruz en hij vond dat het vliegen op deze manier niet alleen het genoegen ontnam aan het reizen zelf, maar ook de eigen aard van het land en de identiteit van de reiziger uitwiste.

Hij dronk een glas bier in de bar en ging naar het toilet om zijn handen te wassen. Toen herinnerde hij zich de vrouw die hem hier zou ontmoeten en hij begon de mensen in de wachtkamer op te nemen. Hij zag niemand wier trekken overeenkwamen met het beeld dat hij zich reeds duidelijk in zijn onderbewustzijn had gevormd en gaf het al gauw op. Zijn gezond verstand zei hem dat de vrouw er op duizend en een manieren uit kon zien en bovendien had hij geen enkele garantie dat ze hier in de wachtkamer zou zijn.

Toen hij terugging naar de bar om nog een glas bier te drinken, werd hij aangesproken door een man van middelbare leeftijd met een tweedhoed op en een windjack aan. De man sloeg zijn windjack open en liet Manuel een blik werpen op een perskaart die hij met een paperclip op het borstzakje van zijn blazer had bevestigd.

'U bent Manuel Ortega, nietwaar? De nieuwe gouverneur?'

'Ja.'

'De man met de zelfmoordopdracht?'

'Er is geen reden mijn werk te dramatiseren.'

'Met de vorige is het ook niet bepaald goed afgelopen. Bent u gewend aan dit soort opdrachten?'

'Nee. Bovendien gaat het hier om een zeer speciale situatie. Maar is het grote publiek werkelijk zo geïnteresseerd in onze problemen?'

'Nauwelijks. Maar wel in u persoonlijk. En anders wellicht in u in de toekomst. Hebt u er iets op tegen enkele vragen te beantwoorden?'

'Voor zover mij dat mogelijk is.'

De meeste vragen waren onnozel en van weinig belang. Van het soort: 'Wat zei uw vrouw toen u afscheid nam?' en 'Hoeveel kinderen hebt u?' Hij gaf korte antwoorden of haalde zijn schouders op.

'Komt u zelf uit die provincie?'

'Nee nee. Ik ben in de hoofdstad in het noorden van het land opgegroeid.'

'Leeft uw vader nog?'

'Nee.'

'Wat was zijn beroep?'

'Bedrijfsleider bij een exportfirma.'

'Wat voor opleiding hebt u gehad?'

'Een handelsopleiding. Daarnaast heb ik economie en rechten gestudeerd. Ik heb een poosje gewerkt bij het ministerie van financiën.'

'Wat zijn uw politieke opvattingen?'

'Die heb ik niet.'

Een fotograaf met een Leica en een flitsapparatuur was naderbij gekomen en maakte een paar opnamen.

Manuel Ortega glimlachte moeizaam en zei: 'Mag ik u op mijn beurt een vraag stellen? Bent u niet bang dat u uw perskaart verliest?'

De man keek verbluft op. Daarna sloeg hij zijn windjack open en zei: 'Nee helemaal niet. Kijk maar, aan de achterkant van het foedraal zit een veiligheidsspeld die door de stof heen aan de binnenkant van het zakje dichtgeknipt is. Dat heeft mijn vrouw voor me gedaan.'

Hij stopte zijn blocnote in zijn zak en voegde eraan toe: 'Nog één vraag – essentiëler dan de overige: Bent u bang?'

'Nee,' zei Manuel Ortega.

Hij wendde zich om naar de bar en tikte met een geldstuk op de glazen toonbank om aan te geven dat het gesprek beëindigd was. Vanuit zijn ooghoek zag hij de beide mannen door het vertrek lopen, merkte op hoe de fotograaf iets zei en de ander zijn schouders ophaalde. Hij was onaangenaam getroffen en voelde zich slecht op zijn gemak. Toen hij deze zuiver lichamelijke gewaarwording trachtte te ontleden, meende hij dat deze het best omschreven zou kunnen worden als een druk op de borst.

Zijn vlucht werd bijna een half uur te laat afgeroepen. Het regende, ofschoon de hemel onbedekt was geweest toen ze landden. De baan glom van de waterplassen en omdat hij zijn regenjas aan boord had gelaten, boog hij zijn hoofd voorover en rende half naar het vliegtuig. Hij was er zich zeer wel van bewust dat zijn rechterbeen trok en dat hij er belachelijk uitzag.

Manuel Ortega zat bij het raam met zijn zwarte aktentas op zijn knieën.

Iedereen scheen zijn plaats reeds ingenomen te hebben, maar de stoel naast hem was nog leeg. Hij staarde naar de regen, hield zich onledig met zijn veiligheidsriem en merkte haar niet op voor ze hem tot op een meter genaderd was. Ze trok haar donkergroene leren jasje uit, vouwde het op en legde het in het bagagerek. Daarna ging ze zitten, gespte de riem vast en legde een versleten, blauwe tas op haar schoot. Ze haalde er een pakje sigaretten en een aansteker uit en stopte deze in de zak van haar mantelpakje. Draaide haar hoofd om en keek hem aan.

'Juffrouw Rodriguez?'

'Ja. Danièa Rodriguez.'

'Manuel Ortega.'

Opnieuw stak ze haar hand in haar tas en gaf hem een identiteitsbewijs in een plastic hulsje.

Terwijl het vliegtuig naar de startbaan taxiede en de motoren proefdraaiden, bestudeerde hij het legitimatiebewijs. Het was van hetzelfde type als het zijne, uitgereikt door het departement, maar ondertekend door de vorige minister van buitenlandse zaken. Alles stond erop, vanaf de duimafdruk en de informatie over lengte, leeftijd, burgerlijke stand en haarkleur tot en met de codes inzake capaciteiten en opleiding.

Achternaam: Rodriguez Fric. Voornamen: Danièa Antonia. Geboren: 1931. Geboorteplaats: Bemantanango: Burgerlijke staat: Getrouwd. Lengte: 1,68. Haar: Zwart. Ogen: Grijs.

Het eerste deel van de code kon hij gemakkelijk ontcijferen: steno-typiste, correspondente, tolk, maar daarna volgde een serie cijfers die hij niet kende en die, voor het moment tenminste, zijn vermogen tot combineren en deduceren te boven gingen.

Het vliegtuig had reeds het luchtruim gekozen toen hij de kaart teruggaf. Ze nam zonder naar hem te kijken de kaart aan en liet hem in haar tas verdwijnen. Op hetzelfde moment dat de waarschuwingslichten uitgingen pakte ze een sigaret uit haar jaszakje en stak hem op.

'Waar ligt Bematanango,' vroeg Manuel Ortega.

'Waar we naar toe gaan, diep in het zuiden. Het bestaat eigenlijk nauwelijks. Een stuk of vijfentwintig, dertig lemen hutten op de bodem van een vallei, één straat, een katholiek kerkje. Er heeft ook een klein hospitaal gestaan, maar dat is gesloopt.'

Hij knikte.

Ze veranderde van onderwerp.

'Ik heb een aantal papieren voor u bij me. Wilt u die meteen doornemen?'

'Dat heeft geen haast. We hebben tijd genoeg.'

Manuel Ortega verschuift de rugleuning van zijn stoel meer naar achteren en sluit zijn ogen. Opnieuw maalt een zin steeds weer door zijn hoofd: Het vonnis zal uiterlijk binnen twee weken voltrokken worden. Dan haalt hij zijn schouders op en denkt zonder het te weten in dezelfde bewoordingen als zijn voorganger: Blaffende honden bijten niet. Onmiddellijk daarop schiet hem het kranteberichtje te binnen met de foutief gespelde naam van Orestes de Larrinaga. Hij denkt aan de journalist met de handige veiligheidsspeld en de abrupte vraag: Bent u bang? Ortega laat zich gemakkelijker spellen, denkt hij geëmotioneerd en zonder een spoor van galgenhumor. Een paar seconden later valt hij in slaap.

Na een uur bevinden ze zich in een ander deel van Europa en is de situatie als volgt: Het vliegtuig is een Convair Coronada 990 jet van de Swissair. Het vliegt op drieduizend meter hoogte en de lucht in de cabine is droog en ruikt naar kleren en leer. De man aan het raampje is wakker geworden. Hij heeft een loodsmaak in zijn mond en hij zit voorover met zijn zwarte aktentas op zijn schoot, waar hij zijn rechterarm overheen heeft gelegd, zodat niemand het kettinkje zal zien dat zijn pols met het hengsel verbindt.

Hij draait zijn hoofd naar rechts en kijkt voor de eerste maal naar de vrouw in de stoel naast hem. Ze heeft kort geknipt zwart haar en is gekleed in een rood mantelpakje met blauwe revers. Ze zit een tikje in elkaar gedoken met de rechterelleboog op de schuimrubber armleuning en haar hoofd rust op haar hand. Op haar schoot ligt een opengeslagen aantekenboekje en een blad papier met gestencilde tabellen en ze rookt tijdens het lezen. Als ze met haar pink een kruimeltje tabak van haar mond veegt ziet hij dat haar nagels kortgeknipt zijn en de nagelriemen afgebeten. Ze is niet opgemaakt en heeft een lichte, donzige schaduw op haar bovenlip en hij veronderstelt dat de meeste jonge vrouwen daar met een scheermes of door middel van elektrische ontharing iets aan zouden doen. Er is niets opvallends aan haar. Ze zou in willekeurig welke Europese of Amerikaanse straat in de massa opgaan en als ze een paar meter verder van hem vandaan gezeten had, zou ze hem waarschijnlijk niet zijn opgevallen. Vermoedelijk was ze de hele tijd dat hij haar zocht gewoon in de wachtkamer op Kastrup aanwezig geweest.

Hij denkt: Wees voorzichtig, Manuel... het is hun ernst.

Dan draait ze haar hoofd om en kijkt hem aan met eigenaardige, donkergrijze ogen. Ze zegt niets, maar glimlacht zwakjes, kalm.

Hij kijkt op zijn horloge en wendt zich af, leunt met zijn voorhoofd tegen het vensterglas en staart in het donker.

Hij merkt dat ze opstaat en naar het toilet gaat en als ze door het middenpad terugkomt, volgt hij haar met zijn blik. Ze loopt als een dier, licht en ritmisch en met glijdende passen.

Het was tien minuten over negenen toen ze in Zürich landden. Tijdens het lange oponthoud dronk Manuel Ortega koffie en cognac in de wachtkamer. Ze zat tegenover hem en las een Amerikaanse pocket.

Op een gegeven ogenblik zei hij tegen haar: 'U heeft een ongewone naam.'

'Mijn moeder kwam uit Kroatië.'

'Uw vader niet?'

'Nee.'

En later: 'Hebt u een duidelijke voorstelling van het werk dat ons wacht?'

'Alleen de grote lijnen.'

'Ik moet onmiddellijk toegeven dat ik nog geen tijd heb gehad om mij in de zaak te verdiepen. Ik kreeg mijn aanstelling pas vanochtend om 8 uur.'

'Ik de mijne nog later.'

'We moeten zo snel mogelijk de onderhandelingen weer opnemen op het punt waar ze... afgebroken werden.'

'Ik geloof niet dat er onderhandeld werd op het moment dat Larrinaga doodgeschoten werd.'

Terwijl ze dit zei, keek ze hem recht in het gezicht.

'Uw kennis van het gebied zal van groot nut zijn.'

'Het is lang geleden dat ik er voor 't laatst geweest ben.'

Hier werd hun conversatie afgebroken.

Terwijl het vliegtuig in de luchtzakken boven de Alpen op en neer danste, zat Manuel Ortega met zijn benen over elkaar te schrijven. Hij had zijn in zwart wasdoek gebonden notitieboekje op zijn aktentas gelegd en probeerde neer te schrijven wat hij dacht. Dat was een gewoonte die hij zich lang geleden had aangewend en waar hij vaak nut van had gehad.

De vrouw was in slaap gevallen en toen hij naar haar keek drong het tot hem door hoe gespannen en nerveus haar gezicht eigenlijk gestaan had toen ze wakker was. Nu stond het kalm en rustig en hij zag hoe haar gelaatstrekken zuiver en fijngevormd waren als die van een klein meisje. Ze ademde door haar neus en de lucht beroerde het donzige donkere haar op haar bovenlip. Hij schreef:

Ben ik bang? Ja, maar niet in rationele zin. Hoewel ik mij nooit met de politiek in haar meer actieve en extreme verschijningsvormen heb ingelaten, heb ik me toch geplaatst gezien voor vele andere en gelijksoortige situaties, bijvoorbeeld in het bedrijfsleven terwijl ik moeilijke onderhandelingen heb geleid tussen twee schijnbaar niet tot elkaar te brengen partijen. In dergelijke gevallen is het altijd mogelijk geweest de verschillende kampen op verstandelijke wijze tot overeenstemming te brengen. Een kleine groep mensen, die dezelfde omstandigheden als basis hebben, komt er vroeg of laat altijd achter wat wél mogelijk is en wat absoluut niet haalbaar is en onmogelijk verwezenlijkt kan worden. De politiek levert hiervoor het beste bewijs: in situaties waarin de huid van beide partijen op het spel staat, worden er altijd zeer eervolle compromisoplossingen gevonden. Een voorwaarde is natuurlijk wel dat de partijen vertegenwoordigd worden door mensen die niet mentaal ziek zijn of volstrekt incapabel. Het werk dat in deze ongelukkige provincie verzet moet worden, moet althans van mijn kant geschieden met een redelijke hoop op succes. De eerste stap zal moeten zijn het scheppen van rust en garanties voor de openbare veiligheid. Vervolgens moet het mogelijk zijn op redelijke gronden een praktische oplossing te vinden, waarmee de achtergebleven massa eniger mate tevreden en gebaat is, zonder dat de bezittende (en naar aangenomen mag worden, de meest bruikbare) klasse enige wezenlijke schade zou lijden. Juist in deze 'bovenklasse' moeten technisch en organisatorisch getrainde mensen te vinden zijn, die niet voor het hoofd gestoten, maar juist overgehaald dienen te worden tot een redelijke samenwerking. Ik geloof niet dat een van beide partijen iets zou winnen door zich aan mijn persoon te vergrijpen. Dat zullen ze zelf toch ook wel inzien. De moord op Larrinaga moet een tragische vergissing geweest zijn, begaan door een eenzaam opererende fanaticus. (Wat was er trouwens met de dader gebeurd? Niemand had daar iets over gezegd. Hij was toch wel gepakt? In dat geval zou zijn verhoor van belang kunnen zijn.) Bovendien was het een provocatie geweest om de post van gouverneur aan een generaal te geven, ook al was deze dan een gepensioneerd generaal en een nationale held. Een onverklaarbare domheid voor een liberale regering. Ik moet nu de basis leggen voor de welvaart van 300.000 mensen. Dat is een grootse taak. Nee, ik ben niet bang. Maar vanzelfsprekend zal ik alle mogelijke voorzorgsmaatregelen nemen. Het zal het beste zijn maar helemaal op de federale politie te vertrouwen. Zonder lichamelijke veiligheid is het niet mogelijk doeltreffend te werken.

Manuel Ortega had verscheidene blaadjes van zijn aantekenboekje volgeschreven. Hij sloeg het dicht en stopte het in het buitenvak van zijn aktentas. Daarna leunde hij achterover en werd door de remous in slaap gewiegd.

Om middernacht landden ze in Lissabon. Het kille, natte weer van Noord-Europa zat nog in hun botten en ze werden overrompeld door de nachtlucht die hun tegemoet golfde: zwaar en heet en benauwend.

Een voorproefje voor de dag van morgen.

4

Het vliegtuig daalde van drieduizend naar tweehonderd meter hoogte en beschreef een aluminium-glanzende spiraal boven de hoofdstad van de federale republiek. Manuel Ortega's zitplaats was in de binnenste bocht van deze spiraal en door het venster van de cabine zag hij de stad groter worden en dichterbij komen. Ze was wit en mooi, met haar parken en haar brede met bomen beplante lanen, met het schitteren van de zon op het koperen dak van de kathedraal en de lichtreflexen in de duizenden ramen. Op dit uur van de dag waren de meeste luiken nog niet gesloten. De piloot maakte een glijvlucht boven de daken der huizen; de cirkelronde arena en het ovale voetbalstadion gleden onder de vleugels voorbij, evenals de huurkazernes en een voorstad met vuile huisjes en beroete werkplaatsen, maar zelfs deze wekten een indruk van properheid. Men zag onmiddellijk dat het een mooie stad was in een goed bestuurd land, een land om trots op te zijn. Daarna volgde een kippenfarm met duizenden vormloze, witte bolletjes, die doelloos wegvluchtten onder de grote schaduw, dan de grasmat en de windwijzer en de eerste lange bons op de landingsbaan.

Terwijl het vliegtuig nog voortrolde en lang voordat de stroom van de waarschuwingslichten werd uitgeschakeld, kwam er een geüniformeerd lid van de bemanning, waarschijnlijk de telegrafist, vanachter uit het vliegtuig het gangpad door. Hij boog zich voorover en zei op gedempte toon: 'Zouden u en mevrouw zo goed willen zijn op uw plaatsen te blijven tot de overige passagiers uitgestapt zijn?'

Ze bleven dus zitten en wachtten af. Toen het vliegtuig eindelijk leeg was, klom er een officier van politie in een wit uniform door de deur van de cabine naar binnen. Hij ging in de houding staan en zei: 'Welkom thuis, meneer de gouverneur.'

Zijn stem klonk stug en zijn gezicht stond ernstig, alsof hij zich geplaatst zag voor een gewichtige en moeilijke opdracht. Aan de voet van de vliegtuigtrap stond een witgeschilderde Amerikaanse politieauto geparkeerd, voorzien van een radioantenne en met schijnwerpers op het dak. In zwarte blokletters was dwars over de deuren het woord POLICIA geschilderd. Tien meter verderop stond een witte jeep. De motor liep: een agent achter het stuur en een andere rechtovereind tussen de voor- en achterbank. Verder was er geen mens op de landingsbaan te bekennen. Het vliegtuig was opvallend ver van de luchthavengebouwen tot staan gebracht.

De officier hield de deur van de auto voor hen open, maakte een bevelend gebaar naar de wachtposten bij de trap en ging zelf op de achterbank zitten. Hij was dik en dus zaten ze dicht op elkaar. De jeep gleed met in werking gestelde sirene voorbij en ging voor de auto rijden. Daarna reed het kleine konvooi een driehonderd meter naar een bijgebouw, dat zelden voor iets anders werd gebruikt dan voor het begroetingsceremonieel van prominente bezoekers. Manuel Ortega wierp een verbaasde blik op de vrouw aan zijn zijde. Haar gezicht stond volkomen uitdrukkingsloos.

De auto stopte en hoewel de afstand tot de ingang niet meer dan drie meter bedroeg, werden er agenten geposteerd voor de gouverneur en zijn secretaresse het voorvertrek mochten betreden, dat opzichtig was ingericht met protserige meubelen en kleurig behang. Een agent opende een deur achterin het vertrek, terwijl hij gelijktijdig de vrouw beduidde dat ze moest wachten.

Manuel Ortega kwam in een klein bureau met lage tafels en leren fauteuils. Er bevonden zich daar reeds twee mannen; één die hem alleen van foto's en uit gesprekken bekend was en één die hij reeds heel lang kende. De eerste was Jacinto Zaforteza, minister van binnenlandse zaken van de federale republiek, de andere Miguel Uribarri, hoofdinspecteur opsporingsdienst der politie.

Manuel schudde Zaforteza de hand en omarmde zijn zwager.

De minister was een grote, grove man met een stierenek en kort geknipt grijs haar. Door een aantal regeringsfunctionarissen werd hij van onschatbare waarde beschouwd, alleen niemand wist precies waarom. Hij was een ervaren volksmenner en zijn krachtige, bulderende stem had met de jaren iets gekregen dat bijna lichamelijk bezit nam van zijn toehoorders.

Hij stak meteen van wal.

'Het enige dat ik op het ogenblik voor u kan doen is u welkom heten en u een enkel woord meegeven op uw weg. De opdracht is zeer delicaat en u zult wellicht voor moeilijke situaties komen te staan. U moet er niet op rekenen snelle of belangrijke resultaten te kunnen boeken, daarvoor is de toestand te gecompliceerd. Dit verwachten wij ook niet van u. Wat wij wel van u verwachten is een onvoorwaardelijke loyaliteit en de wil tot volledige samenwerking. Twee dingen moet u tot elke prijs voorkomen: militaire acties én situaties die internationaal de aandacht trekken. Voor het overige bent u vrij in uw doen en laten. Het is van het grootste belang dat u zo spoedig mogelijk op uw plaats van bestemming aankomt. Daarom zal een helikopter van de luchtmacht u hier over twintig minuten komen ophalen. U kunt er dan binnen vijf uur zijn.'

Zaforteza wierp een blik op zijn horloge, omarmde hem en verliet haastig het vertrek.

Manuel Ortega keek verbaasd naar de dichte deur. Hij was niet in de gelegenheid geweest ook maar een enkel woord te zeggen.

'Zo zie je welke hulp je van die kant kunt verwachten,' zei Uribarri.

Hij was een kleine, tengere man met een mager gezicht en een klein zwart snorretje. Hoewel hij in burger was, was het hem aan te zien dat hij vele, lange jaren alle mogelijke soorten uniformen had gedragen. Hij liep ongeduldig door het vertrek heen en weer.

'Manuel, wat heb je in godsnaam gedaan.'

Het kwam er plotseling en onverwacht heftig uit.

'Je hebt een enorme fout begaan. De situatie daarginds is hoogst onverkwikkelijk. Iedereen is gek.'

'Ik ben ervan overtuigd dat ik mijn opdracht tot een goed einde zal brengen.'

'Ik heb maling aan je opdracht. Het is best mogelijk dat je de partijen met elkaar kunt verzoenen, dat laat me persoonlijk koud. Waar ik aan denk is aan je persoonlijke veiligheid.'

'Maar de federale politie...'

'De federale politie bestaat uit een stel idioten. In het gunstigste geval. Je hebt immers zelf dat schouwspel daarbuiten gezien. Een groot escorte met sirenes om één enkele man driehonderd meter over een leeg vliegveld te vervoeren! Het meest logische zou geweest zijn om je zo ongemerkt mogelijk binnen te loodsen.'

'Hoe dan ook, het is nu te laat.'

'Ja, het is nu te laat om je terug te trekken – maar niet te laat om je leven te redden. Luister goed naar me. Ik heb er vier van mijn mensen heen gestuurd. Die zijn al ter plaatse. Ze zullen je afhalen. Het zijn mijn eigen mensen, de beste die ik je te bieden heb. Het enige wat ze te doen hebben is zorg te dragen voor jouw veiligheid en ik kan je verzekeren dat ze hun werk kennen. Denk eraan dat van alle mensen die je daarginds zult ontmoeten deze vier de enigen zijn van wie je *weet* dat je op ze kunt vertrouwen. Vertrouw niemand anders, nooit, niet het leger, niet de politie, niemand.'

Uribarri liep naar het raam en keek tussen de jaloezieën door.

'Wat is dat voor een vrouw?'

'Mijn secretaresse.'

'Waar komt ze vandaan?'

'Van de ambassade in Kopenhagen.'

'Hoe heet ze?'

'DanIča Rodriguez.'

Hij proefde de naam op zijn tong.

'Die naam zegt me niets,' zei hij ten slotte.

Manuel Ortega glimlachte en keek op zijn horloge.

'Ik moet nu gaan, Miguel. Ik hoor de helikopter.'

'Ben je gewapend?'

'Ja.'

'Wat heb je?'

'Een legerrevolver.'

'Waar is die?'

'In mijn koffer.'

'Een verkeerde plaats, Manuel, een verkeerde plaats! Hier! Hier!'

Hij sloeg met zijn vlakke hand tegen de linkerkant van zijn borstkas.

'Jij doet altijd even dramatisch, Miguel. Weet je zeker dat je het risico niet wat overdrijft?'

'Nee! Nee! Ik weet dat ik niet overdrijf. Ze zijn gek. Ze hebben hun verstand verloren. Ze zullen proberen je te doden, al was het alleen maar uit louter genoegen of om te kunnen beweren dat iemand anders het gedaan heeft.'

'Wie zijn die "ze"?'

'Iedereen, het doet er niet toe wie. Hoewel geen mens, hier of ergens anders in het land, er ooit aan denkt of er zelfs maar van afweet, wordt er daarginds al anderhalf jaar oorlog gevoerd. Een harde, bloedige, meedogenloze oorlog. Beide partijen zijn totaal vertwijfeld, dodelijk vermoeid en op, maar geen van beide wijkt een duimbreed. Vijftig jaar lang zijn die mensen pionnen geweest op het schaakbord van de binnenlandse politiek. Nu zijn de pionnen dol geworden. En toch zijn er nog altijd mensen die doorgaan ze te gebruiken.'

Tien minuten later steeg de helikopter, ronkend, loodrecht de lucht in, gehuld in zijn eigen oorverdovende wervelwind. Door het in vakjes verdeelde plexiglas zag Manuel Ortega de witte politieauto's zich omkeren en wegrijden. Alleen Uribarri bevond zich nog op de landingsbaan. Hij stond wijdbeens, met twee vingers om de rand van zijn hoed en doodstil. Snel werd hij kleiner. Al gauw was hij niet meer te onderscheiden.

Manuel Ortega veegde het zweet van zijn gezicht en keek naar de vrouw die met haar boek op haar schoot naast hem zat.

'Wat een ontzettende hitte,' zei hij.

'Wacht u maar tot we ginds zijn,' zei ze zonder op te kijken.' 'Dan zullen we pas goed reden hebben ons te beklagen.'

5

'Ze hebben hier geen echt vliegveld,' zei de piloot en staarde naar beneden.

Het landschap onder hen was niet gemarkeerd en was wazig van de hitte. Het was of de zon niet alleen al het leven had verbrand, maar ook het aardoppervlak zelf had vervormd tot een harde, grove deegkorst van steen en aarde, grijsachtig en geelbruin.

'Eigenlijk is er maar één enkele plek in de hele provincie waar je kunt landen. Het leger heeft ten zuiden van de stad een terrein aangelegd voor haar kleine verkenningsvliegtuigen. Maar zelfs daar is het levensgevaarlijk om er met een schroefvliegtuig te landen.'

Manuel Ortega gaapte. Hij had een poosje geslapen en was juist wakker geworden. De vrouw aan zijn zijde maakte een rustige, geconcentreerde indruk. Ze had een donkere, de ogen afsluitende zonnebril op; ze zat met haar elleboog op haar schoot en leunde met haar kin in haar hand.

'Ze zeggen dat het door de hitte komt,' zei de piloot. 'Het asfalt smelt en toen ze het een keer met beton geprobeerd hebben, zijn de betonblokken uit gaan zetten en hebben op die manier elkaar kapot gedrukt. Maar 's nachts kan het er vreemd genoeg soms behoorlijk koud zijn.'

Manuel Ortega knipperde met zijn ogen en schudde met zijn hoofd. Desondanks vond zijn blik geen houvast en kreeg hij geen duidelijk beeld van het troosteloze landschap onder hem.

'U zult het zo dadelijk zelf wel zien. Achter die heuvelrug daar ligt de hoofdstad van de provincie. Over tien minuten zijn we er.'

De helikopter steeg een beetje om met een veilige marge over de bergkam te kunnen komen. De door de hitte ontstane waas maakte het schatten van afstanden moeilijk.

Alle optische waarnemingen moesten wel onbetrouwbaar zijn, dacht Manuel Ortega.

Zelf had hij de berg niet opgemerkt voor de piloot hem erop attent had gemaakt. Nu vlogen ze er vlak overheen. Hij zag scherpe, verweerde steenbrokken en een uit kreupelhout bestaande vegetatie en plotseling een weg met karretjes en een paar grijze barakken. Daarna de eerste mensen, een heleboel figuurtjes met strohoeden op en witte kleren aan. Ze liepen in een lange rij met gebogen rug en droegen gevlochten manden op hun schouders. Nog meer figuren, een hele menigte; een grote open ertsgroeve met smalsporen en zwarte gaten in de berg. Nog meer barakken, een smeltoven, hoog, grauw en beroet, met een pluim van giftige, geelviolette rook die uit de hoge schoorstenen opsteeg en zich onmiddellijk uitbreidde en als een nevel neerdaalde op de grond.

'De mangaanmijnen,' zei de piloot. 'Als die er niet geweest waren zouden ze dit rot land al lang verlaten hebben en het teruggegeven hebben aan het gespuis dat hier woonde. En daar ligt dan de stad.'

Manuel Ortega keek in de richting die de piloot aanduidde en zag een grijsgele vlakte, diffuus, oneffen en eindeloos. In het midden een groep vierhoekige blokkedooshuizen; het was net of iemand bij toeval een aantal witgeschilderde blokken van een bouwdoos had laten vallen en het niet de moeite waard had gevonden ze weer op te rapen. Een kaarsrecht grijswit lint, dat een autoweg moest zijn, liep diagonaal naar de stad. Toen ze naderbij kwamen zag hij dat zich rond de hoge witte huizen een soort samengeklonterde bebouwing bevond en ook een heuvel met villa's en wat aarzelend, stoffig groen.

De helikopter snorde met een wijde boog langs de westelijke stadsrand, streek over de daken van een rij lange grijze kazernes en liet zich naar de grond zakken.

De piloot zette de machine langzaam en uiterst behoedzaam neer. Hij vloekte de hele tijd.

'Als de bolsjewisten dit rot land van ons af willen nemen, dan mogen ze wel parachutisten gebruiken. Geen zinnig mens kan hier landen.'

'Welke bolsjewisten?'

'Tja, de bolsjewisten,' zei de piloot stotterend. 'Die daar wonen...'

Hij maakte een vaag gebaar naar de nevelige bergen ver weg in het zuiden.

'De regering in het land dat u bedoelt was niet communistisch,' zei Manuel Ortega belerend. 'Ze was hooguit socialistisch en democratisch. Overigens is die regering, zoals u misschien weet, drie weken geleden afgezet en vervangen door een conservatief bewind.'

'God zij geloofd,' zei de piloot.

De helikopter stond eindelijk aan de grond. De piloot had de motor afgezet en de wentelwieken maakten een schel geluid toen hun snelheid begon af te nemen. Hij kwam overeind uit zijn stoel, sloeg het luik open, sprong op de grond en stak zijn hand uit naar de vrouw. Ze pakte deze vast en sprong naar beneden, soepel en lenig. Manuel Ortega merkte op hoe ze gemakkelijk en ongedwongen glimlachte toen haar blik die van de piloot ontmoette. Hij nam zijn aktentas en regenjas, legde zijn ene hand op de schouder van de piloot en stapte eveneens uit. Zijn rechterbeen weigerde dienst en hij was bijna voorover gevallen.

Terwijl hij om zich heen keek voelde hij het hete, ongelijke asfalt door zijn dunne zolen heen branden. De hitte was ongekend. Hij was nu al doorweekt.

Het vliegveld was heel klein en omgeven door een dubbele haag van prikkeldraad. De grond was bedekt met grof gruis en de hobbelige asfaltbaan was hooguit honderdvijftig meter lang. Aan het einde ervan lag het uitgebrande wrak van een neergestort vliegtuigje.

'Zo,' zei de piloot. 'Dat was eens hun Piper Cub. Nu hebben ze alleen nog maar een Aradon.'

In de ene hoek van de omheining bevond zich een half cirkelvormig schuurtje van gegolfd plaatijzer. Daarvoor een kleine grijze personenauto. Het was duidelijk dat deze op hen had staan wachten, want voordat de wentelwieken opgehouden hadden met snorren, begon de auto over het hobbelige veld in hun richting te rijden. Hij stopte en een lange man in een gekreukeld linnen kostuum met smalle revers stapte uit. Hij nam zijn hoed af en veegde het zweet van zijn gezicht.

'Ik heet Frankenheimer,' zei hij.

Hij stak zijn hand in zijn zak en toonde een legitimatiebewijs. Manuel Ortega herkende de krachtige handtekening van zijn zwager.

Vanachter de plaatijzeren hangar weerklonk het geluid van een sirene en een witte jeep draaide het veld op. De man in het linnen kostuum wierp er een blik op en zei: 'We beschikken over een goede maar kleine auto. Ik en mijn collega's zijn erin hiernaar toe gereden. Ik wou voorstellen dat u hem gebruikt zolang u hier bent.'

Vervolgens zei hij: 'Zo denk ik er over, ja.'

Het was een Franse auto, een Citroën 2-CV. Manuel had er een aantal in Zweden zien rijden.

De jeep remde een paar meter van hen vandaan af en twee politieofficieren in witte uniformen stapten uit. Degene die de meeste banden op zijn mouw had ging in de houding staan en zei: 'Luitenant Brown van de federale politie, tot uw orders. Mag ik u welkom heten. Helaas is noch generaal Gami noch kolonel Orbal in staat u persoonlijk te begroeten. Ze hebben ons verzocht u hun spijt hierover te betuigen.'

'Bent u het hoofd van de politie?'

'Nee, kapitein Behounek is het hoofd van de federale politie. Ook hij had geen gelegenheid te komen, maar hij is bereid u later op de dag te ontmoeten. Ik heb opdracht gekregen u naar uw onderkomen te begeleiden.'

'Wij geven er de voorkeur aan met onze eigen auto te gaan. Maar u wilt misschien zo vriendelijk zijn voor onze bagage te zorgen?'

'Natuurlijk,' zei luitenant Brown en wierp een blik op de man in het linnen kostuum.

Die keek of het hem niet in het minst aanging.

'Wilt u niet meegaan om iets te eten of te drinken?' vroeg Danica Rodriguez aan de piloot, die vlak naast haar op zijn voeten heen en weer stond te wiebelen.

'Ik zou wel willen maar ik moet voor het donker op mijn basis terug zijn. Een andere keer graag...'

Even later voegde hij eraan toe: 'Bovendien wil ik hier zo snel mogelijk vandaan, voordat er een burgeroorlog, een aardbeving, een vulkaanuitbarsting of iets anders plaatsvindt.'

Manuel Ortega keek geïnteresseerd om zich heen toen ze langs de kazernes reden. Binnen het roestige ijzeren hekwerk waren maar enkele soldaten te zien. Die zaten half onderuit gezakt in het beetje schaduw dat de stenen muren boden.

De man in het linnen kostuum verliet de hoofdweg en stuurde de auto achter een stenen muur langs, over een smal, aangestampt pad. Rechts lag een warwinkel van bouwvallige hutten. De meeste waren slordig in elkaar gezet, met planken en touwen, andere bestonden uit roestige stukken plaatijzer, overeind gehouden door palen. Overal wemelde het van de kinderen, vuil, haveloos, half naakt en uitgeteerd. Op de grond zaten vrouwen in verschoten lompen. Ze waren in de weer met houtskoolvuurtjes en ijzeren potten. Anderen liepen langs de weg met waterkruiken op hun hoofd of droegen emmers in een juk over hun schouders. Een deel draaide het hoofd om en keek naar de auto met een uitdrukking van afgestompte, dierlijke afkeer. Er steeg een zware, scherpe geur van verrotting, uitwerpselen en afval uit de bouwsels op.

Frankenheimer vond een opening in de muur en draaide de geplaveide hoofdweg weer op.

'Hebt u ooit zoiets gezien? Neemt u mij niet kwalijk dat ik het zeg, maar dit is een rotstad.'

Daniča Rodriguez had niet één keer om zich heen gekeken. Ze zat stijf op de achterbank en staarde recht voor zich uit.

Ze reden nu het centrum van de stad binnen, tussen de gelijkvormige witte, eveneens van de hitte trillende blokkendooshuizen door. Ze zagen etalages voorzien van tralieluiken en bars die gesloten waren. Op de trottoirs stonden lage, wegkwijnende palmen. De straten waren praktisch leeg.

'Het is nog siesta,' zei de man achter het stuur. 'Bovendien durven de meesten de straat niet meer op. Zoveel zijn er trouwens ook niet meer.'

Hij reed het plein over en hield stil voor het gouvernementspaleis, dat groot en wit was en dat nieuw aandeed met zijn tuimelramen en zijn rijen witte pilaren in de kroonlijst. Een politieagent in een wit uniform en een soldaat in een zwart stonden aan weerszijden van de ingang. De jeep was reeds gearriveerd en men had hun bagage uitgeladen. Luitenant Brown zat op de voorbank te roken. Hij nam niet de moeite uit te stappen of zelfs maar zijn hoofd om te draaien.

Toen Manuel Ortega op het trottoir stond hoorde hij een zwak gezoem. Hij keek omhoog en zag de helikopter als een grotesk insekt afsteken tegen de wazige, duifblauwe hemel.

Je moet nog hoger stijgen, dacht hij.

'Daar verdwijnt uw piloot,' zei hij plagend tegen de vrouw.

Ze schonk hem een koele, vermoeide blik.

'Ja,' zei ze.

Daarna gooide ze haar sigarettepeukje op straat, trapte het uit en ging achter de soldaat die de bagage droeg door de tochtdeur naar binnen.

Manuel Ortega kwam in de marmeren hal. Getroffen door een gedachte bleef hij staan en keek om zich heen.

'Ja,' zei Frankenheimer rustig, 'hier is het gebeurd. Op deze plek. De man die schoot stond daar achter de receptie. Ik heb gezegd dat we hier geen receptionist meer wensen. De politie moet hier maar een mannetje van hén neerzetten. Dat heb ik hun ook gezegd, maar ze hebben het niet gedaan.'

Hij zag er moe en bezweet uit en droogde zijn gezicht af met een verfrommelde zakdoek.

'Ja,' zei hij, 'ik heb het hun gezegd. Zo is het.'

De dienstvertrekken lagen een verdieping hoger. Ze bestonden uit een reeks kamers, gelegen aan een witte gang. De meeste vertrekken waren leeg en zagen eruit of ze nooit gebruikt waren. Op twee na lagen ze in het halfdonker, want om de hitte buiten te houden had men de luiken dichtgedaan. Desondanks was de lucht er zwaar, stoffig en benauwd. In een van de kamers zat een betrekkelijk jonge man met een zwart satijnen jasje aan en een rookkleurige bril op. Hij had de onderste la van zijn schrijfbureau uitgetrokken om er zijn benen op te kunnen leggen terwijl hij de krant las. Toen ze de deur opendeden en de kamer inkwamen, keek hij op, legde de krant weg en kwam overeind.

'Ik ben uw chef van de kanselarij,' zei hij. 'Er is alleen geen kanselarij.'

'Bent u de enige ambtenaar hier?'

'Ja. We waren met z'n drieën. De generaal en ik en een vaandrig, die als oppasser en secretaris van de generaal dienst deed. Hij nam onmiddellijk na de dood van de generaal zijn ontslag.'

'Waarschijnlijk een oorlogsinvalide, ja, dat zal haast wel,' zei Frankenheimer verduidelijkend.

Voordat ze de deur nog achter zich dicht hadden gedaan, zat de jonge man alweer met zijn voeten op de la van het bureau zijn krant te lezen.

Helemaal achter in de gang was de kamer die Orestes de Larrinaga gebruikt had. Het was een grote, lichte en koele kamer met een ventilator aan het plafond.

Danîca Rodriguez stond bij een van de ramen te roken. Ze staarde uit over het plein en toen de luchtstroom van de ventilator haar korte haar wegblies, zag men dat haar smalle nek bedekt was met kleine, fijne zweetdroppels.

Op een stoel tegen de muur zat wijdbeens een kleine dikke man met zijn handen op zijn knieën niets te doen.

'Dit is Lopez,' zei Frankenheimer. 'Hij en ik zullen gelijktijdig dienst doen en altijd in uw nabijheid zijn. Twaalf uur achter elkaar, van twaalf uur 's middags tot twaalf uur 's nachts. Dan lossen de beide anderen ons af. Hen zult u vannacht ontmoeten.'

Manuel Ortega keek om zich heen. Er waren in de kamer geen mappen, geen boeken, geen papieren, niets behalve meubelen. Hij trok een la van het schrijfbureau uit. Leeg. Hij ging naar de kamer van de secretaris. Ook leeg. Er stond een groene kast in waarvan de deuren op een kier stonden. Leeg. Hij keerde naar de anderen terug.

'Met uw permissie hadden we gedacht de zaak als volgt in te delen,' zei Frankenheimer en zweeg.

'Hoe dan?'

'U neemt deze kamer en de dame de andere, want zo hoort het toch, is het niet?'

De vrouw bij het raam zag hem mismoedig aan.

'Eén van ons beiden zal zich altijd in deze kamer bevinden. Waar de andere zich ophoudt... wel, daar hoeft u uw hoofd niet over te breken. U moet altijd één van ons bij u in de kamer hebben, omdat deze kamer twee deuren heeft,' voegde hij er somber aan toe, alsof hij zich beklaagde over de indeling van het gebouw.

Manuel begon moe en geprikkeld te worden. Bovendien was hij doorweekt van het transpireren.

'Maak een beetje voort,' zei hij.

De man in het linnen kostuum keek hem droefgeestig aan.

'Dan is er het huisvestingsprobleem nog,' zei hij.

Hij liep met een paar lange passen de gang in, wierp een blik naar links, haalde een sleutel te voorschijn en maakte een deur aan de andere kant van de gang open.

'Dit hier,' zei hij, 'is zeer geschikt. Twee ineenlopende kamers; de achterste van de twee is de slaapkamer. Verder is er zelfs een toilet en een douche. De man van de kanselarij woonde hier, maar die hebben we eruit gezet. Als u overdag en 's nachts hier bent, dan zal de wacht in de gang zitten. We zullen hier een stoel neerzetten; een draaistoel lijkt me het beste.' Hij zei het heel nadenkend.

'Kunnen we nu echt niet een beetje sneller opschieten? Ik ben moe en wil graag een douche nemen en me verkleden.'

'Als u slaapt of u permanent in het achterste vertrek ophoudt, zal de wacht hier, in het voorste vertrek zitten. Gaat u daarmee akkoord?'

'Wat bedoelt u met "permanent in het achterste vertrek"?'

Frankenheimer gaf geen antwoord op deze vraag.

'Ja, dat is het dan wel,' zei hij afwezig. 'Ach ja, natuurlijk, het meisje nog.'

Hij liep terug naar de dienstvertrekken. Danića Rodriguez stond nog steeds bij het raam een sigaret te roken en de kleine, dikke man zat op zijn stoel.

'U kunt hier ook uw intrek nemen,' zei Frankenheimer en peuterde in zijn neus. 'Dat is wel te regelen.'
'Dank u.'
'Maar voor 't geval u dat liever niet wilt, hebben we een appartement in de stad voor u gereed. Drie straten hier vandaan. Twee kamers.'
'Dat heb ik liever.'
'Ja, dat is misschien ook beter. Dan loopt u niet in de weg.'
'Ik geef hoe dan ook de voorkeur aan dat appartement.'
'We hebben het... zogezegd gedaan uit... voorzorg.'
'Dank u.'
'Wat u betreft hadden we geen instructies ontvangen. Maar het was niet zo moeilijk. Er zijn appartementen genoeg. Veel mensen hebben de benen genomen de laatste tijd,' zei Frankenheimer en keek naar haar borsten.
'Dan ga ik er meteen maar heen.'
'Om u te verkleden? Goed.'
'Ik ben van plan het huis op te blazen.'
Frankenheimer vertrok geen spier.
'Hoe moet het met mijn koffers?'
'U zegt het maar,' zei Frankenheimer.
Die kerel zal me nog gek maken, dacht Manuel Ortega.
De telefoon rinkelde. Frankenheimer stak zijn hand uit en nam de hoorn op. Ze zagen hoe hij een paar seconden luisterde en toen de hoorn op de haak legde.
'Wie was dat?' vroeg Manuel Ortega.
'Uh – iemand die vond dat u om zeep gebracht moest worden.'
'In het vervolg geef ik er de voorkeur aan zelf mijn gesprekken te voeren.'
'In dit gat zou je een telefoongesprek binnen de tien seconden kunnen achterhalen,' zei Frankenheimer.
'Als iemand dat wil tenminste,' voegde hij eraan toe.
De telefoon rinkelde opnieuw.
'Ja, Ortega.'
'Mooi. Welkom in de stad. U spreekt met het executieteam van

de Burgerwacht. Wij willen u eraan herinneren dat u binnen twee weken dood zult zijn, onverschillig met hoeveel lijfwachten u zich omringt. Aangezien wij onnodige terechtstellingen willen vermijden geven wij u nog een kans de stad onmiddellijk te verlaten. U hebt tot uiterlijk acht uur vanavond de tijd. Dit is bedoeld als een goede raad, bovendien is het serieus gemeend. Goedemiddag.'

Het was een vrouw die dit zei. Haar stem was helder, rustig en zakelijk, en klonk helemaal niet onvriendelijk. Ze had het woord 'onnodig' beklemtoond en achteraf geloofde Manuel Ortega dat het dit detail was dat hem van zijn stuk had gebracht en naar de rugleuning van de stoel had doen grijpen.

Toen hij opkeek, ontmoette hij de blik van zijn secretaresse. Ze keek hem nadenkend en met gefronste wenkbrauwen aan. Ineens vond hij haar mooi.

'Trekt u zich maar niets van hen aan,' zei Frankenheimer.

Danica Rodriguez haalde haar schouders op. Ze pakte haar koffers en ging weg. Ze zagen er zwaar uit, maar ze droeg ze zonder veel moeite.

Drie kwartier later had Manuel Ortega een douche genomen en een schoon wit overhemd en een lichtgrijs kostuum aangetrokken. Toen hij de gang in kwam, zat Lopez op zijn draaibare stoel rechts van de deur, doodstil en met zijn handen op zijn knieën.

Manuel Ortega ging zijn werkkamer binnen. Toen hij de deur opendeed, voelde hij zijn hart sneller kloppen, alsof hij iets verwachtte. Hij ging aan het lege schrijfbureau zitten. Hoewel de ventilator aanstond was de hitte in de kamer bijna ondraaglijk.

Hij bleef stil zitten en voelde het zweet uit de poriën van zijn gezicht stromen en dacht: Ook al is het waar dat die dikzak op zijn stoel in de gang zat, ook al is het waar dat hij mij hierheen gevolgd is, dan nog ben ik het eerst naarbinnen gegaan en heeft hij er zijn gemak van genomen. En als hier iemand geweest was, dan had die iemand mij wel tien maal kunnen doden voordat een ander er iets tegen had kunnen doen.

Daarna dacht hij: Ik moet mijn revolver gaan halen. Die moet ik bij mij dragen.

Hij hoorde iemand in de andere kamer en stond op om te kijken wie het was. Twee stappen van de deur bleef hij staan en keek naar Lopez die roerloos op zijn stoel zat. Manuel opende zijn mond om iets te zeggen, maar hij deed hem meteen weer dicht.

Dit is je reinste waanzin, dacht hij.

Hoe dan ook, er was daar iemand. Hij deed een snelle stap en rukte de deur open.

Danića Rodriguez zat aan haar schrijftafel en was bezig een stapeltje documenten te sorteren. Ze had geen kousen aan en haar naakte voeten waren in sandalen gestoken. Ze droeg een eenvoudige groene jurk van dunne stof. Ze zag er fris uit en haar ogen stonden helder.

'U laat er ook geen gras over groeien,' zei hij.

'Nee,' zei ze.

Hij voelde hoe zijn overhemd op zijn rug vastplakte en het zweet langs zijn nek tussen zijn huid en zijn boord naar beneden sijpelde. Hij liep terug door zijn werkkamer, stak de gang over en ging het voorvertrek binnen, waar hij zijn jasje uittrok en zijn koffer openmaakte. Hij pakte zijn revolver, veegde hem zorgvuldig met de lap af, opende een van de munitiedozen, draaide met zijn duim tegen het magazijn en stopte er zes patronen in. Daarna maakte hij de riemen vast over zijn schouder, stopte de revolver in de holster, deed zijn jasje aan en knoopte dit dicht. Het spande een beetje als hij zijn armen bewoog, dus knoopte hij zijn jasje weer los en liet het open hangen. Al die tijd stond de dikke bij de deur toe te kijken. Of misschien keek hij ook wel niet, want zijn blik was vaag en scheen gericht op een punt verder weg.

Manuel Ortega voelde zich een tikje veiliger toen hij naar zijn schrijftafel terugkeerde en hij ging weer zitten. Hij deed zijn aktentas open en haalde de documenten te voorschijn die hij uit Stockholm had meegenomen en legde deze voor zich neer. Ze hadden niets met de zaak te maken. Niets had iets met de zaak te maken. Alle voornemens en vooropgestelde meningen konden over boord gezet worden.

Ondanks het feit dat hij na het douchen een anti-transpiratiemiddel gebruikt had, transpireerde hij al weer onder de armen, vooral onder de linker.

Twintig minuten lang gebeurde er niets.

Verscheidene keren kraakte de stoel onder het gewicht van Lopez. De zon scheen nu in de kamer en de hitte was nog heviger.

Er stond een drukbel op het bureau; het gebruikelijke type van wit bakeliet met een zwarte drukknop. Hij duwde er met zijn vinger op en vroeg zich af wat er zou gebeuren.

Na ongeveer een minuut werd er geklopt en de jongeman met het nylonjasje en de rookkleurige bril kwam de kamer binnen.

'Hoever was de generaal gevorderd t.a.v. zijn onderhandelingspartners?'

'Voor zover ik weet had hij geen onderhandelingspartners!'

'Maar hij was toch wel van plan met een aantal mensen contact op te nemen in de naaste toekomst?'

'Daar weet ik niets van af.'

'Wat hebt u hier in die bijna drie weken uitgevoerd?'

'Ik persoonlijk?'

'Ja.'

'Helemaal niets.'

'Bent u bij de vergaderingen aanwezig geweest?'

'Er zijn geen vergaderingen geweest.'

'Kwamen er geen bezoekers voor de generaal?'

'Heel weinig.'

'Met wie voerde hij onderhandelingen?'

'Ik weet niet of hij met iemand onderhandelingen voerde, maar kolonel Orbal is een paar maal hier geweest. En een apotheker die Dalgren heet. Misschien waren er nog wel meer, maar niemand die ik kende of herkende.'

'Wat heeft de generaal in die weken gedaan? Ik bedoel tijdens de diensturen?'

'Hij placht hier te zitten.'

'Waar zijn zijn papieren gebleven?'

'Hij had geen papieren. Wel kreeg hij iedere dag een krant, die de werkster de volgende dag weggooide. Dat was een order.'

'En de post?'

'Er was niet veel post. Wat er kwam, werd gelezen door de oppasser. Als het iets bijzonders was las hij het de generaal voor. Daarna wierp hij de brief weg.'

'U wilt met andere woorden beweren dat Orestes de Larrinaga geen bliksem uitgevoerd heeft gedurende al die tijd dat hij gouverneur was.'

'Dat heb ik niet beweerd. Hij werkte aan een proclamatie.'

'Een proclamatie?'

'Ja, een persoonlijke boodschap, een beginselverklaring.'

'Iedere dag, drie weken lang?'

'Ik neem aan dat hij zeer nauwgezet te werk ging.'

'Waar is die proclamatie?'

'Die is nooit klaar gekomen.'

'Maar de generaal moet toch iets op schrift hebben nagelaten, een ontwerp, aantekeningen.'

Hij schreef nooit zelf. Hij dicteerde alles aan zijn oppasser, pardon, zijn secretaris.'

'Dan moet die secretaris aantekeningen nagelaten hebben, een ontwerp voor die proclamatie dus.'

'Ja, die proclamatie moet in de kast liggen. Lang was ie niet. Hooguit een getypt velletje. Alle aantekeningen en ontwerpplannen werden vernietigd.'

'Er ligt niets in de kast.'

'Nee.'

'Dat wist u dus al?'

'Ja.'

'Waar denkt u dat het ontwerp is?'

'Dat weet ik niet. Ik genoot niet het vertrouwen van de generaal. Hij sprak nooit tegen me en maakte nooit gebruik van mijn diensten. Misschien heeft de oppasser het ontwerp vernietigd toen de generaal gestorven was.'

'U weet dus van niets?'

'Helaas niet, nee.'

Manuel zweeg en keek de kanselier nadenkend aan. De jongeman maakte een intelligente indruk, maar leek nauwelijks tot samenwerking bereid. Op de een of andere manier was er van het begin af aan iets fout gegaan in hun relatie tot elkaar. Het was niet best begonnen.

'Hoe kan ik met mijn secretaresse bellen?'

'Door de hoorn op te nemen. Ze heeft een neventoestel.'

Manuel verwenste zichzelf dat hij zo'n eenvoudige oplossing over het hoofd had gezien.

'Kan ik nu gaan?'

'Ja.'

Hij nam de hoorn op en de vrouw antwoordde gelijk.

'Bel het hoofd van de gendarmerie, kapitein Behounek.'

Een minuut of drie later opende ze de deur en zei: 'Het is heel vervelend, maar ik kom niet verder dan iemand die weigert me door te verbinden.'

'Ik zal zelf wel met hem spreken.'

Hij nam de hoorn op en hoorde hoe iemand iets mompelde tegen een derde.

'Hallo,' zei de stem, 'ben je daar nog, liefje?'

'Dit is de gouverneur. Met wie spreek ik?'

'Met de officier van de wacht.'

'Wilt u mij doorverbinden met het hoofd der politie.'

'Kapitein Behounek is in conferentie.'

'Dan stoort u hem maar. Als u me niet doorverbindt zijn de gevolgen voor uw rekening.'

De officier van de wacht overwoog de zaak.

'Een ogenblikje, ik zal even voor u horen.'

Het bleef even stil. Toen klikte het aan de andere kant van de lijn en iemand zei: 'Behounek.'

'U spreekt met de gouverneur, Manuel Ortega.'

'Aha. Helaas was ik niet in de gelegenheid u vandaag te ontmoeten. Maar we zien elkaar vanavond, nietwaar?'

'Hoezo?'

'Hebt u geen uitnodiging ontvangen? Vreemd. Dalgren, de fabrikant, geeft een feestje en dat komt mooi uit, omdat het ook als een soort welkomstfeestje voor u beschouwd kan worden. U zult er heel wat mensen treffen en bepaalde contacten kunnen leggen.'

De stem van de man klonk opgewekt en krachtig. Hij wekte de indruk vlot en recht door zee te zijn en gevoel voor humor te hebben.

'Voor die tijd wil ik echter graag een privé-onderhoud met u hebben. En liefst ook met generaal Gami en kolonel Orbal.'

'Helaas moet ik u meedelen dat de generaal en zijn stafchef u niet voor op z'n vroegst over een week kunnen ontmoeten. Belangrijke militaire vraagstukken eisen al hun aandacht op.'

'Zijn ze de stad uit?'

'Vermoedelijk wel. Maar eerlijk gezegd weet ik het niet. Persoonlijk sta ik vanzelfsprekend tot uw beschikking. Wanneer kunt u hier zijn?'

'Ik geef er de voorkeur aan hier met u te spreken. In mijn werkkamer. Over een uur. Schikt u dat?'

'Jazeker, ik zal er zijn.'

Even later opende Danića Rodriguez de deur en zei: 'We hebben een uitnodiging gekregen voor een soort feestje vanavond. Gaat u erheen?'

'Ja, neem het maar aan en noteer waar en hoe laat.'

'Hebt u er bezwaar tegen als ik ook ga?'

'Niet in het minst. Over een uur komt de chef van de politie hier. Ik geloof dat het verstandig zou zijn om de belangrijkste punten van ons gesprek stenografisch vast te leggen.'

'Zeker.'

Hij keek haar verwonderd na. Ze liep nog steeds met de soepele gang van een dier.

Kapitein Behounek arriveerde veertig minuten na de afgesproken tijd en scheen zich dat totaal niet bewust te zijn. Hij was een grof gebouwde man met een klein zwart snorretje, een hoekig gebruind gezicht en een bulderende lach. Hij liet zich in de bezoekersfauteuil vallen en keek geamuseerd naar Lopez, die onbeweeglijk op zijn stoel zat.

'Eén van uw specialisten?'

Manuel Ortega knikte. De zon stond nu heel laag en de hitte was zeer moeilijk te verdragen. Hij voelde dat hij transpireerde en dat zijn hoofd niet helder was, vooral in de aanwezigheid van de politieofficier, die volkomen op zijn gemak in de fauteuil zat, ongedwongen en goedgehumeurd, en ondertussen naar de voeten en naakte benen van Danička Rodriguez kijkend.

'Zoudt u zo goed willen zijn de huidige situatie in de provincie uiteen te zetten, waar het de politie betreft? In grote lijnen natuurlijk.'

Behounek wendde met duidelijke tegenzin zijn blik af van de vrouw met de blocnote, haalde een sigaar te voorschijn, sneed er het puntje af, stak hem aan en legde zorgvuldig de lucifer in de asbak.

'Het is rustig,' zei hij. 'De situatie is bevredigend. Ik heb zo'n idee dat onze moeilijkheden zich in de eerstkomende tijd vanzelf oplossen.'

'Hoeveel gewelddaden zijn er gedurende de laatste week gerapporteerd?'

'Na het tragische gebeuren met de generaal de Larrinaga praktisch niet één. Men zou kunnen zeggen dat de acties van de partizanen op het platteland aan het afnemen zijn. Hier in de stad hebben we geen voorvallen van betekenis gehad.'

'Hoe reageert de bevolking op het optreden van de politie?'

'Zeer positief, in de meeste gevallen met het volste vertrouwen. Het begrip Vredeskorps heeft zich in ieders gedachten een plaats veroverd. Bovendien is het een begrip dat een zekere inhoud gekregen heeft. Dank zij onze vliegende patrouilles is het toezicht op het platteland zeer goed en onze mensen werken effectief. In het bijzonder als men bedenkt hoe snel het korps opgebouwd en georganiseerd is, is het peil van de manschappen verbluffend hoog. Daarom is het aantal dodelijke slachtoffers niet erg groot en zijn onze eigen verliezen te verwaarlozen.'

'En het aantal arrestanten?'

'Ook heel laag. Kan ik... ja, ik moet volkomen openhartig tegen u zijn. Een feit is, dat mijn mensen orders hebben gekregen om alleen tegen ernstiger vergrijpen op te treden. We hebben dit gedeeltelijk gedaan met het oog op wat in het verleden geschied is. Het ruwe optreden van het leger, de overvallen van de partizanen, de vele doden. Onze methode is er op gericht de mensen te overreden en een beroep te doen op hun gezond verstand. In het algemeen kun je bij de mensen veel bereiken met praten, zowel bij de rijken als bij de armen. Daarom hebben we in vele gevallen onwettige handelingen door de vingers gezien. Persoonlijk ben ik ervan overtuigd dat deze methode zekerder en sneller tot succes leidt dan enig andere.'

Manuel Ortega was zowel met de man als met diens redenering ingenomen. Deze stak gunstig af bij de negatieve houding die hij hier reeds ontmoet had en bij de hysterie in de hoofdstad van de republiek bij mannen als Zaforteza en Uribarri. Hij wierp een verstolen blik op de onbeweeglijke Lopez en Behounek die het gezien had onderdrukte een glimlach. Maar het lachje in zijn bruine ogen liet zich niet zo gemakkelijk onderdrukken en Manuel moest zijn hand voor zijn gezicht houden om er niet door aangestoken te worden.

'Ik ben hier nu zeven maanden,' zei Behounek. 'Het kost tijd om hier te wennen, maar uiteindelijk lukt het wel. Ik had gedacht dat we definitief op de goede weg waren tot deze erbarmelijke idioot opdook en Larrinaga neerschoot.'

'Tussen twee haakjes, wanneer komt de moordenaar voor?'

Behounek keek hem onderzoekend aan en zei toen: 'Doden kun je niet berechten.'

'Doden?'

'Wilt u zeggen dat u niet weet wat er gebeurd is? Is de regering werkelijk te laf geweest om de juiste toedracht bekend te maken? Weet u dan niet dat de dader voor het militaire standgerecht is gebracht en binnen een half uur na de moordaanslag werd gefusilleerd? Wel, dan weet u het nu.'

'Waarom hebt u niet ingegrepen?'

De chef van politie zei: 'Omdat ik er geen tijd meer voor had. De chef van het escorte, een luitenant, heeft de dader met een pistoolschot verwond en daarna is de man door soldaten van het escorte gepakt en naar de kazernes van het derde infanterie-regiment gevoerd. Hij is daar vrijwel onmiddellijk gefusilleerd. Ik arriveerde tien minuten te laat om het te kunnen verhinderen. Waarschijnlijk was me dat toch niet gelukt.'

'Wie had hiertoe het bevel gegeven?'

'Generaal Gami persoonlijk. Bovendien was het niet in strijd met de wet. Generaal Gami is militair gouverneur en na de dood van Larrinaga was hij de hoogste autoriteit in de provincie. Hij beschouwde de moord als een aanslag op een officier en vond de situatie zo ernstig dat hij de krijgswetten meende te mogen toepassen. Die militairen! Herinnert u zich het oude gezegde: Eerst handelen, dan denken? Ook als politieman betreur ik de gang van zaken. We hebben een prachtige gelegenheid tot ondervraging misgelopen! Een mens wordt cynisch op zijn oude dag.'

'Wie was de dader?'

'Een jonge arbeider, God weet waar vandaan. Hij had een heel alledaagse naam: Pablo Gonzales meen ik. Die inlichtingen heb ik van zijn lidmaatschapskaart van de communistische partij. We hebben zijn zakken doorzocht voor hij begraven werd, maar dit was alles.'

Hij keek op zijn horloge.

'Het was vanzelfsprekend een pijnlijke aangelegenheid voor het leger. Generaal Larrinaga vertrouwde net zo vast op de militairen als u op uw experts. Hoe dan ook, gaat u vanavond naar Dalgren?'

'Ja, met genoegen. Wie is die Dalgren eigenlijk?'

'Die Dalgren,' zei kapitein Behounek kalmpjes, 'is zoals met grote zekerheid vaststaat een vooraanstaande rechtse extremist en lid van de Burgerwacht. Misschien zelfs de leider. Waarschijnlijk zullen we met hem onderhandelen, als er onderhandeld wordt. Nee, vraagt u mij niet waarom ik hem niet arresteer. Technisch beschouwd is elke inwoner van de provincie óf een aanhanger van de Burgerwacht óf van het Bevrijdingsfront. Ik zou tweehonderdvijftigduizend mensen moeten arresteren.'

'Ik zou die vraag niet gesteld hebben.'

'Voor het overige is Dalgren in de eerste plaats farmaceut, apotheker. Hij heeft hier in de provincie de grondstoffen gevonden voor bepaalde medicijnen en een fabriek opgericht. Die heeft hem al miljoenen opgebracht. In wezen natuurlijk een vuil zaakje: straatarme Indianen, vrouwen en kinderen, klauteren weken en maanden lang rond in de bergen en verzamelen wat wortels of wat het dan ook mag zijn, die hij later schouderophalend voor vrijwel niets van hen koopt. Op die manier is hij miljonair geworden en zij sterven van de honger. Maar zo is het nu eenmaal. Daar kunnen we niets aan veranderen.'

'Nee. Overigens ben ik vandaag door de Burgerwacht met de dood bedreigd.'

'Ik weet het,' zei Behounek.

Er voer een schok door Manuel Ortega heen en hij opende zijn mond, maar zei niets.

Behounek wierp een blik op de telefoon en haalde even zijn schouders op.

'Degene die u bedreigde werd tien minuten later gearresteerd. Het is een jonge vrouw die een parfumeriezaak bezit, een straat of drie hier vandaan. Een opgewonden standje. Ze sloeg alleen maar onzin uit. Zo zijn er zoveel. Morgen laten we haar weer gaan.'

'Maar,' vervolgde de chef van politie bedachtzaam, 'dat neemt niet weg dat uw situatie hier zeer precair is. Laten we hopen dat er spoedig ontspanning in de toestand optreedt. Ik zal een oogje in het zeil laten houden en dan hebt u immers ook nog uw...'

Hij maakte met zijn hoofd een beweging in de richting van de man op de stoel.

Ze stonden beiden op en schudden elkaar de hand. Manuel Ortega had zich hersteld en slaagde erin op te merken: 'Nog één ding. Wilt u mij doorslagen van uw rapporten en een overzicht van het aantal gepleegde misdrijven laten brengen, zodat ik die door mijn personeel kan laten verwerken?'

Behounek dacht na.

'Ja, die van de laatste zeven maanden kunnen morgen in uw bezit zijn. Van wat daarvoor gebeurd is heeft het leger aantekening gehouden, hopelijk.'

Ze namen afscheid.

Manuel Ortega ging naar zijn woonvertrekken, nam een douche en trok opnieuw een ander overhemd en schoon ondergoed aan. Toen hij de gang weer in kwam zat Lopez daar op zijn draaistoel.

Als hij nou niet gauw zijn handen van zijn knieën haalt, wurg ik hem. Ik moet die orang-oetans naar Uribarri terugsturen. Anders word ik gek. God zij dank loopt Frankenheimer niet om me heen te draaien.

Zo dacht Manuel Ortega. Toen hij zijn hand op de deurknop legde en achter zich de langzame bewegingen van Lopez hoorde, laaide zijn angst weer op. Hij stak zijn hand in zijn jasje en greep nerveus de kolf van zijn revolver vast voor hij de deur naar zijn werkkamer opendeed.

Natuurlijk was daar niemand.

6

De villa was groot en wit en lag op de top van de kunstmatig geïrrigeerde heuvel. Voor het huis was een brede veranda met balustrades en namaakpilaren van wit marmer. Daar hield Dalgren zijn party. De duisternis viel snel en daarna leek de lucht nog benauwder en vochtiger.

Manuel Ortega en Danića Rodriguez reden erheen in de kleine Franse personenauto. Lopez zat achter het stuur en later op de veranda, waar hij, op verschillende stoelen gezeten, kunstig vervaardigde sandwiches at van een schaal.

Dalgren was een man van in de zestig, mager, kaal en gekleed in een slobberige witte smoking. Hij nam zijn gasten met knipperende ogen vriendelijk op vanachter een randloos montuur. Al vroeg op de avond, toen iedereen nog in groepjes op zachte toon met elkaar stond te praten, liep hij recht op Manuel Ortega af, nam hem bij de arm en had een gesprek met hem. Hij sprak op een kalme, informatieve en strikt zakelijke manier. Hij zei onder andere: 'Ik verklaar mij volkomen solidair met de Burgerwacht en als u hier, net als ik, dertig of misschien zelfs maar tien jaar had gewoond, zou u begrijpen waarom. Ik zeg u dit om van het begin af aan duidelijk te stellen waar ik sta.'

'Uw organisatie heeft een soort doodvonnis over mij geveld. Vandaag nog werd mijn leven vanuit die hoek bedreigd.'

'Ik wil u erop wijzen dat die organisatie in geen enkel opzicht de mijne genoemd mag of kan worden. Maar het is mij bekend dat de Burgerwacht soms harde maatregelen neemt. Het is goed om daar de aandacht op te vestigen. Alle leden, afgezien van een aantal schoolkinderen, zijn hard werkende mensen, die opkomen voor hun gezinnen en hun maatschappelijke posities; die hier hun woonplaats hebben en die in vele gevallen hun hele leven hier gewoond hebben en wier hele bestaan daarom met deze landstreek en deze stad is verbonden. Dacht u dat deze mensen hun toevlucht zouden nemen tot grof geweld zonder dringende reden? Zonder dat ze zich daartoe gedwongen voelen? Weet u dat gedurende de laatste veertien maanden meer dan achthonderd van de beste mensen uit deze provincie om het leven zijn gebracht? U begrijpt wat dat betekent, nietwaar? Die zijn dus dood, weg. Die zijn er niet meer. Het waren boeren, academici, technici, wat u maar wilt, ze zijn dood, maar in vele gevallen lopen hun moordenaars nog vrij rond. En wat zijn die moordenaars voor soort mensen? Halfzachte, grijnzende idioten die in grotten slapen en in de bergen rondsluipen; het zijn niet anders dan wilden, uitgerust met vuurwapens, messen en patroongordels.'

'Het is inderdaad afschuwelijk, maar toch zie ik niet in waarom dat een voldoende reden zou zijn om mij, persoonlijk, van het leven te beroven.'

'Formeel gezien kan ik erop wijzen dat wij u niet kennen. U zou uit pure onwetendheid onverwachte concessies kunnen doen aan het gepeupel, die het zogenaamde Bevrijdingsfront vrij spel zouden geven. Nog maar een maand geleden zou een dergelijke concessie noodlottig zijn geweest; zij zou er toe geleid hebben dat de hele provincie, ja, ook deze stad, binnen enkele dagen, enkele uren zelfs, door plunderende en moordende bendes zou zijn overstroomd. Ze zouden onze vrouwen verkracht en ons en onze kinderen gemarteld hebben; al het constructieve, dat met oneindige moeite en ongekende offers werd opgebouwd, zouden ze vernietigd hebben: de mijnen, de landerijen, de fabrieken en werkplaatsen. Voordat het leger in staat had kunnen zijn in te grijpen, zouden duizenden levens en grote delen van het hier geïnvesteerde kapitaal reddeloos verloren zijn gegaan. En ten slotte zou misschien het hele land in een zinloze oorlog verwikkeld zijn geraakt.'

Dolgren glimlachte vriendelijk en liet zijn stem dalen: 'Nu is de situatie gelukkig veranderd. Daarom hoeft het vonnis van de Burgerwacht niet onherroepelijk te zijn. In deze organisatie, zoals in de meeste organisaties, zitten heethoofden, jongeren die een gevaarlijk spel willen spelen, net als u en ik op die leeftijd. Het dreigement van vandaag komt met een aan zekerheid grenzende waarschijnlijkheid uit een dergelijke hoek. Ik kan u geruststellen door u mee te delen dat de Burgerwacht een goed georganiseerde beweging is, die weliswaar niet kan controleren wat ieder afzonderlijk lid denkt en zegt, maar die hun optreden naar buiten volledig in haar macht heeft. Ik meen te weten dat u, alleen maar door een afwachtende houding aan te nemen en niets overhaast te doen, zich veilig kunt voelen wat betreft de Burgerwacht. Het werkelijke gevaar komt uit een andere hoek, zoals het geval Larrinaga duidelijk en afdoende bewijst.'

De gastheer wenkte een bediende in een gestreept vest en ze namen beiden een martini van een blad. Dalgren hief zijn glas op en zei: 'In zekere zin bewonder ik uw moed.'

'Ik ben niet hier gekomen om moedig te zijn. Ik ben hier gekomen om verstandig, praktisch en van enig nut te zijn.'

'Dat is een heel goed uitgangspunt. De politieke situatie van het ogenblik schreeuwt om gezond verstand. Dat wat drie weken geleden bij onze zuiderburen is geschied heeft ons en misschien wel de hele federale republiek voor een ernstige crisis behoed. Toen de socialistische regering daar eindelijk na twee jaar van wanbeheer viel, kwamen de zaken voor ons anders te liggen. Ten slotte vinden al onze moeilijkheden daar hun oorsprong. Stel u eens voor, nacht in nacht uit sturen ze opgehitste en bewapende moordenaarsbenden de grens over, dag in dag uit hamert de pers en de radio er bij de bevolking tegen ons gerichte, leugenachtige propaganda in. Hopen mensen en materiaal komen ononderbroken de grens over. Dit heeft van onze soldaten martelaars gemaakt. Want hoe kan je ten slotte een vijand verslaan die zich gewoon over de demarcatielijn terugtrekt, als hem de grond te warm onder de voeten wordt? Om zich daarna volkomen veilig te weten? Maar dat is nu veranderd. Over hooguit een week is het hele, voormalige bestuur daar opgedoekt. Dan wordt de grens gesloten en hoeven we alleen nog maar af te rekenen met de terroristen die aan onze kant van de bergen zijn achtergebleven. Een dergelijke taak is binnen enkele weken, op z'n hoogst een maand voltooid. Al het slechte kwam van de andere kant van de grens; ze voerden eenvoudigweg oorlog met ons zonder ons de kans te geven terug te slaan, een sluipende oorlog, waarbij alle troeven in één hand waren. Als u de inheemsen van de provincie leert kennen, zult ook u tot de conclusie komen dat niets van dit alles eigenlijk van hen uitgaat. Ze zijn arm en onwetend, maar op hun manier gelukkig. Het ligt in hun natuur te gehoorzamen en net als iedereen willen ze alleen maar leven. Het zijn net kinderen. Helaas moeten ze net als kinderen soms gekastijd worden.'

Dalgren glimlachte en liet zijn blik over zijn gasten glijden, voor hij vervolgde: 'Maar goed, ik heb u niet uitgenodigd hier te komen alleen om een redevoering te kunnen afsteken. Ik wil u ook nog een goede raad geven. Blijf bij uw idee de zaak op redelijke wijze aan te pakken, overhaast u niet en probeer geen resultaten te forceren. Dan valt er van de zijde van de Burgerwacht niets te vrezen. Toch moet u voorzichtig zijn, vooral de eerste weken. Er lopen nog steeds groepjes terroristen rond, mensen van hetzelfde slag als de krankzinnige die mijn oude vriend Larrinaga heeft doodgeschoten. De grond wordt hun te warm onder de voeten, ze zijn tot alles in staat en zullen doden wie hun goeddunkt, uitsluitend en alleen om het plezier van het doden zelf.'

Hij dronk zijn glaasje leeg, zette dit op de balustrade en zei tegen een man die een paar meter bij hen vandaan stond: 'Dokter Alvarado, heeft u onze nieuwe gouverneur al ontmoet?'

Daarna verdween hij met zijn witte smoking en z'n fijnzinnige glimlachje.

Dokter Alvarado bleek het hoofd van het militaire hospitaal te zijn en bovendien een tikje beneveld. Hij zei: 'Ik hoorde toevallig de laatste woorden: doden om het plezier van het doden zelf. Hij heeft gelijk, dat is de uiterste consequentie van haat en wanhoop. Persoonlijk heb ik maling aan hun politiek. Ik probeer degenen die ik onder handen krijg op te lappen, onverschillig wie ze zijn en waar ze vandaan komen. Toen het hier op zijn felst toeging, kwamen ze verdomme het ziekenhuis binnen en schoten de gewonden in hun bedden dood. Dat heeft zich nauwelijks een half jaar geleden afgespeeld!'

'Wie deden dat?'

'Een stelletje idiote gymnasiasten met vuurwapens. Een paar van hen ben ik later op straat tegengekomen. Met schoolboeken in de hand en gymnastiekschoenen aan de veters om hun hals bungelend. De Burgerwacht dus. Die van de andere kant begaan hun excessen op het platteland. En soms schieten ze de een of andere gouverneur overhoop.'

Hij dronk en keek schuins naar Ortega.

'Waarom hebt u die jongens niet aangegeven, als u ze herkende?'

'Ik ben arts. Ze kunnen wat mij betreft met hun hele politiek naar de bliksem lopen. Bovendien waren ze geestesziek op het moment van de overval. Ik heb ze voor ontoerekeningsvatbaar verklaard. Later zullen ze wel weer bij hun positieven komen en vooraanstaande burgers worden in de maatschappij.'

'Maar het kan opnieuw gebeuren. Ze kunnen het nog een keer doen.'

'Ja, zij of iemand anders. Maar hún slachtoffers zagen er minder afgrijselijk uit als die ik van het platteland krijg. Ook in lijken zijn gradaties.'

Hij zweeg en nam een slok, maar zei toen plotseling: 'Bent u van plan zelfbestuur door te drijven en landhervormingen op te leggen? Ja, daar geeft u natuurlijk geen antwoord op, maar als dat uw plannen zijn zullen we elkaar zeker terugzien.'

'De regering heeft deze vraagstukken in ieder geval in behandeling,' zei Manuel Ortega ontwijkend.

'Ik geloof dat u er goed aan zou doen Miroslavan Radamek op te bellen om te vragen of hij nog president denkt te zijn als de amandelbomen bloeien,' zei Alvarado poëtisch.

De dokter was blijkbaar niet in vorm. Alsof hij merkte dat Manuel zich verlegen voelde, wendde hij zich tot hem, pakte hem bij z'n smoking en zei: 'Voordat u weggaat zal ik u iets toevertrouwen dat onomstotelijk vaststaat. Orestes de Larrinaga was een domme, overjarige soldaat. Hij was een ezel, hoe je het ook bekijkt. Het domste dat hij deed was te proberen zijn werk te doen. Ik hoop dat u te verstandig bent om in dezelfde fout te vervallen.'

In een hoek van het terras begon een strijkje dansmuziek te spelen. De hemel was zwart en vol heldere sterren, de lucht zwaar en vochtig. Het zweet liep Manuel Ortega over z'n gezicht. Toen hij op zoek ging naar een gelegenheid om zich op te frissen, zag hij Danièa Rodriguez met een lange officier in een zwart uniform aan de bar staan. Ze dronk whisky en keek haar chef vluchtig aan. Haar ogen stonden klaar en haar lichaam leek heel rank.

Wat later zag hij haar terug: ze danste met dezelfde officier en had haar schoenen uitgedaan. Zover hij dat kon beoordelen danste ze heel goed.

Op een gegeven moment trof hij kapitein Behounek, die hem op de rug sloeg en een ogenblikje met hem praatte. Aan het slot zei hij: 'Uw secretaresse is werkelijk een fidele meid, hoewel ze op het eerste gezicht niet erg oogt. Als ik mijn jonge ondergeschikten zo eens aankijk, zijn ze helemaal weg van haar. Ze gaat er in als koek. Nu heeft een infanterist beslag op haar gelegd. Laat die soldaten maar lopen.'

Weer wat later liep hij zijn gastheer tegen het lijf. Deze haalde een plat doosje uit zijn binnenzak en zei: 'De eerste tijd zult u in dit klimaat moeite hebben om in te slapen. Ik heb hier een uitstekend slaapmiddel, dat mijn laboranten juist samengesteld hebben. U zult er op slapen als een kind en na acht uur als een kind wakker worden, fris en uitgerust. Maar neem nooit meer dan twee pillen tegelijk.'

'Dank u. Ik ben werkelijk moe en moet nu gaan. Er wacht mij morgen een drukke dag.'

'O, u moet u niet te veel inspannen. Maar ik begrijp het. Hopelijk zien we elkaar terug onder dezelfde prettige omstandigheden.'

Manuel Ortega liep op Lopez toe, die een meter of tien verderop bij de balustrade zat.

'We gaan. Hebt u mijn secretaresse gezien?'

Lopez wees naar een deur vlak naast het podium waar het strijkje zat.

Manuel liep erheen, deed de deur open en kwam terecht in een lege kamer met gemakkelijke stoelen en palmen in potten. Hij ging schuin de kamer door en duwde tegen een deur die op een kier stond.

'Señora Rodriguez?' zei hij en op hetzelfde moment zag hij haar. Ze stond naast de deur tegen de muur geleund, blootsvoets en de twee onderste knopen van haar blouse waren los. De lange officier stond tegen haar aangedrukt en kuste haar. Hij had zijn ene hand op haar borst gelegd onder het kledingstuk, terwijl de andere op haar buik, heel laag op haar buik lag. Haar handen woelden door zijn haar.

De officier schrok op, draaide zich om en keek Manuel Ortega kwaad aan. Hij had een doodgewoon, onnozel gezicht en was erg jong.

De vrouw maakte zich los en deed een paar nerveuze stappen de kamer in, pakte een sigaret en stak die op.

'Neemt u mij niet kwalijk, ik ga nu weg en wou alleen even vragen of u met ons meerijdt naar de stad.'

'Nee,' zei ze hees en toonloos, 'ik blijf nog wat.'

'Ik bied u mijn excuses aan.'

De officier grijnsde zelfingenomen en legde zijn hand op haar schouder, maar ze schudde hem onmiddellijk af.

Toen Manuel zich omdraaide om weg te gaan, merkte hij dat Lopez op slechts enkele meters afstand achter hem stond.

'U maakt ook niet veel lawaai.'

'Nee.'

Op weg naar huis deed hij opnieuw een poging een gesprek aan te knopen.

'Uw collega, Frankenstein, of hoe hij ook mag heten, waar is die eigenlijk?'

De man achter het stuur haalde zijn schouders op en schoof zijn onderlip naar voren maar zei niets.

Ook de poging een lichtere toon aan te slaan was dus mislukt.

De hoofdweg werd verlicht door straatlantarens die vlak bij elkaar stonden, maar de achterbuurten aan beide zijden werden barmhartig door de witte stenen muren aan het oog onttrokken. Bij de toegang tot het centrum van de stad was een wegversperring aangebracht. Aan de kant van de weg stond een witte jeep en midden op de rijbaan een agent van de gendarmerie met een rode lamp. Ze stopten en de agent liet het licht van de lamp over hun gezichten spelen. Daarna sprong hij in de houding en maakte de weg vrij.

Ergens schuin achter hen weerklonken drie schoten en hoorden ze een schelle, langgerekte schreeuw.

'Wat was dat?'

'Weet ik niet,' zei de politieagent.

Lopez zette de motor in de eerste versnelling en reed weg.

Manuel Ortega was erg moe, maar desondanks niet slaperig. Hij knikkebolde een paar maal in de auto, maar schrok dadelijk weer wakker. Hij voelde zich kleverig en niet bepaald kiplekker en hij vond dat zijn revolver zwaar tegen zijn linkerzij drukte.

In zijn slaapkamer gekomen liep hij een tijd lang heen en weer voor hij er toe kon komen een douche te nemen en zijn pyjama aan te trekken. Daarna schoot hem iets te binnen en haalde hij het doosje dat hij van Dalgren gekregen had uit zijn zak, schudde er twee pilletjes uit, ging naar de wastafel en vulde het waterglas. Bijna had hij de pillen al op zijn tong gelegd, toen hij zich bedacht en ze op het glazen plaatje van de wastafel deponeerde. Hij ging terug naar zijn slaapkamer en liep een paar maal om zijn bed heen. Toen zei hij: 'Nee, nee, zo gaat het niet. Dat zou een al te simpele manier zijn om...'

Hij pakte de pillen, slikte ze door en ging naar bed.

Het laatste waar hij aan dacht voor hij insliep waren de drie schoten en de langgerekte, jammerende kreet uit de inheemse woonwijk.

De pillen deden wat hun samensteller had beloofd. Manuel Ortega werd om acht uur precies wakker. Het was schemerig en zeer warm in de kamer. Het laken was klam en als een touw in elkaar gefrommeld en zijn pyjama kleefde aan zijn lichaam vast.

Toen hij zich aangekleed had en de andere kamer inging, zag hij daar een man zitten. Hij schrok op en zijn hand zocht onzeker naar zijn revolver voor hij zich realiseerde dat dit de man moest zijn die Lopez om middernacht had afgelost.

De man heette gewoon Fernandez. Hij was klein van stuk, alledaags en zat een boulevardblad te lezen. Buiten in de gang zat zijn collega, die ouder was en grof gebouwd maar net zo alledaags en die Gomez bleek te heten.

Net als de dikke Lopez stelde Fernandez zich op achter zijn rug toen hij de deur van zijn kantoor opendeed en naar binnen ging.

Manuel Ortega dacht bij zichzelf dat dit een probleem was dat hij moest opnemen met de man in het linnen kostuum. Maar toen zag hij in dat het nog erger zou zijn als hij in zijn rug niet gedekt was en ten slotte dat het hele gedoe eigenlijk hoogst amusant was. Natuurlijk zouden ze niet proberen hem te vermoorden. Daar was immers geen enkele reden voor.

Hij deed de deur naar het andere vertrek open en zag Danica Rodriguez zitten, net zo gekleed als de vorige dag. Ze zei: 'Goedemorgen. Kapitein Behounek heeft zijn materiaal al laten brengen.'

De doorslagen lagen in stapeltjes op het schrijfbureau. Hij ging naast haar staan en bladerde verstrooid in de papieren. Daarna liet hij zijn blik op haar rusten. Ze zag er fris en mooi uit en haar blouse stond open. Toen ze zich zonder erg naar voren boog om haar scheenbeen te krabben, vielen hem twee details op. Ze droeg geen b.h. en heel laag aan de binnenkant van haar rechterborst zal een ovaal blauwrood zuigmerk.

Hij liep onmiddellijk naar het raam, staarde naar buiten en zei om maar iets te zeggen: 'Is het laat geworden gisteravond?'

'Het feestje was om twee uur afgelopen.'

'Bent u moe?'

'Nee, ik heb weinig gedronken.'

Manuel Ortega zweeg even, toen zei hij: 'Laat de kanselier zich maar over die rapporten ontfermen.'

Hij ging naar zijn eigen kamer, zette zich achter zijn bureau en wachtte af.

Fernandez maakte meer lawaai dan Lopez. Hij ritselde met zijn tijdschrift en kauwde op een soort zaadjes die hij los in zijn zak bewaarde. Soms stond hij op en drentelde de kamer rond. Eén keer opende hij de deur en wenkte Gomez, die hem een ogenblikje afloste.

Toch bleef Manuel Ortega tot twaalf uur wachten of er iets zou gebeuren. Het was volkomen stil in het gebouw en de hitte was ongekend.

7

Om tien over twaalf was Lopez gekomen en vertrok Fernandez. Manuel Ortega kwam plotseling tot de ontdekking dat dit het enige was dat er gedurende een halve werkdag had plaats gevonden.

Hij pakte de telefoon en belde kapitein Behounek.

Het duurde even voor hij de chef van politie aan de lijn kreeg.

'Hoe was het vannacht?'

'Volkomen rustig.'

'En op het platteland?'

'Rustig.'

'Ik hoorde toen ik vannacht naar huis reed schieten en geschreeuw in de buurt van de noordelijke toegangsweg naar de stad.'

'Ik zal de zaak onderzoeken. Waarschijnlijk was het niets ernstigs of verontrustends.'

Het bleef stil. Manuel had op het punt gestaan een slecht geformuleerde vraag te stellen, maar hield zich bijtijds in. Hij dacht na en zei toen: 'Hebt u met uw kennis van de verhoudingen hier enig idee waar ik zou moeten beginnen met het nemen van maatregelen?'

'Geen enkel.'

'Wat bedoelt u met geen enkel?'

'Precies zoals ik het zeg. U kunt maar beter afwachten.'

'U houdt mij wel op de hoogte als er iets mocht gebeuren, nietwaar?'

'Uiteraard.'

Hij legde de hoorn op de haak en belde de kanselier. De jongeman verscheen onmiddellijk.

'Bent u aan de rapporten begonnen?'

'Ja, maar het zal wel even duren voor ik er doorheen ben. Ik ben bijna vergeten wat werken is.'

'Dat geeft niet. Ik wou u een paar andere vragen stellen. Weet u waar de leden van het hervormingscomité en de juridische experts zich bevinden?'

'Het hele gemengde juridische en technische comité is naar de federale hoofdstad teruggereisd toen de onlusten vorige maand hun hoogtepunt bereikten. Ongeveer in de tijd dat generaal Larrinaga benoemd werd. Ik veronderstel dat ze daar hun werkzaamheden voortzetten. Er is hier alleen nog een groepje landmeters achtergebleven. Die wonen in het hotel.'

'Welk hotel?'

'Er is er maar één. Het heet Universal. Sinds gisteren woon ik daar zelf ook.'

Dit laatste klonk een tikje bitter.

'Denkt u dat daar momenteel iemand aanwezig is?'

'Gisteravond waren ze er in elk geval nog.'

'Iets anders. Weet u of generaal Larrinaga familie heeft hier in de stad?'

'Ja, zijn weduwe woont hier en een dochter die voor filantroop speelt op de katholieke school.'

'Dank u. U kunt gaan.'

Manuel Ortega pakte zijn hoed. In het voorbijgaan zei hij tegen Lopez: 'Ik ga even weg.'

Hij verliet het gebouw toen de hitte op z'n ergst was. Er was geen mens op straat te bekennen, afgezien van de beide wachten bij de ingang. Alles was van een verblindende witheid: de zon, de huizen, het plaveisel. Hij dacht: Als ik mijn gezichtsvermogen niet wil verliezen moet ik een zonnebril kopen.

In de hoofdstraat passeerde hij een winkel die reclame maakte voor optisch materiaal en geneeskundige artikelen. Hij wierp een blik in de etalage en zag in de weerspiegeling van de ruit Lopez aan de overkant van de straat staan.

Hij ging naar binnen en een paar seconden later was Lopez er ook, rood aangelopen, hijgend. Hij hoorde geritsel en een vrouw verscheen vanachter uit de winkel. Ze toonde hem enkele zonnebrillen van verschillend model. Toen hij er een uitgezocht had en wilde betalen zei de vrouw achter de toonbank: 'Ik weet wie u bent. Als ik er niet op vertrouwde dat u ons zult helpen tegen dat gespuis, zou ik u nog geen pleister verkopen. Voor al het goud van de wereld niet.'

Toen ze weer op straat stonden, zei Lopez verwijtend: 'Zoiets moet u niet weer doen. Als u van plan bent ergens binnen te gaan moet u mij eerst een teken geven, zodat ik tijdig bij u kan zijn.' Er was bijna niemand op straat. Het enige dat hij onderweg zag waren een paar politiejeeps en enkele personenauto's, grijs van het stof.

In de receptie van het hotel lag een slechtgehumeurde portier met een krant over zijn gezicht te slapen. Toen hij wakker werd en opstond, zag Manuel dat hij een patroongordel met een oude Amerikaanse revolver in de holster op zijn rechterheup droeg.

De chef van de landmeters heette Ramirez en bevond zich in de conversatiezaal, waar hij met twee anderen aan het biljart spelen was. Hij was totaal verbluft; hij zette zijn keu weg en volgde Manuel naar de hal.

'Maar waarom... waarom hebt u mij niet laten roepen? Ik had er waarschijnlijk zelf aan moeten denken en u uit mezelf moeten komen opzoeken maar de gedachte is niet bij me opgekomen.'

'Ook ik heb behoefte aan wat lichaamsbeweging zo nu en dan. Wel, hoeveel mensen hebt u hier?'

'Twintig, toen we hier kwamen waren er achtentwintig.'

'Waar zijn de anderen op dit moment?'

'Hier in het hotel.'

De man was duidelijk verbaasd.

'Waarom wordt er door niemand gewerkt?'

'We hebben al in geen maand gewerkt.'

'Waarom niet?'

'De politie heeft het ons verboden. We hadden toen al acht man verloren en ze vonden het risico te groot.'

'Maar is het hervormingscomité niet afhankelijk van uw metingen?'

'Ik veronderstel van wel, maar we hebben niets meer van hen vernomen. We hebben al meer dan een maand van niemand iets gehoord. Maar ons geld wordt hierheen gezonden, dus iemand weet dat we hier zijn. We zitten maar te zitten en ons salaris op te drinken. Wat moet je anders?'

'Hoever bent u met uw werk?'

'We hebben misschien vijf procent gedaan. Vermoedelijk zelfs minder.'

'Hebt u voldoende personeel om het werk af te maken?'

'Niet binnen een redelijke tijd. Ik heb altijd het idee gehad dat dit groepje als een symbolisch gebaar bedoeld was.'

'Wat is er geworden van de acht die niet meer hier zijn?'

'Vier van hen zijn door de landeigenaren neergeschoten toen ze toegang tot hun terreinen eisten; één werd door de inheemsen vermoord – dat weten we, omdat het hun om zijn kleren en laarzen te doen was – en drie zijn gewoon verdwenen.'

Manuel Ortega ging terug naar het gouvernementspaleis. Ondanks zijn zonnebril was de glinsterende witte hitte verblindend en niet te harden. Toen hij het plein overstak voelde hij hoe de zon op zijn hoofd stak en door zijn kleren op zijn huid brandde. Het was alsof hij door vloeibaar vuur liep.

Voordat hij de deur naar zijn kantoor opendeed, legde hij zoals gewoonlijk zijn hand op de kolf van zijn revolver.

Hij ging naar de kamer van de vrouw en zei: 'Wilt u kapitein Behounek even bellen?'

Het gesprek kwam na twee minuten door.

'Met Behounek. Is er iets aan de hand?'

'Waarom mogen de landmeters hun werk niet voortzetten?'

'Het risico is te groot. Bovendien heb ik orders ontvangen van hogerop.'

'Van wie?'

'Van de hoogste instantie. Het ministerie van binnenlandse zaken.'

'Die order dateert van een maand geleden, van tijdens de onlusten. Ze hebben waarschijnlijk vergeten hem in te trekken.'

'Ja, dat is mijn zaak niet.'

'Nog iets. Waarom zijn er zo weinig mensen op straat?'

'U vergeet één ding, de noodtoestand is hier afgekondigd.'

'En dat houdt in?'

'Onder andere dat de inheemsen niet voorbij de politieversperringen en niet in de binnenstad mogen komen.'

'Maar dat is toch al te dwaas. Ze zijn toch zeker ook ingezetenen van de stad.'

'De blanken mogen zich evenmin ophouden in de wijken van de inheemsen. Dat is een verordening die uitgevaardigd is om beide partijen te beschermen.'

'Maar als deze inheemsen, zoals u ze noemt, iets willen kopen, als ze iets nodig hebben of zo?'

'Wat zouden ze kunnen kopen?'

'Wie heeft de noodtoestand afgekondigd?'

'Generaal Gami.'

'En wie heeft het recht hem weer op te heffen?'

'Generaal Gami.'

'En de minister van binnenlandse zaken.'

'Ja, ik neem aan dat hij de militaire gouverneur kan bevelen de noodtoestand op te heffen.'

'Waar is generaal Gami?'

'Op reis voor dienstzaken.'

'Voor hoe lang?'

'Voor minstens nog een week. Dat heb ik u al verteld.'

'Wat is uw oordeel over de toestand in de provincie op het ogenblik?'

'Zeer positief.'

'Ik zal contact opnemen met de minister van binnenlandse zaken.'

'Succes.'

Manuel Ortega bleef geruime tijd roerloos zitten. Toen nam hij opnieuw de hoorn op en hoorde Danića Rodriguez antwoorden.

'Bel minister Zaforteza.'

Tien minuten later: 'Gesprekken met de federale hoofdstad kunnen niet doorverbonden worden. De lijn is stuk. Maar we kunnen wel telegraferen.'

Een half uur lang dacht hij na over de formulering voor hij de tekst klaar had en toen was ze nog niet naar zijn zin. De tekst luidde:

Toestand bevredigend. Beveel de militaire bevelhebber de noodtoestand op te heffen. Zend rapport resultaat werkzaamheden hervormingscomité. Beveel landmetingswerkzaamheden te hervatten. Ortega.

Danica Rodriguez gaf het telegram door. Het telegraafkantoor beloofde dat het binnen een uur aan zou komen.

Manuel Ortega wachtte de hele middag op antwoord. Om vijf uur had hij nog niets gehoord. Het postkantoor deelde mee dat de telefoonverbinding nog steeds verbroken was.

Om half zes probeerde hij Behounek te pakken te krijgen. Hij kreeg te horen dat de chef van politie voor een belangrijke zaak was weggeroepen.

Om zes uur kwam hij op het idee het hoofdkwartier van het derde infanterieregiment te bellen. De dienstdoende officier deelde mee dat generaal Gami zich niet bij zijn regiment bevond. Kolonel Orbal evenmin. Waren ze niet in hun dienstvertrekken in het gouvernementspaleis? De bevelhebber van het regiment, kolonel Ruiz, was reeds naar huis, maar zou waarschijnlijk de volgende ochtend aanwezig zijn.

De telefoniste in de centrale van het gouvernementspaleis deelde mee dat de bureaus van de militaire gouverneur gesloten waren. Generaal Gami en kolonel Orbal waren vertrokken voor een dienstreis van tien dagen en het kantoorpersoneel was overgeplaatst naar het hoofdkwartier van het derde infanterieregiment.

Om halfzeven was kapitein Behounek nog steeds afwezig. Een luitenant die dienst had, meende dat hij niet voor de volgende morgen terug zou komen.

Manuel Ortega wierp een blik op de roerloze Lopez. Daarna belde hij de kanselier. Niemand antwoordde. De jongeman was reeds naar huis.

Ik ben alleen in dit vreesaanjagende huis, te zamen met een zwijgende lijfwacht en een meisje dat een snor heeft en een blauwe plek op haar rechterborst, dacht Manuel Ortega.

Hij stond op en ging naar Danica Rodriguez.

Ze leunde met haar linkerelleboog op de schrijftafel en rookte een sigaret, terwijl ze in een dik, gestencild rapport zat te lezen. Zonder op te kijken zei ze: 'De kindersterfte in deze provincie werd in 1932 op achtenveertig procent geschat. Verleden jaar is ze waarschijnlijk gestegen tot tweeënzestig procent. In 1932 bedroeg het aantal analfabeten onder de Indianen achtennegentig procent. Een rapport van twee en een half jaar geleden stelt het cijfer op zevenennegentig. Een inheemse mijnwerker verdient hier met zijn prestatieloon en alles meegerekend een tiende deel van wat een steenkoolmijnwerker in de noordelijke deelstaten aan basisloon verdient.'

Ze doofde haar sigaret en zei: 'Dit is een officieel rapport, samengesteld door sociologen van de hoofdstedelijke universiteit. Het is vorige winter gereed gekomen en werd onmiddellijk door het ministerie van justitie tot geheim document verklaard. U zou het moeten lezen.'

'Hoe bent u er aangekomen?'

'Gestolen,' zei ze kalm.

'Hebt u al gegeten?'

'Nee.'

'Zullen we dan een gelegenheid opzoeken waar we wat te eten kunnen krijgen?'

Ze knikte zonder op te zien. Even later zei ze: 'Weet u dat u een grote dienstwoning in de stad hebt? Vijf kamers, een keuken en personeel.'

'U maakt een grapje.'

'Nee, ik maak geen grapje. Maar een zekere heer Frankenheimer heeft het huis op de ochtend van onze aankomst geïnspecteerd. Hij heeft het afgekeurd en het personeel ontslagen. Wie heeft ons die experts eigenlijk op ons dak gestuurd?'

Hij wou antwoorden, maar bedacht zich. Waarom zou hij zich tegenover zijn eigen secretaresse verdedigen? 'Geen idee,' zei hij.

'Waar is hij overigens gebleven?'

'Waarschijnlijk terug naar de hoofdstad. Op dit moment zit hij vermoedelijk op een terrasje in de schaduw en drinkt whisky met ijswater.'

De telefoon op haar bureau rinkelde. Hij stond klaar om de hoorn over te nemen, toen hij begreep dat het gesprek niet voor hem was. Hij hoorde haar zeggen: 'Ja, dag.'

'Zelf bedankt.'

'Nee, vanavond niet.'

'Nee, ik kan nu niet en ik ga niet te laat naar bed.'

'Natuurlijk mag je dat.'

'Bel gerust als je daar zin in hebt.'

Ze legde de hoorn neer en streek met haar vingers over haar voorhoofd. Haar ogen stonden moe en berustend en ze staarde in de verte.

Manuel Ortega bleef een ogenblikje zwijgend staan, toen zei hij: 'Wilt u de lijn op mijn toestel overzetten. Ik moet nog bellen voor we weggaan.'

Hij ging terug naar zijn eigen kamer, deed de deur dicht en belde het huis van de familie Larrinaga en verzocht met de dochter des huizes te mogen spreken. Het duurde vrij lang voor ze aan de telefoon kwam.

'Ja, met Francisca de Larrinaga.'

'Mijn naam is Ortega. Ik ben de opvolger van uw vader als gouverneur van de provincie. Ik bel u in de eerste plaats om uiting te geven aan mijn bewondering voor uw vader en zijn levenswerk en om u mijn condoleanties aan te bieden...' Hij zweeg even. '...en in de tweede plaats zou ik u beleefd willen verzoeken een persoonlijk onderhoud met u te mogen hebben.'

Ze scheen te aarzelen en vroeg: 'Vanavond?'

'Wanneer het u schikt uiteraard.'

'Morgenochtend om tien uur dan.'

'Waar?'

'Hier, bij mij thuis. Ik ga niet graag uit nu ik nog zo kort in de rouw ben.'

Hij ging terug naar de kamer van zijn secretaresse.

'Zullen we nu gaan eten?'

Ze knikte, stond op en pakte haar tas. Op haar rug en onder haar oksels was haar jurk nat van het zweet.

Terwijl hij vlak achter haar door de gang liep was hij zich zeer duidelijk bewust van haar fysieke aanwezigheid.

Ze vonden een restaurant dat open was, gelegen aan een zijstraat van de Avenida de la República. Het was klein, maar nagenoeg leeg. Ze namen plaats aan een tafeltje in een hoek en bestelden wijn, brood en vlees. Lopez zat bij de muur vlak tegenover hem. Hij bestudeerde de spijskaart aandachtig en maakte voor één keertje eens niet de indruk dat alles hem volkomen koud liet.

'Zullen we ons eten naar binnen schrokken en er snel van door gaan, dan moet hij zijn maaltijd in de steek laten,' zei Danič̌a Rodriguez. Ze schoten er beiden om in de lach.

Het was niet bepaald een uitgelezen wijn. Het geitevlees was taai en vol zenen en het brood smakeloos, maar het was uren geleden sinds een van beiden iets te eten had gehad en ze werkten hun porties gulzig naar binnen.

'Ja,' zei Manuel Ortega, 'in een land als dit mag je geen culinaire verfijning verwachten.'

'Toch was het een feestmaal, waar tachtig procent van de mensen hier nooit aan toe zal komen.'

Ze zei het op een toon en met een klank in haar stem die hij niet eerder van haar gehoord had. Ze merkte het waarschijnlijk zelf ook op, want ze herstelde zich en zei luchtigjes: 'Dat was banaal en pathetisch uitgedrukt, maar zo denk ik er nu eenmaal over. Aan de andere kant moet je nooit zeggen wat je denkt.'

Ze zaten tegenover elkaar en dronken van de slechte wijn. Opeens leunde ze met haar ellebogen op tafel en plaatste haar handen onder haar kin. Ze lachte spottend en zei: 'Gaat uw belangstelling uit naar Orestes de Larrinaga? Of alleen naar zijn dochter?'

'Hebt u mijn gesprek afgeluisterd?'

'Natuurlijk.'

Het antwoord deed hem versteld staan en om zijn verbouwereerdheid te verbergen nam hij een flinke teug uit zijn glas.

'Maar als u belang stelt in Orestes de Larrinaga, dan heb ik een paar mooie vraagjes voor u.'

'Bij voorbeeld?'

'Deze. De dader schoot Larrinaga op een afstand van drie meter dood met een machinegeweer dat negentig kogels bevatte. Op twee passen achter Larrinaga stond een luitenant, die Martinez schijnt te heten en die duidelijk nergens op voorbereid was. Het lijkt mij dat het voor de moordenaar een kleinigheid geweest moet zijn om ook de luitenant dood te schieten, nu hij toch eenmaal bezig was, nietwaar?'

'Ik begrijp niet waar u naar toe wilt.'

'Dat weet ik zelf ook niet precies. Maar degene die de aanslag uitvoerde liet niet alleen na deze Martinez neer te schieten, maar hij bleef ook nog lang genoeg staan om de luitenant de gelegenheid te geven zijn pistool te trekken en drie schoten te lossen, waarvan tenminste één de dader trof en hem zwaar verwondde. Toch bevindt zich achter de receptie een deur waardoor hij had kunnen vluchten.'

'Je mag niet verwachten dat iemand in zo'n situatie logisch handelt.'

'Ik weet zeker dat onze vriend die daar zo rustig zit te eten zeer logisch zou handelen. Maar het kan zijn dat uw verklaring de juiste is. Daarom heb ik nog een vraag, maar die is wat minder gemakkelijk te beantwoorden.'

Ze sprak op gedempte toon en Manuel Ortega boog zich voorover om beter te kunnen luisteren.

'Hoewel er voor het ogenblik specifieke orders bestaan, hoe en waar militaire voertuigen en manschappen buiten het kazerneterrein mogen opereren, was één van de militaire overvalwagens binnen tien minuten na de aanslag bij het gouvernementspaleis.

'Wat is daar voor vreemds aan?'

'Het kan haast geen toeval geweest zijn dat die auto net voorbij kwam. Zoals u weet heeft praktisch gesproken het hele regiment of garnizoen, of hoe het dan ook heet, bevel gekregen in de kazernes te blijven vanaf het moment dat Radamek president werd en een minder harde gedragslijn lanceerde. Om de stemming niet te verslechteren mogen buiten het kazerneterrein uitsluitend van te voren geplande opdrachten en routinebewakingen uitgevoerd worden. En toch was die overvalwagen zeven of acht minuten later ter plaatse.'

'Dat bewijst niets voor zover ik kan zien. Ze zullen er wel om gebeld hebben, lijkt mij. Hebt u nog meer van dat soort vragen?'

'Nog één. De luitenant heeft de dader met minstens één schot in het onderlijf gewond, en wel zeer ernstig. Hij bloedde ontzettend en kon niet lopen, niet eens meer rechtop staan. De soldaten die hem de auto indroegen hadden een doek om zijn hoofd gewikkeld. Ze deden er tien minuten over om hem naar de kazerne te vervoeren, zoveel tijd neemt dat namelijk; alleen overvalwagens schijnen de afstand zonder voorafgaande waarschuwing in minder tijd te kunnen afleggen. Een paar minuten nadat de moordenaar daar gearriveerd was, was er al een executiebevel, uitgevaardigd en ondertekend door generaal Gami. Weer vijf minuten later werd de man door het executiepeloton naar de plek van terechtstelling op de binnenplaats van de kazerne gesleept en gefusilleerd. Hij kon niet staan en werd liggend op de grond doodgeschoten en al die tijd had hij een doek om zijn hoofd. Toen hij dood was, haalde men de doek weg en werd hij ter algemene bezichtiging tentoongesteld. Zo lag hij dus toen Behounek arriveerde en een paar uur later hebben ze hem daar in de buurt begraven.'

'Zijn deze inlichtingen inderdaad juist?'

'Daar ben ik zo goed als zeker van. Wat ik me nu afvraag komt in grote lijnen hierop neer: Vanwaar die ontzettende haast? En waarom verborgen ze het gezicht van de man als ze het later toch toonden?'

'En wat is het antwoord volgens u?'

'Ik weet het niet.'

'Hoe komt u aan die gedetailleerde gegevens?'

'Laten we zeggen dat ik die verzameld heb.'

Manuel Ortega leunde achterover in zijn stoel, speelde met zijn glas en hoorde zichzelf zeggen: 'Gaat u daarom met officieren naar bed?'

Ze ging recht overeind zitten en beet geïrriteerd op haar nagelriemen. Haar ogen schoten vuur.

'Neemt u mij niet kwalijk. Dat was een volkomen misplaatste vraag. Het was niet mijn bedoeling zo iets te zeggen. Ik bied u mijn excuses aan.'

Ze keek hem aan en haar blik was nu vast en ernstig.

'U hoeft u niet te verontschuldigen. Ik zal uw vraag zelfs beantwoorden. Nee, daarom ga ik niet met officieren naar bed. Niet eens in de eerste plaats, nee.'

Ze zochten naar een ander onderwerp van gesprek en keken de zaal in. De enige die er nog zat was Lopez. Het was duidelijk dat hij al lang klaar was met eten. Hij peuterde nu tussen zijn tanden en staarde het lokaal in. Buiten was het pikdonker en binnen, in het kleine vertrek, was het erg warm.

Even later kwam de eigenaar naar hun tafeltje en zei: 'Ik moet helaas sluiten. Als gevolg van de uitzonderingstoestand, ziet u.'

Ze liepen een klein eindje tezamen op naar het huis waar ze woonde. Lopez liep op hetzelfde trottoir een meter of zes, zeven achter hen. Toen ze stilstonden bij de buitendeur, hielden zijn voetstappen op.

Plotseling giechelde ze.

'Wat is er?'

'Niets. Ik denk soms de gekste dingen. Ik dacht: Als u met me mee naar boven zou gaan, zou hij daar dan met zijn handen op zijn knieën zitten toekijken, terwijl wij met elkaar naar bed gingen? Of zou hij op een draaistoel voor de deur zitten luisteren?'

Ze giechelde opnieuw en begon in haar tas naar haar sleutels te zoeken. Terwijl ze daarmee bezig was boog ze haar hoofd en stootte hem speels in de borst.

'Wat hebt u daar?' vroeg ze opeens en tastte met haar vingers door zijn jasje heen naar de kolf van de revolver.

'Oef,' zei ze.

Het was weer dezelfde situatie als van ouds. Hij stond op het punt meegesleept te worden en tegelijkertijd vond hij alles even lachwekkend. Hij dacht: Lopez en Behounek en generaal Gami kunnen wat mij betreft naar de hel lopen. Hij deed een stap naar haar toe en zei: 'Danica...'

Ze verstijfde ogenblikkelijk, deed een laatste trekje aan haar sigaret en drukte die uit tegen de muur. Toen zei ze: 'Ik moet nu naar binnen en naar bed. Zoals u weet heb ik de laatste nachten praktisch niet geslapen. Goedenacht.'

Toen hij het plein overstak dacht hij nog steeds aan haar. Daarna hoorde hij verweg een explosie en vlak daarop nog een. Lang bleef hij staan luisteren, maar er waren geen sirenes te horen.

Toen hij in zijn slaapkamer was werd hij opeens onredelijk bang en opende hij twee keer de deur op een kier om te zien of Lopez er nog steeds zat. Pas toen hij zich uitkleedde merkte hij dat zijn kleren doornat waren van het transpireren. Hij nam een douche maar knapte er nauwelijks van op. Vervolgens nam hij twee van Dalgrens pillen in, ging naar bed en lag aan een deur te denken die hij open moest doen hoewel hij het niet durfde. Hij stond op, pakte de Astra van het bureau en legde die onder zijn hoofdkussen. Toen sliep hij in.

8

De volgende morgen om negen uur belde hij de gendarmerie op. De officier van de wacht deelde mee dat de chef van politie nog niet aanwezig was. Manuel Ortega vroeg: 'Hoe was de toestand vannacht?'

'Rustig.'

'Ik heb gisteravond tegen elf uur een paar explosies gehoord.'

'Dat zal vermoedelijk een springcommando geweest zijn.'

'Wat voor springcommando?'

De officier van de wacht ging op deze vraag niet in, maar zei: 'Ik ben ervan overtuigd dat kapitein Behounek tegen het middaguur hier zal zijn.'

Een half uur later reed hij weg om de dochter van generaal Larrinaga te bezoeken. Fernandez zat achter het stuur en Gomez op de achterbank. Fernandez rook naar knoflook, kauwde op zijn zonnebloempitten en kletste aan één stuk door. Bovendien had hij moeite de weg te vinden en reed hij slecht en onregelmatig.

Bij het verlaten van de binnenstad en aan de voet van de heuvel waarop de villawijk lag werden ze door politieversperringen tegengehouden. Beide keren moesten ze stoppen.

De weg naar de villawijk slingerde zich in lange serpentines omhoog en omdat ze ruim op tijd waren liet Manuel de auto in een bocht stilhouden van waar ze een goed uitzicht hadden over de arbeiderswijk. Het gedeelte van de stad dat daar voor hem lag, was driehoekig van vorm en lag ingeklemd tussen hoge, met prikkeldraad afgezette omheiningen en lange kronkelige muren. Hij zag nu dat de wijk niet alleen bestond uit plaatijzeren en houten hutten, maar dat er ook veel lage grijsgele stenen huizen met platte daken tussen stonden. Er doorheen liep een systeem van nauwe straten en in het centrum van het stadsdeel zag hij een vierkant plein. Het krioelde er van de mensen en hier en daar kon men witte politieauto's onderscheiden. Er stonden er minstens twee op het plein. Het was kennelijk een heel oud gedeelte van de stad, dat op de meest simpele wijze was uitgebreid om ten slotte aan meer dan vier keer het oorspronkelijke aantal inwoners plaats te bieden. Toen hij weer in de auto zat, dacht hij eraan dat ongeveer de helft van de huizen in het centrum leeg stond en dat dit altijd zo geweest was, omdat de blanke bevolking liever in het kunstmatig bevloeide gebied woonde.

De villa waar Orestes de Larrinaga gewoond had was heel groot, bijna een paleis, en er lag een tuin voor die oneindig veel zorg en moeite en ongehoorde hoeveelheden water gekost moest hebben.

Een bediende met een roset van rouwband op zijn witte jasje bracht hen naar een patio met stenen banken, een fontein en een weelde van bloemen. De patio was, evenals de bodem van de goudvissenvijver, belegd met leistenen platen.

Manuel Ortega ging op een van de stenen banken zitten en wachtte.

Fernandez schraapte zijn keel en stond lange tijd te overwegen waar hij zou spuwen voor hij zijn keus liet vallen op de goudvissenvijver. Toen een van de goudvissen naar de oppervlakte kwam om het speeksel in ogenschouw te nemen, moest hij daar hard, lang en hartelijk om lachen.

Manuel kwam nu definitief tot de slotsom dat Fernandez het meest onsympathieke lid van zijn lijfwacht was, vooral nu Frankenheimer verdwenen was.

Na een paar minuten kwam de bediende terug met twee glazen ijskoude amandelmelk op een zilveren blaadje. Fernandez rook achterdochtig aan zijn glas en zette het naast zich neer op de stenen bank. Onmiddellijk daarna haalde hij zijn revolver te voorschijn en draaide met zijn duim langzaam het magazijn rond, terwijl hij er de ene patroon na de andere uithaalde en deze aandachtig bekeek.

Manuel vond dit even smakeloos als wanneer iemand plotseling zijn valse tanden uit zijn mond haalt en deze aan tafel gaat zitten bekijken en hij zag zich dan ook genoopt te zeggen: 'Denk eraan dat we ons in een sterfhuis bevinden.'

Fernandez keek gekwetst en niet begrijpend. Daarna zuchtte hij en borg de revolver met veel omhaal en poespas in de holster, zodat deze er op de juiste wijze in zat.

Manuel dacht: Ik moet die troep gorilla's de bons zien te geven. Ik ben er bovendien van overtuigd dat ze nergens toe deugen. Vanaf morgen moet Behounek de zaak overnemen. Hardop zei hij: 'Als juffrouw de Larrinaga komt, zorgt u er dan voor dat u buiten gehoorsafstand blijft.'

Vijf minuten later kwam Francisca de Larrinaga de trap af die naar de bovenverdieping voerde. Ze was in diepe rouw en ongetwijfeld heel knap, maar ze bezat een koele, weinig innemende schoonheid.

Ze gingen bij de goudvissenvijver zitten en opnieuw serveerde de bediende amandelmelk. Manuel wierp een blik op Fernandez die zijn beide glazen met een verbaasde en ongelukkige gelaatsuitdrukking bekeek.

Het kostte hem nog geen twee minuten om er achter te komen dat hij recht op zijn doel af kon gaan. De vrouw luisterde hoffelijk naar zijn beleefdheidsfrasen en zei toen, scherp en koeltjes: 'Wat wenst u?'

'Tijdens zijn gouverneurschap moet uw vader bepaalde maatregelen getroffen hebben die...'

'Mijn vader sprak in het bijzijn van zijn gezin nooit over dienstzaken, niet toen hij nog in actieve dienst was en ook niet tijdens de laatste periode.'

'Hoe dan ook, hij moet de laatste drie weken aan een proclamatie gewerkt hebben, een uiteenzetting van zijn persoonlijke visie op de situatie.'

'Dat is niet onmogelijk.'

'Deze proclamatie is niet helemaal gereed gekomen, maar wel voor het grootste deel.'

'Wel?'

'Na zijn overlijden is deze tekst niet in zijn kantoor aangetroffen.'

'Zoudt u zo vriendelijk willen zijn te zeggen wat u bedoelt?'

'Ik zal volkomen oprecht tegen u zijn. Ik ben uw vader op deze moeilijke post opgevolgd en ik wil het werk in zijn geest en met zijn doelstellingen voor ogen voortzetten. Datgene wat uw vader dacht te doen hield kennelijk nauw verband met deze proclamatie. Ik acht het daarom waardevol een indruk te krijgen van de inhoud en de daarin neergelegde zienswijzen. Nog liever zou ik haar natuurlijk in mijn bezit hebben.'

Na een korte stilte voegde hij eraan toe: 'Ik geloof namelijk dat de tekst na de dood van de generaal door iemand werd vernietigd die niet wilde dat ze bekend zou worden. Of door de moordenaar óf door zijn opdrachtgever.'

Het gesprek stokte. Het enige geluid dat te horen was, was het gekauw van Fernandez en het geschuifel van diens voeten aan de andere kant van de vijver.

Francisca de Larrinaga nam haar bezoeker aandachtig op. Haar wenkbrauwen waren licht gefronst en haar gezicht stond hard en ernstig achter de rouwsluier. Ten slotte zei ze: 'U hebt ongelijk. Als de moordenaar of zijn opdrachtgever geweten hadden wat er in de proclamatie stond, zou mijn vader nog in leven zijn.'

Manuel zweeg. Hij dacht koortsachtig na, maar wist niet wat te zeggen.

Na een poosje zei ze: 'Dit verbaast u. Wel, laat ik u dan eerst dit zeggen: er is een kopie. Na zijn dood heb ik die bij louter toeval gevonden. In de zak van zijn huisjasje. Hij moet hem mee naar huis genomen hebben om hem 's avonds te kunnen bestuderen. Dit was in strijd met zijn gewoontes en het wijst er reeds op hoe 'n groot belang hij aan deze... proclamatie hechtte. Daarentegen heeft hij er nooit met een woord over gesproken. Ik heb eigenlijk nooit geweten wat hij precies deed, toen niet en vroeger in dienst ook niet.'

'En u hebt die kopie gelezen?'

'Ja, ik heb hem gelezen en bewaard. De ideeën die hij daarin tot uitdrukking brengt zouden heel wat mensen bijzonder verbazen als ze bekend gemaakt werden. Ik was zelf hoogst verwonderd. Mijn vader was een zeer principieel man, dat wist iedereen, maar hij schijnt de laatste tijd op een aantal punten van mening veranderd te zijn.'

'In welk opzicht?'

Ze gaf geen antwoord op de vraag, maar zei: 'Mijn vader was erg op mij gesteld. Als hij in mijn gezelschap was kon hij zich gemakkelijk ontspannen, gemakkelijk zichzelf zijn. Ik reed praktisch elke morgen met hem in de auto naar de stad. Bij een van die gelegenheden sprak hij over zijn opdracht, niet speciaal tegen mij, maar hardop voor zichzelf. Zo iets deed hij wel meer, als hij zich in gezelschap bevond van iemand die hij heel goed kende en volledig vertrouwde. Ik was één van die mensen, misschien wel de enige. Ik kreeg toen de indruk dat het de wens van de regering was dat hij een conferentie bijeen zou roepen om vredesonderhandelingen te leiden tussen de zogenaamde rechtse extremisten en de communisten. Hij weigerde, ten dele omdat hij, zoals hij het zelf uitdrukte, soldaat was en niet de een of andere gladde diplomaat en anderzijds omdat hij het vernederend en ongerijmd vond dat mannen als graaf Ponti en Dalgren en generaal Gami aan één onderhandelingstafel zouden zitten met Indianen en montaneros en partizanenleiders als 'El Campesino', of hoe die dan ook mag heten.'

Ze zweeg even. Toen zei ze: 'Als ik de kopie van mijn vaders proclamatie aan u zou overhandigen, wat zou u er dan mee doen?'

'Ik zou de inhoud bekend maken. Aangezien ik zijn opvolger ben, beschouw ik dat als mijn plicht.'

'En aangezien ik zijn dochter en beste vriend was, beschouw ik het als mijn plicht ter dege te overwegen wat er met zijn geestelijke nalatenschap moet gebeuren.'

Waar haalt ze het vandaan, dacht Manuel Ortega, van zijn stuk gebracht. Maar hij herstelde zich onmiddellijk en zei: 'Om verschillende redenen ben ik geïnteresseerd in de gebeurtenissen rondom de dood van uw vader. Grijpt het u te veel aan erover te praten?'

'Ik kan overal over praten,' zei ze.

'Aangezien u bij het gebeuren aanwezig was...'

Hij maakte zijn zin niet af.

'Ja?'

'Men heeft mij gezegd dat de moordenaar met omwikkeld gezicht weggevoerd werd.'

'Dat klopt. Ik zat buiten in de auto en hoorde de schoten. Toen ik bij mijn vader kwam was hij al dood. Hij was door een vijftien- à twintigtal kogels in de borst getroffen. De chef van het escorte, een jonge luitenant, had de moordenaar neergeschoten. De man was zwaar gewond in het onderlijf en lag achter de toonbank van de receptie op de grond. Al die tijd stootte hij vervloekingen en verwensingen uit en gedroeg hij zich als een wild dier. Een kapitein die snel ter plaatse was gaf bevel hem het spreken te beletten, waarop een paar soldaten een tafellaken gingen halen, dat ze om zijn hoofd wikkelden en met een broekriem vastbonden.'

'Hebt u kunnen verstaan wat hij zei?'

'Ik was, zoals u zich waarschijnlijk voor kunt stellen, helemaal in de war. Bovendien was de man zwaar gewond. Ik meende zeker dat hij dodelijk getroffen was; hoe dan ook, hij zou zijn leven lang invalide gebleven zijn. Waarschijnlijk leed hij hevige pijn, want zijn stem klonk onduidelijk en zijn woorden waren moeilijk te verstaan. Voor zover ik het heb gehoord, vervloekte hij de man die hem had neergeschoten, de generaals, de regering en de Burgerwacht.'

Manuel Ortega nam de jonge vrouw op. Haar gezicht stond kalm en haar stem klonk beheerst en zakelijk. Ze sprak op dezelfde toon als degene die hem twee dagen tevoren bedreigd had.

'Ik ben u dankbaar voor uw inlichtingen. Wilt u mij nu ook nog deelgenoot maken van de inhoud van uw vaders proclamatie?'

Ze antwoordde onmiddellijk.

'Daar kan ik momenteel nog geen beslissing over nemen. Maar ik zal u mijn besluit binnen vier dagen meedelen.'

'Ik hoop dat u het mij niet kwalijk zult nemen als ik nog een onbescheiden vraag stel: Wie is buiten u op de hoogte van het bestaan van dit document?'

'U.'

'Ik geloof dat het verstandig zou zijn niemand voortijdig hierover in te lichten.'

'Het ogenblik,' zei Francisca de Larrinaga, 'waarop ik er behoefte aan zou kunnen hebben u om raad te vragen lijkt mij nog ver in het verschiet. Maar mocht dit ooit het geval zijn, wat ik zeer betwijfel, dan zal ik zelf degene zijn die dit punt aanroert. Om mij nader te preciseren: Ik ken u niet, meneer de gouverneur, en ik kan me dus geen mening over u vormen. De inlichtingen die ik verstrekt heb en eventueel nog zal verstrekken, worden u uitsluitend gegeven omdat ik meen dat u daar recht op hebt als opvolger van mijn vader.'

Ze stonden op en wisselden staande nog vier opmerkingen.

'Wie is die man met de zonnebloempitten?'

'Mijn lijfwacht.'

'O. Goedemorgen.'

'Goedemorgen.'

In de auto zei Fernandez tegen de uit zijn dommel gewekte Gomez: 'Wat een grietje, die had je moeten zien. Ik werd meteen bloedgeil. Dat was nog eens wat anders dat die meid met die snorharen van ons.'

Hij trommelde met zijn vingers op het stuur en zei een tikje onhandig: 'Neemt u me niet kwalijk. Ik druk me wel vaker niet zo geslaagd uit.'

'Schiet nou maar op,' zei Manuel Ortega.

Hij voelde zich lichamelijk en geestelijk uitgeput als na een afmattende tennismatch of een moeizaam verlopende zakelijke bespreking. Vlak voordat Fernandez zijn mond opendeed had hij gedacht dat Francisca de Larrinaga een vrouw was die hij zich absoluut niet ontkleed voor kon stellen.

Maar ja, dacht hij bij zichzelf, over de meeste dingen denken de mensen verschillend.

Daarna dacht hij: Waarom gaan mijn gedachten de laatste tijd zo vaak die richting uit?

Terwijl ze langs de zorgvuldig afgeschutte arbeiderswijk reden schoot het door hem heen dat iemand die achter de muur lag hem gemakkelijk neer zou kunnen schieten met een geweer, zonder dat iemand dat zou kunnen verhinderen.

Tot zijn eigen ergernis kroop hij weg achter Gomez en probeerde hij zijn hoofd zo laag mogelijk te houden.

Om twee uur 's middags kreeg hij contact met kapitein Behounek.

'Hoe is de toestand?'

'Rustig.'

'En op het platteland?'

'Daar kom ik net vandaan. Ik heb er een inspectietocht gemaakt.'

'En?'

'Rustig.'

'Geen aanslagen?'

'Niet van enig belang. Ik denk dat onze patrouilles de partizanen naar de bergen teruggedreven hebben.'

'Ik zou als de gelegenheid zich voordoet graag eens meegaan op een dergelijke expeditie.'

'Morgen doet zich een buitengewoon goede gelegenheid voor. Een patrouille van de gezondheidsdienst zal een van de grotere Indiaanse dorpen bezoeken. Ze zal vergezeld worden door een veiligheidsescorte.'

'Wilt u het voor mij regelen?'

'Met genoegen.'

'Nog één vraag: Wat wordt er bedoeld met een springcommando? Eén van uw ondergeschikten gebruikte het woord alsof het een heel gewone zaak was.'

'Tja, dat is een bijzonder onaangename geschiedenis. Het komt in grote lijnen hier op neer: de jeugdige leden van de Burgerwacht hebben het kunstje geleerd hoe je springstof uit plastic kunt vervaardigen. Het idee is uit Europa afkomstig. Ze maken een taaie massa die je overal tegen aan kunt kleven en waar je een lont in kunt steken. Wel 's nachts trokken kleine groepjes van drie of vier van die vlerken naar de inheemse wijken en brachten springstoffen aan op alles wat ze maar te pakken kregen. In de periode van de ergste ongeregeldheden hebben we er heel wat last mee gehad. De straten daar zijn slecht of helemaal niet verlicht. Dan is moeilijk op te maken wat er aan de hand is.'

'Gebeurt dit nog steeds?'

'In beperkte mate.'

'En een dergelijke aanslag werd vannacht ook gepleegd?'

'Ja.'

'Hoe groot was de schade?'

'Gering. De ladingen kunnen vrij ontploffen en de schade is meestal niet groot. Maar ik moet er niet aan denken dat ze op het idee zouden komen de springstof bij voorbeeld in ijzeren buizen te stoppen.'

'Zijn er vannacht doden gevallen?'

'Nee, ik geloof van niet.'

'Gelóóft u van niet?'

'Ik bedoel dat we geen bericht hierover hebben binnen gekregen. Een deel van de inheemsen reageert heel eigenaardig, ziet u. Ze willen of durven geen schade of slachtoffers te melden. Maar hun vertrouwen in ons stijgt voortdurend.'

'Zijn de daders gegrepen?'

'Nog niet.'

'Wel, laten we hopen dat het spoedig gebeurt.'

Hij hing op en belde Daniča Rodriguez. Toen hij haar zag keek hij verbaasd op. Ze was precies zo gekleed als de vorige dag, maar haar gezicht was bleek en berustend en haar ogen stonden heel ernstig.

Hij kon niet nalaten te zeggen: 'Hoe voelt u zich?'

'Goed, dank u.'

'Toen ik vanochtend wegging was u nog niet op kantoor.'

'Nee, ik hoop dat u het mij niet kwalijk neemt.'

'Wel, weet u of de telefoonverbinding al weer tot stand is gekomen?'

'Ze is nog steeds verbroken.'

'Hebt u al geïnformeerd of er een antwoord op mijn telegram is binnengekomen?'

'Er is niets binnengekomen.'

'Vraag het ministerie of het onmiddellijk wil antwoorden. Nee, stuurt u liever een kopie van de tekst en zet erbij dat er haast bij is.'

'Ja.'

Toen ze bij de deur stond, zei hij: 'Komt u nog even terug alstublieft.'

Hij probeerde tegen haar te glimlachen, maar het ging hem óf slecht af, óf het was onmogelijk door haar ernstige stemming heen te breken.

'Ik heb enkele inlichtingen voor u ingewonnen. Over de aanslag.'

Hij gaf haar de details van de moord, zoals hij ze zich herinnerde uit het gesprek met Francisca de Larrinaga.

Ze luisterde vol belangstelling, maar gaf geen commentaar.

Ten slotte zei ze ernstig: 'Hebt u deze zaak speciaal voor mij uitgezocht?'

'Gedeeltelijk.'

'Dank u.'

Terwijl ze de kamer uitging, keek hij naar haar benen en heupen. Hij had al geprobeerd erachter te komen of ze nog steeds geen b.h. droeg, maar dat was hem niet gelukt.

Even later richtte hij zich tot de corpulente man, die in diensthouding, met zijn handen op zijn knieën tegen de muur geleund zat.

'Lopez, bent u getrouwd?'

'Ja.'

Het gesprek stokte. Het kwam nog even in hem op iets te vragen in de trant van 'Hebt u kinderen?' of 'Wat vindt u van het huwelijk?' maar hij zag er van af.

Manuel Ortega zat stil en voelde hoe de hitte erger en erger werd en hoe langer hoe meer bezit nam van de kamer. Ondanks de ventilator was hij doornat van het transpireren, maar hij had geen zin naar zijn appartement te gaan om een douche te nemen.

Toen hij probeerde erachter te komen waarom hij er geen zin in had, kwam hij tot de conclusie dat het op angst berustte. Hij wilde niet onnodig de deur van zijn werkkamer opendoen en naar binnen gaan, terwijl Lopez nog achter hem op de stoel zat. Maar na een poosje ging hij toch maar douchen en zich verkleden en bij wijze van experiment liet hij de deur op een kier staan. Toen hij de deur naar zijn woonvertrekken opendeed, ontstond er een luchtstroom, waarschijnlijk veroorzaakt door de ventilator, en de deur sloeg dicht.

Hij keerde op de gebruikelijke manier naar zijn werkkamer terug, met de hand op de kolf van zijn revolver.

Dat met die deur was een *idee-fixe* geworden. Verstandelijk gesproken zag hij wel in dat er een hoop situaties waren, waarin hij net zo veel of meer reden had om bang te zijn – maar wat had je aan verstand in een geval als dit? Hij herhaalde de vraag voor zichzelf: 'Wat heb je aan verstand?'

Vervolgens ging hij over zijn positie zitten nadenken. Hij was terechtgekomen in een aantal absurde situaties en overgeleverd aan de eigenmachtige besluiten van anderen.

Zolang het ministerie zijn telegram niet beantwoordde, wist hij absoluut niet hoe hij zijn werkzaamheden in de eerstvolgende tijd moest aanpakken.

Zolang het generaal Gami en kolonel Orbal behaagden afwezig te zijn kon hij geen overleg plegen op het hoogste niveau.

Zolang het meisje in het grote huis op de heuvel geen beslissing had genomen wat ze zou doen met het beruchte document, wist hij niet tot welke conclusies generaal Larrinaga uiteindelijk gekomen was.

Al deze dingen bij elkaar legden hem aan banden en dwongen hem tot nietsdoen.

Bovendien beschuldigde hij zichzelf ervan dat hij te ambtelijk te werk ging, te weinig initiatieven nam en te veel vast zat aan conventionele opvattingen over de wijze waarop een taak vervuld moest worden. En het ergste van alles: zijn rechtlijnige aanpak van de dingen had zijn opdracht teruggebracht tot een simpel kantoorbaantje.

Bovendien was hij bang.

Hij bedacht dat hij een uitvoerige rondrit door de stad zou moeten maken, maar hij kon zichzelf er niet toe brengen. De stad boezemde hem angst in en hij wilde niet meer in haar greep komen dan hij al was. Bovendien was hij ervan overtuigd dat het beeld dat hij zich reeds van de toestand gevormd had juist was. In grote lijnen tenminste.

Hij liep naar het raam en keek uit over het grote, verlaten plein en het witte plaveisel aan de overkant. Op de een of andere manier stuitte dit lege, gloeiend hete, uitgestorven centrum hem meer tegen de borst dan de penetrante geur van ellende en gebrek die opsteeg uit de inheemse woonwijken.

Om zes uur ging hij naar de kamer van de vrouw en vroeg haar of ze samen zouden gaan eten.

'Nee, het spijt me, vanavond niet,' zei ze.

Hij leende haar exemplaar van het sociologisch rapport en ging naar zijn kamer. Hij zette de radio aan en luisterde twee uur lang naar het plaatselijke station, dat vrijwel uitsluitend dreunende grammofoonmuziek en reclames voor min of meer nutteloze artikelen uitzond. Tot drie maal toe werd een weinig orginele oproep herhaald van generaal Gami, die tot kalmte en orde aanmaande. De stem van de generaal klonk hooghartig en droog.

Eén keer werd er een nieuwsbulletin uitgezonden met weinig interessante en nietszeggende berichten over ver afgelegen landen, waar iets was voorgevallen en waar men tenminste wist wat er aan de hand was.

Om negen uur nam hij Lopez mee voor een naargeestige maaltijd. Toen hij thuiskwam, ging hij direct naar bed.

Hij verdiepte zich in het sociologisch rapport en dat nam zoveel tijd dat hij hoorde hoe Fernandez Lopez in de andere kamer afloste.

Hierdoor verdween ook een deel van zijn angstgevoelens. Hij constateerde zelf met een zekere verbazing dat hij kennelijk meer vertrouwen stelde in de één dan in de ander, hoewel hij eigenlijk geen van beiden goed kende.

Hij stond op en nam twee van Dalgrens pillen in, keek onder het bed, deed het licht uit en strekte zich uit.

Zijn laatste bewuste daad was te controleren of de Astra op de juiste plaats onder zijn hoofdkussen lag. Manuel Ortega sliep in met zijn hand op de walnotenhouten kolf.

9

De patrouille van de gezondheidsdienst vertrok de volgende ochtend om acht uur vanaf het plein, twee uur later dan afgesproken.

In de eerste auto, een grote, witgeschilderde overdekte Landrover met schijnwerpers, zat de chef van het escorte met drie man van de gendarmerie. Manuel Ortega en Danička Rodriguez reden in een militaire ziekenauto die geschikt was voor moeilijk begaanbaar terrein; hij had grote diep geprofileerde banden en rode kruizen op de achterdeuren. Daarna kwamen Gomez en Fernandez in hun grijze Citroën en als laatste een gewone politiejeep met nog eens twee mannen van de gendarmerie. Kapitein Behounek was kennelijk een man die niets aan het toeval overliet.

Het konvooi reed schuin het plein over en vervolgde zijn weg langs de stoffige palmen van de Avenida de la República in zuidelijke richting. De trottoirs waren nagenoeg leeg, maar voor de pasgebouwde kerk op de hoek van de avenida en de Calle San Martin zagen ze een aantal mensen die klaarblijkelijk de mis bezocht hadden.

Ze passeerden de politieversperringen en de garnizoensgebouwen die bijna even uitgestorven aandeden; er stonden alleen een paar wachtposten bij de ijzeren hekken en enkele luierende soldaten lagen in de grote, stoffige tuin van de kazerne.

Een paar kilometer verder naar het zuiden hield de autoweg op. Dwars over de rijweg was een prikkeldraadversperring aangebracht en daarachter waren grote steenhopen, enkele vrachtautowrakken en een verroeste graafmachine te zien. Het leek wel of het werk vrij plotseling en reeds lang geleden was stilgezet, alsof men ineens alle belangstelling voor het project had verloren en zich uit de voeten had gemaakt.

'Het schijnt de bedoeling geweest te zijn de autoweg tot aan de grens door te trekken, maar toen trad de regering af en is er verder niets meer van gekomen,' zei de dokter.

Hij was nog jong, nauwelijks ouder dan vijfentwintig jaar, en hij was het die reed. Manuel Ortega zat geheel rechts en leunde met zijn elleboog op het neergedraaide raampje. Op de brede voorbank tussen hen in zat Danič̌a Rodriguez. Ze had haar benen over elkaar geslagen en staarde recht voor zich uit door de voorruit. Het was onmogelijk achter de donkere zonnebril haar blik op te vangen.

Er zat nog iemand in de auto: een ziekenverpleger van middelbare leeftijd, gekleed in een gekreukeld, grijslinnen kostuum met koperen knopen. Hij zat op een stapel dekens achter de plaats van de bestuurder en rookte een dikke, geelbruine sigaret.

'Het zal straks nogal oncomfortabel worden,' zei de dokter. 'De weg is niet bepaald goed te noemen.'

Ze zwenkten van de autoweg af en kwamen op een smalle grindweg, die in lange zigzag-bochten tussen de heuvelruggen naarboven leidde.

'Deze weg werd om strategische redenen aangelegd,' zei Danič̌a Rodriguez. 'Door een regering die vond dat het leger een weg nodig had waarlangs het naar het zuiden kon opmarcheren.'

'Dat is niet onmogelijk,' zei de arts. 'Maar hoe dan ook, de weg is nooit gereed gekomen en dat is ook niet zo belangrijk, net zomin als dit soort uitstapjes.'

'Hoe zo?' vroeg Manuel Ortega.

'Omdat alles hier zinloos is. Dat zult u gauw genoeg zelf merken.'

Het landschap om hen heen was grauwgrijs van kleur en troosteloos. Het heuvelachtige terrein maakte een dorre, onherbergzame indruk. Bomen waren er niet, de enige sporadische begroeiing tussen de verweerde steenblokken bestond uit een laag struikgewas.

Het konvooi reed door een dorpje bestaande uit een twintigtal lemen hutten. Er was geen mens te bekennen; alleen een mager ezeltje sprong zigzag over de dorpsstraat, angstig en onhandig.

Manuel Ortega vroeg: 'Hebben de bewoners dit dorp verlaten?'

'Dat geloof ik niet. Ze hebben zich waarschijnlijk verstopt toen ze de auto's boven op de heuvelrug zagen aankomen. Ze zijn bang.'

'Voor ons?'

'Voor de politieauto,' zei hij laconiek.

Ongeveer een kwartier lang concentreerde hij zich uitsluitend op de weg. Toen zei hij: 'De mensen hier zijn zeer terughoudend. Ten zuiden van de hoofdstad leven bijna uitsluitend Indianen, met hier en daar wat blanke bazen. Maar die wonen ver uit elkaar. De bezittingen hier zijn uitgestrekt en de meeste landeigenaars geven er de voorkeur aan in de stad te wonen. Ze hebben een paar voormannen op de plantages rondlopen en vinden het voldoende er zelf één of twee keer per maand heen te rijden om de zaken te inspecteren. Deze voormannen zijn meestal halfbloeden.'

Hij zweeg even voor hij eraan toevoegde: 'Ze zijn niet bepaald populair.'

'Hoe lang bent u al hier?'

'Bijna twee jaar. In het begin heb ik me de toestand nogal aangetrokken. Je kunt zo weinig doen. Zoals ik al zei, de mensen hier zijn moeilijk te doorgronden. Ze houden zich afzijdig en kijken alleen maar toe. Je wordt niet echt geaccepteerd. Ze zijn bang en onwetend en als je met ze praat antwoorden ze met eenlettergrepige woorden of meningsloze zinnetjes, alleen om jou een plezier te doen. Als je aan iemand die doodziek is en hevig lijdt, vraagt of hij pijn heeft, zegt hij meestal nee. Hij is bang dat je anders boos zult worden. Daar komt nog bij dat we met zeer beperkte middelen moeten werken. De medicijnen die we uitreiken dekken nog geen vijf procent van de totale behoefte. Bovendien zijn we niet in staat hen bij te brengen dat ze de medicijnen ook in moeten nemen. De meesten gooien ze weg omdat ze bang zijn, zodra we hun de rug toegekeerd hebben.'

'Maar er zijn toch wel instructeurs?'

'Ja zeker. U zult er zo dadelijk een ontmoeten. Ziet u bij voorbeeld die kleine akkers daar?'

'Ja.'

'Dat is nou een typisch voorbeeld. Vroeger was hier veel bos. Maar uit onkunde werd het door de Indianen afgebrand en op die plekken werd gezaaid. Na een paar jaar trad erosie op. Op die manier gaat het hele bos naar de bliksem en alle vruchtbare grond die er nog over is, is in handen van de grondeigenaars die verstand hebben van landbouw. En de voedselsituatie is toch al zo hopeloos. Bijna iedereen is ondervoed en de kinderen sterven hier als ratten.'

'Hoe heet het dorp waar we naar toe gaan?'

'Pozo del Tigre – op z'n Spaans. De Indiaanse naam ben ik vergeten.'

Ze zwegen. De motor maakte een hels lawaai in de lagere versnellingen. Manuel Ortega veegde het zweet van zijn voorhoofd en keek naar het stenige, van hitte trillende landschap. Danića zat zwijgend te roken. Voor hen uit klom de witte jeep al hoger en hoger door de steile bochten. Eén keer kwamen ze van de andere kant een politiepatrouille tegen en zo nu en dan zagen ze wat lage hutten onderaan de heuvels liggen, maar nergens was een levend wezen te bekennen.

Anderhalf uur later reden de auto's Pozo del Tigre binnen en hielden stil op het dorpsplein. Overal liepen kinderen, varkens en honden rond. Een paar oude Indianen met ingevallen wangen keken berustend naar de mensen in de witte uniformen.

'Hoe groot is deze nederzetting?' vroeg Manuel Ortega.

De arts haalde zijn schouders op, maar Danića Rodriguez antwoordde: 'Er wonen hier ongeveer zestig gezinnen, vierhonderd mensen in totaal.'

'Bent u hier al eens eerder geweest?'

Ze knikte.

Manuel Ortega stak zijn hand in zijn jasje en voelde of de Astra er nog zat. Daarna stapte hij uit de auto op de harde grond en keek om zich heen.

Het dorp bestond uit een vijftigtal lage hutten met lemen wanden en vuilgrijze strodaken. Elke hut stond op een omheinde open plek. Er waren in totaal drie evenwijdig lopende straten van hobbelig, door de zon gehard leem. Aan het plein lag het gebouw dat het hele dorp domineerde, een witte kerk met een bijgebouw dat bestemd moest zijn voor de priesters en hun bedienden.

Aan de overkant van het plein stond nog een wit stenen huis.

Het was laag, langgerekt en dwars over de gevel stond het woord ESCUELA geschreven in grote, bruine letters. Boven de bruine houten deur zat een stuk papier waarop stond CUARTEL DE LA GENDARMERIA en op de stoep van de school zaten twee politieagenten, blootshoofds en met losgeknoopte jasjes.

Midden op het plein was een overdekte waterput met kranen en roestige ijzeren leidingen. Een eindje achter de put stond een groepje mensen schuw naar de auto's te kijken, de mannen gekleed in witte hemden en witte broeken en met strohoeden op, de vrouwen in grofgeweven, om het middel geslagen lappen stof en een soort driekantige blouses die ze om hun nek vastgeknoopt hadden. Allen waren vuil, uitgemergeld en de kleren hingen hun in rafels om hun lichaam.

Daniča Rodriguez keek om zich heen en beet nadenkend op haar onderlip.

'Ze bouwen een school en gebruiken hem als politiepost,' mompelde ze. 'Er is niets veranderd.'

Ze zei het bijna fluisterend, maar Manuel Ortega stond dicht genoeg bij haar om haar woorden te kunnen verstaan. Hij vroeg: 'Is dit uw geboortedorp?'

Ze schudde van nee en liep een paar passen het plein op.

'Kom,' zei ze.

Manuel Ortega aarzelde. Hij voelde zich niet op zijn gemak in deze omgeving en bij deze mensen en het gevoel hier een vreemde te zijn, maakte dat hij zich niet te ver van de politie en hun auto's wilde verwijderen.

'U hoeft niet bang te zijn,' zei ze. 'Het is hier niet gevaarlijk. Er is geen mens die u zal herkennen en ik betwijfel of iemand weet dat er zo iets bestaat als een gouverneur van de provincie.'

Hij zag in dat ze gelijk had. Bovendien was hij gewapend en zowel Gomez als Fernandez bevonden zich op nog geen tien meter afstand achter hem, om nog maar te zwijgen van de mannen in de witte uniformen.

Ze staken schuin het plein over en de mensen weken zwijgend voor hen uiteen.

Achter de kerk lag een lage, primitief opgetrokken muur en daarachter een steile, stenige heuvel met een diep ravijn. Op de bodem van het ravijn een stilstaande, stinkende en groen-slijmerige plas water en achter de heuvel het landschap met zijn verschroeide dalen tussen grauwwitte bergkammen.

'Ziet u die weg daar?' vroeg ze. 'Als je die zo'n vijfendertig kilometer in zuidwestelijke richting volgt, kom je aan het dorp waar ik geboren ben. Het is ongeveer maar een derde van dit. Daar achter de bergen.'

Ze wees en hij liet zijn blik over het eentonige landschap gaan.

'Daarginds ben ik, zoals ik al zei, geboren en opgegroeid. De hutten zien er precies zo uit als hier en ook daar is een kerk en een katholieke priester die bestond van het uitzuigen van analfabeten. Ik herinner me dat hij aan de bevolking kaarsen verkocht die hij niet aanstak. De volgende dag beweerde hij dat de offerande de heilige maagd of de heiligen behaagd had en dan verkocht hij dezelfde kaars opnieuw. Op die manier kon hij de prijzen laag houden en toch goede zaken doen.'

'En uw familie?'

'Mijn vader is al meer dan tien jaar geleden hier gestorven. Hij was arts, hoewel hij zijn studie vroegtijdig had afgebroken.'

Ze stak een sigaret op, zette haar ene voet op het stenen muurtje en verschoof de riempjes van haar sandaal.

'Hij was natuurlijk stapelgek. Een naïeve idealist die gedoemd was te falen in alles wat hij zich voornam.'

Manuel Ortega zei niets maar staarde naar haar benen en voeten. Opnieuw voelde hij een vage onrust, alsof hij een beetje bang voor haar was, maar toch ook weer niet.

'Het klinkt lachwekkend,' zei ze, 'maar toch is het de waarheid. In de hoofdstad van de provincie ontmoette hij een meisje met wie hij trouwde. Hij kreeg een kind bij haar en toen nog één en hij verhuisde hierheen en bouwde een ziekenhuis. Na een jaar of wat kreeg ze er genoeg van en ging weg, maar hij bleef. Met ons.'

'Tot wanneer?'

'Tot het bittere einde. De laatste jaren dronk hij vrij veel en daarna is hij gestorven. Inmiddels was zijn ziekenhuis al in puin gevallen. Hij woonde samen met een Indiaanse vrouw en ik geloof dat ze een kind van hem had.'

'En wat gebeurde er met u?'

'Ik liep weg toen ik veertien was.'

'Waarom?'

Ze gaf niet dadelijk antwoord, maar staarde een poosje in de verte. Toen zei ze: 'Ik zag toen al in dat het zinloos was hier te blijven, als ik van nut wilde zijn.'

Manuel Ortega zei niets en dacht eigenlijk ook aan niets. Ze moest zijn zwijgen verkeerd opgevat hebben, want ze viel onmiddellijk uit en zei op heftige toon: 'Begrijpt u het dan niet? Begrijpt u niet wat er gebeurd zou zijn. Als je dertien was gingen de kerels hier met je naar bed. In dat opzicht waren ze niet anders dan anderen. Daarna werd je zwanger en zonder te weten waarom en zonder er zelf enige zeggenschap over te hebben gehad, zou je voor de rest van je leven gehandicapt geweest zijn... en dan zou er niets anders opgezeten hebben dan hier te blijven hangen.'

'Ja,' zei Manuel Ortega.

Toen ze weer op het plein terugkwamen had de politie voor het schoolgebouw een rij mensen opgesteld; het waren meest vrouwen en ze hadden bijna allemaal hun kinderen bij zich. Ze stonden er lusteloos en apathisch bij, zonder zich te bewegen of iets te zeggen. Zelfs de kinderen huilden of zeurden niet hoewel velen van hen een etterende uitslag op het gezicht hadden en vieze korsten op de hoofdhuid.

Toen Manuel Ortega zich langs de wachtenden wrong rook hij opnieuw de scherpe lucht die blijkbaar hoorde bij vuil en armoede.

Binnen in één van de kamers hield de arts zijn geïmproviseerd spreekuur. Op een houten kistje had hij zijn instrumenten en spuitjes klaar gelegd; schuin achter hem stond de ziekenverpleger, die een keuze deed uit een aantal ampullen die in een doosje lagen. Er was ook een vrouw aanwezig. Ze was nog heel jong en had donkere ogen en een bruine huid. Ze was de onderwijzeres van Pozo del Tigre. Nu hielp ze bij het toedienen van de injecties: ze streek onhandig met een watje met een desinfecterend middel over de kinderarmpjes en legde er naderhand een stuk verband en een hechtpleister op.

De dokter zag er nu al moe en geprikkeld uit. Hij voelde met zijn stethoscoop tussen de lompen van het kleine meisje dat juist voor hem stond, wierp een blik op Manuel Ortega en zei: 'Er heerst een epidemie. Mazelen.'

Daarna richtte hij zijn aandacht weer op het kind. Het meisje was misschien een jaar of zeven, acht. Terwijl hij haar onderzocht stond de moeder kalm, berustend en met slap neerhangende armen naast hen.

'Dit kind heeft longontsteking,' zei de arts, alsof hij in zichzelf praatte. Daarna richtte hij zich tot de moeder en vervolgde: 'Een maand lang moet ze iedere dag een injectie hebben van de onderwijzeres, dus dertig dagen achtereen. Begrijp je dat?'

'Jawel.'

'Dus elke dag, een hele maand lang.'

'Jawel.'

'Eén of twee keer is niet voldoende. Je moet iedere dag met haar hier komen.'

'Jawel.'

'Wanneer moet je dan terugkomen?'

De vrouw dacht na.

'Morgen,' zei ze.

'En dan?'

'De volgende keer dat u in de auto's komt.'

'Nee! Overmorgen! De dag na morgen! Heb je dat begrepen?'

'Jawel.'

'En dan moet je haar iedere ochtend en iedere avond wat van dit drankje geven. Heb je dat ook begrepen?'

'Jawel.'

Hij wenkte dat ze kon gaan en wendde zich tot de volgende patiënt.

'We hebben gebrek aan medicijnen,' zei hij in het voorbijgaan. 'En zij gooien ze weg. Het is al te dwaas.'

Manuel Ortega liep schuin de kamer door en leunde tegen de muur. Zijn gezicht was rood en bezweet en hij veegde het onophoudelijk met een kletsnatte zakdoek af. Even later kwam de onderwijzeres op hem toe.

'De dokter had het mis. De kinderen lijden aan een andere ziekte. Niet wat de dokter eerst zei. Er ligt er een dood in het huis hiernaast en de kilte slaat op de kinderen over. Dat is het, is het niet?'

Manuel Ortega nam haar op.

'Wat hebt u voor opleiding gehad?' vroeg hij.

'Ik ken Spaans,' zei ze. 'Ik geloof in de ene waarachtige God. Ik heb leren lezen. Ik heb honderd en drie dagen een opleidingscursus gevolgd in de hoofdstad van de provincie. In het grote huis met de soldaten.'

Ze ging terug naar haar desinfecterende watjes.

Manuel Ortega keek naar zijn secretaresse; deze schoof haar zonnebril op haar voorhoofd en ontmoette zijn blik.

Op de achtergrond hoorde hij de volgende Indiaanse vrouw zeggen: 'Jawel... jawel... jawel...'

Vijf uur later op de terugweg, zei de arts: 'Mazelen is niet zo'n ernstige ziekte. Het is alleen dat ze eraan sterven. Vannacht zullen in dat dorp tien kinderen sterven. En daar moet je je niets van aantrekken. Als je het je zou aantrekken werd je krankzinnig.'

'Toch moet het niet zo moeilijk zijn er iets aan te doen,' zei Manuel Ortega.

'Nee, natuurlijk niet. Geef ons meer geld, meer medicijnen en meer mensen. Geef ons mensen die hun leren dat ze de eieren zelf moeten opeten in plaats van ze aan de priester te geven; die hun leren geen water te gebruiken uit de poel, zoals ze nu doen, omdat iemand hun wijsgemaakt heeft dat het in de put spookt; die hun leert latrines te gebruiken en zeep en zich te ontluizen. Geef ons meer instrumenten. Kort gezegd, het ontbreekt ons aan geld.'

'En lust,' zei Daniča Rodriguez.

'Ja, precies,' zei de arts. 'Het kan me geen donder schelen dat hun kinderen doodgaan. Ik wil leven.'

10

Het was de ochtend van de vijfde dag en Manuel Ortega werd niet als een kind wakker.

Hij werd wakker omdat er iemand over hem heen gebogen stond en hem bij zijn schouder heen en weer schudde.

Eerst leek het een nachtmerrie, toen een foutief geïnterpreteerde werkelijkheid. Radeloos voelde hij met zijn hand onder het kussen en probeerde zich op de grond te werpen. Toen hoorde hij een stem: 'Kalm, kalm! God allemachtig, ik ben het maar.'

Ten slotte ging hij overeind zitten en keek naar de man die hem wakker gemaakt had. Het was Fernandez.

'Er is iets gebeurd en ik dacht dat ik u beter kon wekken.'

'Wat is er dan gebeurd?'

'Ik weet het niet, maar er is een hels kabaal in de stad. Het duurt al een hele tijd. Gomez, die aan de voorkant is wezen kijken, zegt dat het ergens van rechts komt. Eerst waren er in de verte een aantal explosies, het klonk bijna als een bombardement; dat is al meer dan twee uur geleden. Nu wordt er overal geschoten en geschreeuwd, zegt Gomez.'

'Wacht hiernaast op me, terwijl ik me aankleed.'

Hij gaf zich niet de moeite een douche te nemen, hoewel hij doorweekt was van het transpireren en nog suffig van de slaaptabletten. Wel hield hij zijn handen en gezicht onder de kraan, maar het water sijpelde er slechts in een dun straaltje uit.

Hij kleedde zich aan, gespte de Astra om, trok zijn jasje aan en haastte zich naar zijn werkkamer. Voor één keer vergat hij bang te zijn voor de deur en juist nu was er iemand in de kamer, alleen bleek het Gomez te zijn.

Hij nam de hoorn van de telefoon en keek op zijn horloge dat op vijf voor halfzes stond. Het duurde lang voor hij antwoord van de telefooncentrale kreeg, maar op het hoofdbureau van politie werd onmiddellijk opgenomen. Een opgewonden stem zei: 'De chef, nee die is er niet... ja, een ogenblikje, hij komt er juist aan...'

Luid gepraat.

'Ja, verdomme! Met Behounek!'

'Wat is er aan de hand?'

'Die schurken hebben het pompstation en de hoofdtoevoer van het waterleidingbedrijf in de lucht laten vliegen. De huizen in de omgeving staan in brand en de hele stad zit zonder water.'

'Wie hebben het gedaan?'

'Een communistische sabotagegroep, zowat een twee en half uur geleden. Het hele personeel is omgekomen en ook één van mijn mensen werd gedood.'

'Maar wat heeft dat schieten te betekenen?'

'De Burgerwacht heeft zijn alarmtroepen op de been gebracht. Ze zijn bezig de... verdomme, u ziet toch dat ik met de gouverneur praat... de inheemse... ja, de arbeiderswijken in het noorden van de stad binnen te dringen. Neem me niet kwalijk, ik moet nu weg.'

'In het noordelijk stadsdeel zei u? Goed ik ga erheen.'

'Nee, in godsnaam, alstublieft niet. Wat ik u smeken mag. Er kan momenteel voor niemands veiligheid worden ingestaan.'

'Dat risico neem ik dan.'

'U bent de laatste die erheen zou moeten gaan. Maar als u zo eigenwijs wilt zijn, rijd dan in ieder geval met mij mee. Ik ben over tien minuten bij u.'

De chef van politie was verdwenen, maar waarschijnlijk had hij de hoorn op de tafel neergegooid, want Manuel hoorde nog steeds heen en weer gedraaf, geschreeuw en het rinkelen van telefoons.

Tien minuten later reed een witte Dodge met loeiende sirene het plein op.

'Ga achterin zitten. Nee, voor uw gorilla's is er geen plaats. Die moeten maar in hun eigen auto gaan.'

Hij zat naast de chauffeur op de voorbank en draaide aan de knop van het kortegolfstation dat sputterde en knetterde. Op de achterbank zat de plaatsvervanger die hem op het vliegveld was komen begroeten, luitenant Brown.

'Ik hoop bij God, dat we niet de hulp van de militairen hoeven in te roepen.'

'Is de toestand zo kritiek?'

'Kritiek? Als we de komende twee uur overleven is het gevaar voorbij. Ze zijn op het meest ongelukkige tijdstip in actie gekomen.'

'Wie bedoelt u?'

'De Burgerwacht. Om vóór halfzes zijn de mijnwerkers nog niet naar hun werk. Dat betekent dat zich bijna vierduizend volledig arbeidsgeschikte kerels in het afgezette gebied bevinden. Die zijn gevaarlijk. Het risico bestaat dat ze een gecoördineerde poging doen om uit te breken. En dat red ik niet.'

'Hoe gaan de arbeiders naar de mijnen?'

'Lopend. Ze doen er ongeveer anderhalf uur over.'

Manuel Ortega dacht bij zichzelf dat dit een hele volksverhuizing moest zijn en dat hij daar toch iets van zou hebben moeten merken, in ieder geval 's avonds. Behounek loste dit probleem voor hem op: 'Ze volgen een speciale route, die in een boog oostelijk om de stad heen loopt.'

'Maar door de waterleiding te laten springen wordt toch iedereen getroffen,' zei Manuel.

'Nee, dat is wel goed uitgekiend. De inheemse wijken zijn niet van het waterleidingbedrijf afhankelijk. Die wijken liggen in het oude stadsdeel, waar enkele waterputten zijn. Die zijn wel niet al te best, maar ze zijn er in ieder geval. Maar de hele binnenstad en de villawijk zitten zonder. Het zal me een toestand worden!'

De auto raasde met loeiende sirenes en de schijnwerpers op midden over de weg langs de aan weerszijden opgetrokken stenen muren. Het was druk op de weg en langs de muren stonden politiejeeps.

Ze sloegen de weg in naar de villawijk, namen nog enkele bochten en hielden op precies dezelfde plek stil waar Manuel de auto de vorige dag even had laten stoppen.

Behounek stapte uit. Op zijn borst hing een veldkijker. De chauffeur was bezig een draagbare kortegolfradio af te stemmen.

Een grote, Amerikaanse auto vol mensen met gele banden om hun arm zoefde hun voorbij de weg af. De meeste mannen waren gewapend met een geweer en hadden een patroongordel over hun schouders geslagen.

'De Burgerwacht,' zei Behounek. 'Ze zijn tot bezinning gekomen. Ze sturen hun kinderen tenminste niet meer.'

'Laat u toe dat ze achter de versperringen komen?'

De chef van politie antwoordde niet op de vraag, maar zei: 'Als het te erg wordt mobiliseer ik ze als militietroepen. Dat heb ik vaker gedaan. Waar het nu om gaat is de inheemsen binnen het afgezette gebied te houden en de blanken er zoveel mogelijk buiten.'

Van het driehoekige stadsdeel beneden hen steeg een kakofonie op van geschreeuw, geschiet en andere onbestemde geluiden.

'Ziet u,' zei Behounek, 'ik heb geen mensen genoeg om de zaak meester te blijven als ze collectief uitbreken.'

'Waar ligt het waterleidingbedrijf?'

'Daar in het zuiden; waar u die rook ziet boven de heuvelruggen.'

'Waarom zijn de onlusten dan hier uitgebroken?'

'Omdat de meeste leden van de Burgerwacht hier boven wonen,' zei Behounek lakoniek.

Zijn walkie-talkie was nu ingeschakeld en hij had contact gekregen met iemand.

'Veeg het plein schoon,' zei hij.

Manuel probeerde zijn blik te concentreren op de open plek tussen de warwinkel van huizen. Het leek of het daar tot berstens toe vol was, maar een paar minuten later reden er enkele witte jeeps het plein op en kon men met het blote oog zien hoe de mensenmenigte zich oploste en in de zijstraten gedreven werd.

'Jullie moeten verhinderen dat die idioten de weg beschieten,' schreeuwde Behounek in de microfoon. 'Hoeveel mensen hebt u daar? Ja, ja, stuur ze erheen, stuur iedereen erheen! Zonder uitstel! Zorg ervoor dat de weg vrij komt en voorkom een oploop. Luister! Er ligt een troep lummels van de Burgerwacht in het veld links van de weg bij sectie veertien, die de mensen op de weg onder vuur neemt. Zorg dat ze onmiddellijk ophouden.

Het is je reinste waanzin. Ze verhinderen dat degenen die naar de mijnen moeten erlangs kunnen. De weg is toch al geblokkeerd. Daar moet onmiddellijk verandering in komen. En zie erop toe, dat de mensen doorlopen. Hoe eerder we de arbeiders kwijt zijn, hoe eerder ze de stad uit zijn, hoe beter.'

Ondanks zichzelf werd Manuel Ortega gefascineerd door wat hij zag. Vroeger, naar hij bemerkt had, was hij net zo gefascineerd geweest door branden en verkeersongelukken. Door de afstand nam het drama min of meer abstracte vormen aan, was het moeilijk te bedenken en te begrijpen dat elk stipje daar beneden een apart individu voorstelde.

De dynamische wijze waarop Behounek de operaties leidde, liet niet na indruk op hem te maken, zoals hij even tevoren door de klaarblijkelijke angst van de politiechef was aangestoken, toen de Burgerwacht bezig was de woede van de arbeiders op te wekken door de weg naar de mijnen te beschieten.

'Verspreid de menigte bij de muur bij sectie dertien. Onmiddellijk.'

'Sluit de weg af van het plein tot aan de oostelijke waterput.'

'Stuur vier man extra naar de noordelijke ingang. Werkt het luidsprekersysteem goed? Mooi zo.'

Terzijde zei hij: 'We hebben daarbeneden een luidsprekerinstallatie aangelegd. De mensen krijgen nu opdracht hun huizen binnen te gaan en daar te blijven.'

Een half uur later werd er praktisch niet meer geschoten. De bevelen van Behounek hadden een meer afgerond karakter gekregen.

'Veeg sectie één schoon.'

'Veeg sectie twee schoon.'

'Doet de luidsprekerinstallatie het nog. Mooi. Roep dan om dat iedereen die naar zijn werk moet een vrije aftocht heeft door de oostelijke uitgang. En dat ze op moeten schieten.'

'Ik geloof dat het voor dit keer weer voorbij is,' zei hij tegen Manuel Ortega.

Hij veegde met de mouw van zijn jasje over zijn voorhoofd en haalde zijn rechtervoet van het stenen muurtje.

'God nog aan toe,' zei hij.

'Mag ik even uw kijker lenen?' vroeg Manuel Ortega.

'Ja, jazeker. Alstublieft. Maar ik waarschuw u dat het geen prettig gezicht is.'

Op hetzelfde moment dat hij de kijker bijgesteld had, vatte Manuel Ortega de volle omvang van de ramp die hij anderhalf uur als passieve toeschouwer had bijgewoond. Alleen al op het plein, dat in zijn blikveld lag, telde hij acht lichamen. Hij liet zijn blik verder glijden langs de nu bijna lege straten. Hij begon te tellen, maar bij twintig raakte hij de tel kwijt. Er waren nu nog bijna uitsluitend gendarmes in witte uniformen te zien. Op enkele plaatsen zag hij mensen die zich over de op de grond liggende figuren heenbogen en verder liepen, alsof ze degene die ze zochten niet hadden gevonden. Daarna richtte hij zijn kijker naar een plek oostelijk van de stad, waar hij massa's mensen dwars over een verbrand veld zag lopen in de richting van de weg die naar de mijnen voerde.

Plotseling werd hij overvallen door een gevoel van walging en de koude rillingen liepen langs zijn rug. Hij liet de kijker zakken.

De chef van politie keek hem verstolen aan.

'Ja, zoals ik al zei, het heeft een aantal mensenlevens gekost.'

'Hoeveel dacht u?'

Behounek haalde berustend zijn schouders op.

'Hoe kan ik dat weten,' zei hij.

En meteen daarop: 'Het enige dat ik weet is dat het nog erger had kunnen zijn. Nog veel erger.'

Ik stond hier en zag ze sterven, dacht Manuel Ortega vertwijfeld. Ik stond hier als op een balkon en zag hoe de mensen verminkt werden en stierven en het enige waar ik aan dacht was hoe lang het zou duren voordat de politie de straten schoongeveegd had en de menigte verspreid had.

'Ik stond hier en zag ze sterven,' mompelde hij.

'Ja, we hebben het gered,' zei Behounek en knipperde met zijn ogen, terwijl hij de lucht in staarde.

Even later voegde hij er verstrooid aan toe: 'Het zal een warme dag worden vandaag. We hebben anders geen gekke week gehad.'
'Vindt u?'
'Ja, u bent nog niet aan het weer hier gewend. De afgelopen dagen zijn mooi en frisjes geweest. Voor vandaag ziet het er niet zo best uit.'
Hij draaide zich om naar de politieauto.
'Het is afgelopen nu. Zullen we een kijkje gaan nemen?'
Manuel Ortega keek hem afwezig aan en Behounek fronste zijn voorhoofd.
'Misschien is het beter om het niet te doen. U bent op het moment niet bepaald populair en er kan eigenlijk ieder ogenblik uit een van de huizen op u geschoten worden. U ziet er trouwens niet erg florissant uit.'
Hij keek op zijn horloge.
'Acht uur al. Ik moet nu naar het pompstation. Daar staat het er ook niet al te mooi voor. U mag zich overigens wel bezig gaan houden met het probleem van de watervoorziening. Het komt slecht uit dat generaal Gami net op dit moment afwezig is.'
'Wie is zijn plaatsvervanger?'
'Kolonel Orbal.'
'En diens plaatsvervanger.'
'De commandant van het regiment, kolonel Ruiz.'
'Ik zal contact met hem opnemen.'
Samen met Gomez en Fernandez reed Manuel Ortega in de kleine Franse personenauto terug naar de stad. Onderweg zag hij enkele ambulancewagens van het leger. Bij open plekken in de muur stonden gendarmes op wacht, te zamen met leden van de Burgerwacht die gele banden om hun arm droegen.
Aan de andere kant van de politieversperringen, die om de binnenstad aangelegd waren, bevonden zich enkele bewapende patrouilles van de Burgerwacht.
'Er klopt iets niet,' zei Manuel Ortega voor zich heen. 'Het klopt helemaal niet.'
Hij voelde zich moe en onwel en nauwelijks had hij het toilet bij

zijn slaapkamer bereikt of hij moest overgeven. Toen zijn maag leeg was, zag hij dat iemand, waarschijnlijk de werkster, twee aarden kruiken met water had neergezet. Nadat hij een kwartiertje apathisch op bed naar het plafond had liggen staren, verzamelde hij al zijn moed en ging naar zijn werkkamer, opende de deur. Er stond iemand midden in de kamer en hij kromp ineen alsof hij een oorvijg had gekregen of een hevige pijn voelde, hoewel hij dadelijk gezien moest hebben wie het was.

Danića Rodriguez zag hem ernstig en onderzoekend aan voor ze zei: 'Bent u erbij geweest?'

'Ja, het was een afschuwelijk gezicht.'

'Het is ook afschuwelijk.'

'Het ergste was dat niemand zich er eigenlijk iets van aan scheen te trekken. Toen het voorbij was vertrokken de mannen naar de mijnen, net of er niets gebeurd was. Toch lagen er zeker dertig doden op de straten en de pleinen.'

'Deze mensen zijn fatalisten,' zei ze. 'Dat hebben ze wel geleerd. Het enige dat lonend is is het fatalisme, denken ze. Dat is altijd al zo geweest.'

'Hoe weet u dat?'

'Ik ben hier geboren.'

Hij liep naar het raam en keek uit over het verblindend witte plein. Langs de overkant van het plein marcheerde een groepje mannen die geweren droegen en gele banden om hun arm hadden.

'De commandant van het regiment heeft al drie keer geprobeerd u te bereiken,' zei ze.

'Bel hem maar op.'

Het gesprek kwam onmiddellijk tot stand. Kolonel Ruiz' stem klonk net iets te hoog en hij sprak heel snel, alsof hij zich moeite gaf efficiënt te schijnen.

'De situatie is precair, maar we hebben alle beschikbare krachten ingezet om de toestand meester te worden. Ik heb een compagnie genietroepen naar het waterleidingbedrijf gezonden. Zodra de branden geblust zijn beginnen ze aan de reparatiewerkzaamheden.'

'Hebt u enig idee hoeveel tijd dat zal kosten?'

'Dat is moeilijk te zeggen. De schade is nog niet te overzien.'

'Hoe zal de watervoorziening intussen geregeld worden?'

'Wij hebben zelf drie militaire tankauto's en privé-ondernemingen hebben er nog twaalf tot onze beschikking gesteld. Alles bij elkaar dus vijftien stuks. Ze zullen vierentwintig uur ononderbroken in bedrijf zijn. Ik reken er op dat we binnen een paar uur kunnen beginnen met het aanleggen van provisorische waterreservoirs in de stad. Daar zijn vrijwilligers voor nodig.

Als u voor de radio uw toespraak houdt, zou het nuttig zijn als u vrijwillige hulparbeiders aanspoorde zich óf op het plein óf bij enkele van de voornaamste inritten van de hoofdweg te verzamelen.'

Het was niet bij Manuel Ortega opgekomen dat ze verwachtten dat hij voor de radio zou spreken. Hij had eigenlijk gewoonweg vergeten dat een radio een communicatiemiddel was waarvan hij gebruik kon maken. Hij zei: 'Kunt u geen soldaten sturen voor het aanleggen van de reservoirs?'

'Ik heb geen manschappen genoeg,' zei kolonel Ruiz kortaf.

En iets tegemoetkomender: 'Maar ik kan u wel helpen aan enkele voormannen en geniesoldaten. Mijn situatie is niet bepaald aangenaam te noemen. Om u een voorbeeld te geven, de chef van politie heeft om zestigduizend meter prikkeldraad gevraagd. En ik heb maar de helft in voorraad.'

'Wat moet hij met zoveel prikkeldraad doen?'

Het kwam er spontaan uit, maar hij had die vraag natuurlijk niet moeten stellen.

'De versperringen versterken, denk ik,' zei de kolonel achterdochtig. 'Dat zou wel eens nodig kunnen zijn. Voor het overige kan ik u misschien maar beter gelijk zeggen dat ik de Burgerwacht de bevoegdheid heb gegeven de verantwoordelijkheid voor het handhaven van de orde in de binnenstad op zich te nemen.'

'De Burgerwacht is toch een illegale organisatie?'

'Tja, illegaal. In ieder geval is ze én bruikbaar én betrouwbaar. Kapitein Behounek heeft ook te weinig mensen. De Burgerwacht heeft ook beloofd de verantwoordelijkheid voor de waterrantsoenering op zich te nemen. Wat dat betreft zou ik u willen aanraden contact op te nemen met de leider van het uitvoerende comité van de Burgerwacht.'

'Wie is dat?'

'Dalgren. Wist u dat niet? Nee, natuurlijk niet, u bent hier nog maar pas. U en ik zouden trouwens formeel overleg moeten plegen wie welke orders geeft en hoe we onze taken zullen verdelen.'

'Voorlopig kunnen we trachten van geval tot geval tot een redelijke en uitvoerbare oplossing te komen.'

'Dat klinkt op het eerste gehoor heel aardig, maar in de praktijk blijkt dat vaak mis te gaan. Een redelijke oplossing die niet goed georganiseerd is, is wel het ergste dat ik me in kan denken.'

En daarmee was het gesprek afgelopen. Manuel Ortega belde onmiddellijk zijn kanselier op.

'Bent u op de hoogte van de militaire aangelegenheden hier?'

'Enigszins.'

'Uit hoeveel man bestaat het regiment.'

'Uit ongeveer tweeduizend.'

'Hoeveel auto's denkt u dat ze hebben die geschikt zijn voor watertransport?'

'Tja, op z'n minst een stuk of dertig, vermoedelijk zelfs meer. Ik zou u aan willen raden de commandant van het regiment te bellen om het hem zelf te vragen.'

'Dank u voor uw raadgeving.'

Hij legde de hoorn neer. De wil tot samenwerking bij de militaire overheid liet nog heel wat te wensen over.

'Alle militairen zijn dagdieven in uniform,' zei Fernandez filosofisch. Hij stond met zijn handen op zijn rug bij het raam op zijn zonnebloempitten te kauwen.

De hitte in de kamer overtrof alles wat hij tot nu toe meegemaakt had en toen Manuel opstond zag hij dat zich op de zitting van zijn stoel al een donkere, ronde zweetplek had afgetekend. Toch had hij het gevoel dat er eindelijk schot in begon te komen. Er lag een aantal taken op hem te wachten, die weliswaar niet erg interessant, maar wel heel belangrijk waren. Hij schoof de Astra op zijn plaats onder zijn jasje en ging naar de andere kamer om zijn radiotoespraak aan zijn secretaresse te dicteren. Toen ze klaar was en hij de tekst doorlas, merkte ze als terloops op: 'Moet die zogenaamde Burgerwacht niet heftiger aan de kaak gesteld worden?'

'Voor zover ik kan beoordelen zijn beide partijen uiterst meedogenloos opgetreden. De onlusten van vanochtend hadden tenminste nog een spontaan karakter. Maar om het waterleidingbedrijf met personeel en al in de lucht te laten springen is een met voorbedachten rade gepleegd misdrijf.'

'Ja, dat was niet zo mooi van ze.'

'Bovendien schijnen we in een situatie verzeild geraakt te zijn waar de hele stad afhankelijk is van de hulp van de Burgerwacht. In zo'n geval is het beter je verstand te gebruiken.'

'Uw toespraak is ongetwijfeld verstandig,' zei ze toonloos.

'Daar komt nog bij dat ik het optreden van de Burgerwacht van vanochtend in feite afkeur.'

'Ja, dat is zo.'

Toen hij weer achter zijn schrijftafel zat zag hij in dat ze gelijk had. Zijn oproep bevatte dezelfde cliché's als de boodschap van generaal Gami die hij de vorige dag had horen voorlezen. Alle politieke organisaties en alle bevolkingsgroepen werden aangemaand rustig en kalm te blijven, ieder eigenmachtig optreden werd veroordeeld en er werd een beroep gedaan op een ieders solidariteit en gezond verstand. Daarna volgde er een aantal inlichtingen over waar en wanneer de mensen zich moesten melden om mee te helpen bij het vrijwilligerswerk.

De boodschap bevatte geen spoor van een persoonlijke visie of stellingname, er was ook geen sprake van toorn, bekommernis of bitterheid. Hij had gewoon uit zijn hoofd de honderden gelijkluidende oproepen die hij in de loop der jaren had gelezen of gehoord, gekopieerd. Manuel Ortega was zich hiervan duidelijk bewust en iedere keer dat hij de tekst doorlas vond hij hem slechter.

Om kwart over twaalf reed hij met Lopez naar de studio en las zijn boodschap voor. Het maakte hem nerveus dat deze direct zonder te repeteren werd uitgezonden en zijn stem klonk gespannen en onnatuurlijk. Gelijktijdig werd er een bandopname van gemaakt die elk half uur uitgezonden zou worden. Het radiostation was pas gebouwd en lag in het westelijk deel van de stad. Het werd zowel door de gendarmerie als door leden van de Burgerwacht bewaakt.

Toen Manuel Ortega in het gouvernementspaleis terugkwam bleek dat Danića Rodriguez een radio in haar kamer had laten plaatsen en dat ze zat te luisteren naar de eerste herhaling van zijn toespraak. Ze wierp hem een vermoeide, onverschillige blik toe. Hij ging naar zijn kamer, maar kwam meteen weer terug. Hij bleef in de deuropening staan en zei: 'Ik vind hem zelf ook niet goed.'

Ze keek op met een snelle, vluchtige verwondering maar zei niets.

Vijf minuten later belde Dalgren op.

'Een buitengewoon goede toespraak,' zei hij. 'Ik ben zelf de eerste die uit naam van de Burgerwacht de overijlde gebeurtenissen van vanochtend betreur. Jeugdig onverstand en een spontane behoefte zich te wreken hebben even de overhand gehad. U heeft volkomen gelijk een dergelijk optreden te veroordelen. Het doet me genoegen u te kunnen meedelen dat het gehele uitvoerende comité het op dit punt met mij eens is.'

Daarna sneed hij het vraagstuk van de watervoorziening aan.

'We hebben momenteel twintig grote tankauto's in bedrijf. Ik heb zo'n idee dat dat voldoende zal zijn. Ik heb mijn eigen personeel aan het werk gezet om uit te rekenen hoeveel water er per gezin en gezinslid toegewezen kan worden. U kunt deze details rustig aan ons overlaten. Daarentegen zou ik u willen verzoeken een oogje te houden op het werk aan de reservoirs. Anders zou het wel eens kunnen gebeuren dat de auto's niet gelost kunnen worden bij gebrek aan opslagruimten.'

Onmiddellijk daarna belde een onbekende burger op en zei: 'Ik hoop van harte dat u rekening houdt met de situatie waarin wij villa-eigenaars verkeren. We hebben zeer grote bedragen geïnvesteerd in de aanleg van onze tuinen en in dit klimaat zal alles met een paar dagen verschroeid zijn als we niet sproeien. Een deel van de watertransporten moet voor dit doel gereserveerd worden.'

'U begrijpt toch wel dat we er in de eerste plaats voor moeten zorgen dat de mensen drinkwater krijgen en daarnaast dat er water komt voor hygiënische doeleinden.'

'Ja, ja, ik zal Dalgren zelf wel bellen. U schijnt niet te begrijpen waar ik het over heb.'

Even later was kolonel Ruiz weer aan de lijn.

'Ik heb het eerste rapport binnen gekregen van de commandant van de genietroepen. Hij is van mening dat het waterleidingbedrijf over twee of drie dagen in beperkte mate weer kan gaan leveren.'

'Kunt u niet meer auto's ter beschikking stellen?'

'Op het ogenblik niet.'

'Het aanleggen van de reservoirs gaat te langzaam, vooral die bij de zuidelijke toegangsweg.'

'Ik zal proberen er nog wat mensen heen te sturen.'

Later op de middag liet ook Behounek van zich horen: 'Met Behounek. Ik wou alleen even zeggen dat het overal in de stad rustig is.'

'Hoe is de stemming? Opgewonden?'

'Nee, helemaal niet.'

'Ook niet in de arbeiderswijken?'

'Nee, uw oproep heeft een kalmerende uitwerking gehad. We hebben hem via de luidsprekerinstallatie uitgezonden.'

'En hij werd gunstig ontvangen?'

'Ja, speciaal door de inheemsen. De meesten zijn welwillende, vreedzame wezens. Net kinderen. Ze geloven alles wat je zegt.'

'Hebt u de verliezen opgemaakt?'

'Ja. Bij het waterleidingbedrijf werd één gendarme gedood en twee licht gewond. De Burgerwacht heeft één dode, een jonge jongen trouwens, en zeven gewonden, waarvan één ernstig.'

Na een korte stilte vroeg Manuel: 'En de verliezen onder de inheemsen?'

'Dat aantal staat niet vast. Volgens schattingen zijn er een dertigtal gedood, meer zullen het er waarschijnlijk niet zijn.'

'Gedood door de politie?'

'Mijn mensen hebben zes gevallen gerapporteerd.'

'En het aantal gewonden?'

'Er zijn er een stuk of tien naar het ziekenhuis gebracht. Maar dat cijfer is natuurlijk onbetrouwbaar en komt niet overeen met het juiste aantal gewonden.'

'Hoeveel arrestaties zijn er verricht?'

'Tot nu toe niet één. Maar ik kan u tot mijn genoegen zeggen dat de saboteurs vermoedelijk vannacht al gevonden zullen worden. Ze hadden de beschikking over een kleine vrachtwagen. Die hebben we kapot aangetroffen in een sector die al sinds lang bij ons als verdacht bekend is. Ik geloof zelfs dat ik weet waar ze zitten.'

De stem van Behounek klonk hard en koud.

Gedurende de volgende tien minuten belde er niemand op en Manuel Ortega was in de gelegenheid zijn gedachten over een aantal details te laten gaan. In de arbeiderswijk waren minstens dertig mensen gedood en daarvan volgens Behounek slechts zes door politiekogels. De overigen waren om het leven gebracht door een organisatie die in elk opzicht onwettig was. Met andere woorden er waren vijfentwintig moorden gepleegd en niet één moordenaar was gearresteerd of zelfs maar verhoord. Niemand scheen trouwens te verwachten dat de politie zou ingrijpen zelfs niet de familie van de vermoorden. Deze ongehoorde onrechtvaardigheid vervulde hem met een ijskoude woede en zonder er verder bij na te denken nam hij de hoorn op en belde Behounek.

Het gesprek dat volgde was zeer heftig.

'Ik weiger er genoegen mee te nemen dat u nalaat mensen te arresteren die onder de dekmantel van een onwettige semi-militaire organisatie moorden begaan!'

'U hebt het toch verdomme zelf gezien! Het was één grote bende. Wilt *u* soms zeggen wie wie doodschoot? Denkt u dat we, als er oorlog en revolutie is, tijd hebben naar afzonderlijke gevallen een onderzoek in te stellen?'

'In dat geval hoort u Dalgren te arresteren als verantwoordelijk voor de Burgerwacht en haar leden!'

'U bent niet goed wijs. Wie moet ik dan arresteren voor het feit dat één van mijn gendarmes doodgeschoten werd?'

'Degene die hem doodde of degene die daar het bevel toe gaf.'

'Hoort u dan niet wat ik zeg? Ik *weet* niet wie wie doodde! Ik weet niet wie schuldig is! Daarom arresteer ik ook niemand.'

'In dat geval is het uw plicht te proberen erachter te komen. Als u in een dergelijk conflict niet onpartijdig optreedt hebt u een verkeerde opvatting van uw taak. Het is mogelijk dat u een goed officier bent, kapitein Behounek, maar u bent een slecht politieman.'

'Ik heb meer dan genoeg van uw beledigingen. Wat hebt u zelf gedaan tijdens de relletjes? Wel, wat deed u? U stond op een halve kilometer afstand met grote ogen toe te kijken. Bovendien was u al die tijd in de gelegenheid mijn wijze van optreden op de voet te volgen.'

'Ik blijf er bij dat u dertig mensen hebt zien vermoorden zonder een vinger uit te steken om de schuldigen te grijpen. U vindt het niet eens nodig het aantal slachtoffers te tellen.'

'U kunt naar de hel lopen met uw zedepreken,'

'Zo iets noemt u een zedepreek, dertig lijken? Hebt u dan totaal geen respect voor een mensenleven? U bent gewoon een monster.'

'En wat bent u dan? Wat doet u hier eigenlijk? U bent een volkomen onbeduidende figuur, een nul die hierheen gestuurd werd om... nou ja, ik ken tenminste mijn vak.'

'Nee, ik zeg u nogmaals: U kent uw vak niet. En mocht dat wel het geval zijn, dan weet u dat verdomd goed te verbergen. U bent óf een bedrieger, óf een sukkel, kapitein Behounek. U hoort uw ontslag in te dienen of u hoort gevangen gezet te worden!'

Het bleef vijf seconden lang stil, toen zei Behounek, snijdend en zeer bedachtzaam: 'U bent uit uw evenwicht omdat u vandaag iets nieuws en schokkends hebt meegemaakt. Ik ben moe omdat ik achtenveertig uur achtereen in touw ben geweest. Ik weiger daarom in ons beider belang dit gesprek voort te zetten.'

Midden in het laatste woord gooide Manuel Ortega de hoorn op de haak.

Hij stond op en liep als een dolle door de kamer heen en weer. Zijn hart bonsde en het schemerde hem voor de ogen. Hij ademde zwaar en onregelmatig en het zweet stroomde over zijn gezicht.

Nooit eerder in zijn leven had hij iets dergelijks beleefd. Het was trouwens jaren geleden dat hij uit zijn evenwicht was geraakt. Hij was gewend zowel zijn werk als zijn persoonlijke aangelegenheden op basis van gezond verstand en op strikt zakelijke wijze te regelen. Momenteel was hij zich niet eens bewust van de mensen om hem heen. Niet van de onbewogen Lopez en ook niet van Danića Rodriguez, die de kamer binnen was gekomen op het moment dat hij de hoorn neergegooid had. Hij was somber gestemd en zag wel in dat van hen beiden Behounek degene was die aan het langste eind had getrokken, die het gelukt was het hoofd koel te houden en die voldoende tegenwoordigheid van geest had gehad om de laatste slag te winnen. Maar toch was hij ervan overtuigd dat het gelijk aan zijn kant stond en dat hij een duidelijke gedragslijn gevolgd had. Met andere woorden dat hij juist gehandeld had.

Manuel Ortega beende nog een paar keer de kamer rond. Plotseling bleef hij met gebogen hoofd bij de deur staan, misschien wel een halve minuut lang. Daarna sloeg hij met gebalde vuisten op de deurpost, draaide zich om en keek de anderen aan. Lopez zat op zijn stoel met zijn handen op zijn knieën. Met zijn korte benen en dikke armen deed hij denken aan een oosters afgodsbeeld.

Danića Rodriguez stond bij het bureau; ze rookte een sigaret en had een blad papier in haar hand. Ze stond hem doodstil op te nemen en haar grijze ogen leken te fonkelen. Ze legde het vel papier op de tafel, nam de sigaret uit haar mond en glimlachte zwoel. Daarna draaide ze zich om en ging terug naar haar kamer.

Manuel Ortega keek haar na, terwijl een heftige aandrang in hem opsteeg haar over zijn schouders te slingeren, naar zijn slaapkamer te dragen en op zijn bed te gooien en haar de kleren van het lijf te rukken. Hij onderdrukte de impuls en liep terug naar zijn stoel achter zijn schrijftafel.

'Hoogst merkwaardig,' zei hij hardop tegen zichzelf en schudde zijn hoofd.

Toen de schemer viel was het werk nog lang niet klaar. De telefoon rinkelde onophoudelijk en de rapporten stroomden binnen. Door het raam zag men mensen op het plein bezig bij het licht van autokoplampen een waterreservoir te bouwen uit zeildoek en planken. Het werk vlotte snel en het reservoir was nu reeds voor de helft gevuld met water. De toestand was rustig.

Om halfnegen werd er misschien wel voor de vijftigste keer gebeld. Het was Behounek. Zijn stem klonk kalm en formeel.

'Ik wil nogmaals beklemtonen,' zei hij, 'dat ik het nog steeds belangrijker vind een meedogenloze groep terroristen op te sporen en onschadelijk te maken, die vannacht al weer kan opduiken om het ziekenhuis of het elektriciteitsbedrijf in de lucht te laten springen, dan van deur tot deur te gaan en welwillende burgers te ondervragen over wat ze vanochtend om zes uur uitvoerden.'

'Ik ben het met u eens, maar ik zie nog steeds niet in waarom de ene plicht de andere uitsluit. Hoe dan ook, ik bied mijn verontschuldigingen aan voor de toon die ik bij ons vorige gesprek heb gebezigd.'

'Ik zou hetzelfde willen doen. Wij zijn beiden oververmoeid en wat mij betreft zal ook vannacht nauwelijks iets van slapen komen.'

'Ik wens u succes bij uw nasporingen.'

Even later ging Manuel Ortega eindelijk naar de vrouw in het andere vertrek.

'Zullen we vanavond samen gaan eten?'

'Nee, ik kan niet. Het spijt me, maar ik ben bezet. Het gaat echt niet.'

'Het is wel niet de moeite waard om daar spijt over te hebben.' zei hij.

Om een uur of tien liet hij zich door Lopez door de stad rond rijden. De reservoirs waren overal gereed en goed gevuld; de straten lagen grotendeels verlaten en slechts op enkele plaatsen zagen ze patrouilles van de Burgerwacht met gele banden om de arm.

Toen ze weer voor het gouvernementspaleis stonden ging plotseling overal het licht uit.

De hele wereld werd volslagen stil. Het enige geluid dat Manuel meende te horen was het zwakke gesijpel in het provisorische waterreservoir. De duisternis had niet de minste afkoeling gebracht. De hitte was hevig en drukkend en de nacht zwart als asfalt.

Tien seconden later stak Lopez een zaklantaren aan en ging hem voor het gebouw binnen. Manuel liep naar zijn kantoor en belde het hoofdbureau van politie.

'Het is maar een storing,' zei de dienstdoende gendarme. 'Dat gebeurt wel vaker.'

Manuel Ortega lag op zijn bed, overgeleverd aan de totale duisternis van zijn slaapkamer. Hij was zowel geestelijk als lichamelijk vermoeid, maar voor het eerst sinds lange tijd was hij niet ontevreden over zichzelf. Hij was er zich eveneens van bewust dat hij iets verwachtte van de dag van morgen, iets positiefs en zinvols, dat voor hem aanleiding zou worden al zijn krachten in te spannen en zich volledig voor iets in te zetten.

Onmiddellijk daarop sliep hij zonder angst in.

Tegen tweeën werd hij wakker. Het licht brandde en hij hoorde Fernandez zich bewegen in de andere kamer. Hij stond op, kleedde zich uit, keek onder het bed en stopte de Astra onder zijn hoofdkussen. Daarna ging hij weer liggen, maar het duurde even voor hij insliep.

Manuel Ortega lag op zijn rug, met gesloten ogen en liet de verrekijker over het zinderende grijsgele plaveisel glijden, terwijl hij de lichamen telde die op de grond lagen. Eén-twee-drie-vier-vijf-zes-zeven-acht. En al die tijd hoorde hij weer de metaalachtige stem die het bevel gaf: 'Veeg het plein schoon!'

11

Het was halfacht. Manuel Ortega deed de deur open en zag Fernandez op zijn draaistoel zitten. Hij nam de gang in twee passen, legde zijn linkerhand op de deurknop en stak zijn rechterhand in zijn jasje. Het veilige gevoel van de revolver.

Nog altijd was Fernandez niet opgestaan. Manuel duwde de deur open en liep de kamer in. Deze was leeg en de kramp in zijn middenrif verdween onmiddellijk. Hij liep naar het raam en keek uit over de stad: het grote, verblindend witte plein, de witte kubusvormige huizen aan de overzijde, de hoge, stoffige palmen, het waterreservoir van hout en zeildoek waar een rijtje mensen voor stond met aarden kruiken en waar ook twee leden van de Burgerwacht aanwezig waren.

Deze laatsten waren vrouwen. Ze droegen gele banden schuin over de borst en hadden van zeildoek een afdak tegen de zon opgetrokken. Onder dit zonnescherm stond een tafeltje dat alle waterhalers moesten passeren; de vrouwen oefenden een soort controle uit en ondanks de afstand zag Manuel dat een van hen de papieren van de passanten afstempelde.

'Ga eens kijken of mijn secretaresse er al is,' zei Manuel Ortega.

Om de een of andere reden was Fernandez de enige van de lijfwachten aan wie hij orders of opdrachten kon geven. Het kwam hem ongerijmd voor bevelen te geven aan Lopez of de stoere Gomez, laat staan aan Frankenheimer.

Manuel sloeg Fernandez gade, terwijl deze de deur opende. Eerst nam de man een grote stap met zijn linkervoet, boog zich dan lichtelijk voorover en trok zijn hoofd tussen zijn schouders, terwijl hij zijn gewicht op zijn rechtervoet liet rusten. Zijn hele lichaam wekte de indruk van gespannenheid en waakzaamheid. Hij deed denken aan een kat die op het punt staat een vreemd huis binnen te sluipen. Er kwam een gevoel van onbehagen op in Manuel Ortega, maar toen stootte Fernandez de deur open, ontspande zich en zei onverschillig: 'Ja, daar zit ze.'

'Señora Rodriguez!'

Ze droeg een dunne, witte jurk en vast geen b.h., want de lijnen van haar lichaam deden zacht en natuurlijk aan en hij meende onder de stof van haar jurk haar tepels te kunnen onderscheiden. Ze zag er anders uit dan anders; nog nooit eerder was ze hem zo open en hoopvol voorgekomen.

'Het antwoord op uw telegram is binnengekomen,' zei ze. 'Een politieagent heeft het een minuut of twee, drie geleden gebracht.'

Voordat hij het open maakte hield hij het samengevouwen, grijsbruine papiertje even in zijn handen. Het maakte een betrouwbare indruk door alle mogelijke stempels zoals EXPRESO, PRIORIAD en SERVICIO OFFICIAL en hij dacht berustend dat hij er wel erg lang op had moeten wachten.

wees zo goed u te onthouden van inmenging in regeringsaangelegenheden stop belangrijkste taak zo spoedig mogelijk verzoeningsbijeenkomst te organiseren tussen gevolmachtigde vertegenwoordigers van de burgerwacht en leiders van het communistische bevrijdingsfront stop vrijgeleide voor allen gewaarborgd stop politie en leger separaat geïnformeerd stop samenwerking aanbevolen met behounek die voorlopig aan u ondergeschikt is zaforteza

Manuel Ortega was er zich van bewust dat de vrouw hem nauwlettend gadesloeg en hij deed moeite tijdens het lezen geen spier te vertrekken.

'Dank u,' zei hij.

Daniča Rodriguez kon evenmin een zekere teleurstelling verbergen en om de een of andere reden was hij daar blij om. Ze ging de kamer uit, maar draaide zich op de drempel om en zei: 'Als u uw vriend kapitein Behounek weer eens spreekt, zou het nuttig kunnen zijn hem te vragen wat het Vredeskorps gisteravond in het dorpje Santa Rosa heeft uitgevoerd.'

'Kunt u niet wat duidelijker zijn?'

'Helaas niet.'

Het telegram lag voor hem op zijn schrijftafel. Zijn eerste reactie toen hij de inleidende terechtwijzing las, was er een geweest van machteloosheid en razernij, maar al bij het overlezen zag hij in dat het belangrijkste element in Zaforteza's mededeling was, dat de regering hem een constructieve en positieve taak had gegeven. De instructie die hij had ontvangen, was duidelijk en bondig, meer een order, en hij kon zich nauwelijks een bevel indenken dat hij met meer genoegen ten uitvoer zou willen brengen. Het zou waarschijnlijk alles behalve makkelijk zijn een conferentie te beleggen tussen de strijdende partijen, maar aan de andere kant was dit een taak die werkelijk de moeite waard was. Hij dacht eraan, dat hij in een veel vroeger stadium, misschien al in Stockholm, had ingezien dat overleg op het hoogste niveau tussen beide partijen de enige mogelijkheid zou zijn om tot een vreedzame oplossing te komen.

Ook de slotzin in het telegram van de minister scheen welovervwogen. Om met de juiste personen in contact te komen zou hij in hoge mate afhankelijk zijn van politiebronnen en de persoonlijke ervaring en het inzicht van Behounek.

Op hetzelfde moment dat hij zijn hand uitstrekte om het hoofdbureau van politie te bellen, rinkelde de telefoon.

'Met Ortega.'

'Goedemorgen, met Behounek.'

'Ik was net van plan u te bellen over een uiterst belangrijke en spoedeisende aangelegenheid.'

'Ik vermoed dat ik weet waar het over gaat. Tien minuten geleden heb ik van het ministerie bepaalde telegrafische instructies ontvangen. En tevens een vriendelijk gestelde aansporing tot samenwerking met u.'

'Denkt u dat de plannen van de regering in een betrekkelijk nabije toekomst te verwezenlijken zijn?'

'Ja, waarom niet? De moeilijkheid is alleen zekere heren uit hun holen in de bergen te lokken.'

'Ik zou u voor willen stellen om elkaar later op de dag te treffen voor een persoonlijk overleg. Hoe is het vannacht overigens gegaan?'

'Volgens plan.'

'Wilt u daarmee zeggen dat...'

'Ja, we hebben de saboteurs, zes man in totaal kunnen omsingelen in de sector die ik u eerder noemde. Helaas hebben we ze niet levend te pakken gekregen.'

'Niet één?'

'Nee, niet één. Eén van hen was nog wel in leven, maar hij stierf tijdens het vervoer hierheen. Er heeft daar een wilde schietpartij plaatsgevonden. Eén van mijn mensen is gesneuveld, een ander werd in zijn been gewond. Het aantal dodelijke slachtoffers is binnen de vierentwintig uur op die manier gestegen tot drie. Het ergste dat me kan gebeuren is dat mijn mannen hun leven moeten geven tijdens het uitoefenen van hun plicht.'

'Dat kan ik me voorstellen.'

'Dat waag ik te betwijfelen. De meesten van deze mannen heb ik uit andere delen van het land mee hierheen genomen. Daar hebben ze hun huizen en gezinnen waarheen ze horen terug te keren. Het zijn geen soldaten en ze zijn hier niet gekomen om te sterven, maar om veiligheid en orde te scheppen. Wel, hoe dan ook, deze saboteurs geven zich zelden over. Ze zijn goed gewapend en bieden tot het laatste toe weerstand. Ook deze keer. Het is maar goed dat we ze in open terrein hebben kunnen verrassen, anders waren onze verliezen niet tot één man beperkt gebleven.'

'Ze zijn dus allemaal gedood?'

'Ja.'

Manuel Ortega moest opnieuw aan de kernachtige uitdrukking denken: 'Veeg het plein schoon.'

Hardop zei hij: 'Ik feliciteer u met dit snelle succes.'

'Dank u. En daar komt bij dat zij ons ook in de toekomst geen last meer kunnen bezorgen.'

'Hoe is de toestand in de stad?'

'Rustig, op een kleinigheid na. Dat was eigenlijk de reden waarom ik u belde. Ik heb bericht ontvangen dat in de inheemse wijk in het noorden van de stad een zeer opgewonden stemming heerst. Het schijnt dat een soort delegatie toestemming probeert te krijgen u te bezoeken. Op het ogenblik schijnt er een sit-down te zijn bij de politieversperringen. Zelf ben ik er niet geweest.'

'Weet u wat ze willen?'

'Ze beweren dat het water in hun putten is vergiftigd.'

'Zouden ze gelijk kunnen hebben?'

'Ik weet het niet. Het komt me onwaarschijnlijk voor. Het vergiftigen van waterputten is een legendarische methode, waarvan ik me nauwelijks kan indenken dat een organisatie als de Burgerwacht er zijn toevlucht toe zou nemen. Maar een van mijn luitenants die in de noordelijke sector het bevel voert, beweert dat het water een mysterieuze kleur heeft. Ja, dat zei hij – mysterieus.'

'Laat een monster naar het ziekenhuis brengen voor analyse. Dokter Alvarado heeft ongetwijfeld de beschikking over laboranten die op korte termijn uitsluitsel kunnen geven, zowel medisch als chemisch.'

'Ja, dat is een goed idee. Ik zal het onmiddellijk doorgeven.'

'En die delegatie zal ik natuurlijk ontvangen.'

'Wel, hoeveel mensen zullen we doorlaten?'

'Kunnen ze dat zelf niet uitmaken?'

'Als het hun niet precies gezegd wordt, staan er over een half uur ongeveer tweeduizend in uw kamer.'

'Oh. Nou, drie man lijkt me wel voldoende.'

'Drie man dus. Om hoe laat?'

'Laten we zeggen om elf uur. Misschien zijn ze tegen die tijd gereed met de analyse van het water.'

Het bleef even stil; waarschijnlijk maakte Behounek aantekeningen. Toen zei Manuel: 'Nog één ding. Iemand heeft mij verzocht u de volgende vraag te stellen.'

'Wel?'

'De vraag luidt aldus: Wat heeft het Vredeskorps gisteravond in het dorpje Santa Rosa uitgevoerd?'

Het bleef stil aan de andere kant van de lijn. Toen zei Behounek: 'Wie heeft die hoogst merkwaardige vraag gesteld?'

Manuel stond op het punt een eerlijk antwoord te geven toen hij zich op het laatste moment bedacht.

'Dat weet ik niet. Het was een anonieme stem over de telefoon. Voor zover ik kon horen een man.'

'Mm, over de telefoon, zegt u...'

'Ja.'

'Wel, degene die de vraag stelde is verdacht goed geïnformeerd. Het is namelijk in de buurt van Santa Rosa dat onze patrouilles gisteravond de communistische saboteurs verrast hebben.'

'En het dorp zelf?'

'Dat is verlaten. Daar woont geen mens meer.'

Manuel Ortega liep naar de vrouw in de andere kamer, ging naast haar bureau staan en zei: 'De communistische terreurbende die het waterleidingbedrijf in de lucht heeft laten vliegen werd gisteravond in de buurt van Santa Rosa onschadelijk gemaakt. Het dorp zelf is verlaten. Daar woont geen mens meer.'

'Nee,' zei ze zonder op te kijken, 'dat klopt, er woont geen mens meer.'

Hij bleef nog even staan en keek neer op haar korte, zwarte verwarde haren. Ze beet nerveus op haar nagelriemen en bleef met gebogen hoofd zitten. Ineens zei ze: 'U hebt een fout begaan door dat anonieme telefoongesprek te vermelden. Zo iets kan hij direct bij de afluisterpost laten controleren.'

Er voer een schok door Manuel Ortega.

'De afluisterpost,' zei hij op scherpe toon. 'Dat moet ú zeggen.'

Ze sloeg haar ogen op en keek hem kalm en ernstig aan.

'Ja, ik heb u immers gezegd dat ik meeluister.'

Manuel Ortega reageerde volkomen impulsief. Hij stak zijn rechterhand uit en gaf haar een oorvijg. Haar hoofd viel opzij, maar ze reageerde verder niet. Toen keek ze hem weer met dezelfde blik aan en zei: 'U moet één ding goed begrijpen – ik sta momenteel aan uw kant, tot op zekere hoogte tenminste.'

'Neemt u mij niet kwalijk...' zei hij in de war gebracht en maakte opnieuw een gebaar dat voor zover hij na kon gaan niet bewust en in geen geval weldoordacht geschiedde. Weer stak hij zijn hand uit en nu streelde hij zacht over haar wang. Ze bewoog zich niet en haar oogopslag was rustig en zakelijk.

Hij ging de kamer uit, pakte het telegram van zijn schrijftafel, liep terug en legde het voor haar neer.

Ze las het langzaam door. Toen zei ze op zachte toon: 'Dit opent grote perspectieven.'

Ze streek licht en luchtig met de achterkant van haar vingers over zijn hand. Er werd niet meer gesproken en onmiddellijk daarop ging hij terug naar zijn eigen kamer.

Gedurende de volgende twee uur sprak hij herhaalde malen met mannen als Ruiz, Dalgren en de chef van het waterleidingbedrijf, meestentijds over het transport en de rantsoenering. Hij kwam eveneens op het idee de twintig werkloze landmeters naar het pompstation te sturen en voerde dit plan meteen uit.

Om klokslag elf arriveerde de drie man sterke arbeidersdelegatie. Ze werden begeleid door een gendarme in een wit uniform, die demonstratief postvatte bij de deur. Manuels eerste gedachte was de politieman te verzoeken om te verdwijnen, maar hij bedacht zich bij het zien van de scherpgesneden, berustend vijandige gezichten van de drie mannen. De delegatie keek met duistere blikken van de politieagent bij de deur naar Fernandez, die zijn jasje dichtgeknoopt had en snel naar een vrij plekje bij de muur geschuifeld was. In zijn manier van lopen deed Fernandez aan Danica Rodriguez denken, soms tenminste. Zoals nu.

De drie mannen stonden op een rijtje midden in de kamer. Ze hadden alle drie hun hoed in hun hand en droegen de gebruikelijke, slordige witte kleren; twee van hen waren ouder dan hun metgezel en zonder twijfel van Indiaanse afkomst. Deze twee maakten een diepe, onderdanige buiging. Nummer drie groette helemaal niet. Hij leek nog erg jong, zo tussen de vijfentwintig en de dertig, een halfbloed van onduidelijke afkomst. Hij was het die het woord voerde.

'We zijn hier gekomen omdat onze waterputten vergiftigd zijn,' zei hij. 'De mensen hebben mij gevraagd u dit te vertellen.'

Zijn stem klonk schel en weerbarstig.

'En wanneer zou dat gebeurd zijn?'

'Gisteravond waren alle lichten meer dan een half uur uit. In het donker zijn mannen onze wijk binnen gekomen om de putten te vergiftigen.'

'Weten jullie zeker dat het water vergiftigd is?'

'Het ruikt vies en in drie putten heeft het een rode kleur. In de vierde put heeft het een blauwe kleur. Niemand durft ervan te drinken. Misschien kun je er niet eens mee wassen. Ze zeggen dat een hond die ervan gedronken heeft gestorven is onder verschrikkelijke pijnen.'

'En wie zou dit gedaan hebben, dacht u?'

'De zogenaamde burgers. Die op de heuvel wonen in de grote huizen.'

'De mannen met de gele banden,' verduidelijkte één van de anderen.

'Als het water werkelijk vergiftigd is zullen wij u natuurlijk op alle mogelijke manieren helpen. Zoals u weet zitten ook wij in de binnenstad zonder water na de communistische sabotage van gisteren.'

'De mensen hebben mij ook gevraagd u te zeggen dat het onrechtvaardig is dat de bevolking van onze stadswijken wordt gestraft. De meesten zijn geen communisten. Toch werden ze gisteren gestraft voor iets dat niet zij, maar de blanke mannen gedaan hebben. De Burgerwacht en de witte politie hebben tweeënveertig mensen gedood. Ze zijn vanochtend vroeg begraven. Intussen willen we water hebben.'

'We zullen nu eerst eens nagaan wat er fout is aan de putten. We hebben het water laten analyseren... onderzoeken. Wacht u even.'

Daniča Rodriguez die, tegen de deurpost geleund, een sigaret stond te roken ging uit eigen beweging naar haar kamer om dokter Alvarado te bellen en zette de lijn op Manuels toestel over.

'Ja, goedemorgen, wij hebben elkaar bij Dalgren ontmoet, nietwaar?'

'Inderdaad en ik heb vandaag enkele watermonsters laten sturen naar uw...'

'Ja, we hebben ze onderzocht. Het water is verontreinigd door één of meer chemische preparaten, god mag weten welke, maar het is niet direct vergiftigd. In het ene geval is er alleen maar sprake van zo iets eenvoudigs als methyleenblauw, het heeft veel weg van een kwajongensstreek. Ik herinner me van mijn eigen schooltijd dat we methyleenblauw in stukken chocolade stopten, die we dan de een of andere stakker in de maag splitsten, die doodsbang werd als hij daarna een paar dagen lang blauw speeksel en blauwe urine had.'

'Het water is dus te drinken?'

'Goede vriend, dat water is nog nooit te drinken geweest. Voordat deze rommel er in gegooid werd was het sterk ijzerhoudend en bevatte het alle... mogelijke verontreinigingen. Ik wou eigenlijk zeggen alle denkbare, maar dat zou natuurlijk te ver gaan.'

'Maar toch schijnt iedereen ervan te drinken.'

'Ja, en de kindersterfte ligt rond de zestig procent. Nou ja, dat ligt niet alleen aan het water natuurlijk – maar het houdt wel in dat wie de eerste vijf levensjaren doorkomen inderdaad een grote weerstand hebben. Ze zijn praktisch overal immuun voor. Behalve voor bepaalde cilindervormige loodlegeringen met een nikkelen mantel eromheen.'

'Ik heb op het ogenblik een mijnwerkersdelegatie bij me. De klacht is dat niemand van het water durft te drinken. Wat vindt u dat ik tegen hen moet zeggen?'

'Naar mijn mening zou u het zo moeten formuleren: Het water is niet giftiger dan het geweest is. Ze kunnen het gebruiken om te bakken en te wassen en ze kunnen er ook in koken. Het is zelfs te drinken, hoewel mijn eigen maag zich zou omkeren als ik het deed. Maar het zou natuurlijk nog beter zijn als u ervoor zorgde dat ze water uit de stadsreservoirs krijgen. Dat zou een goede indruk maken, vermoed ik, en het kan niet om zulke erg grote hoeveelheden gaan.'

Hij herhaalde woord voor woord wat de dokter gezegd had, maar liet diens persoonlijke commentaar achterwege. De drie mannen keken hem achterdochtig aan.

'Krijgen we dus goed water om te drinken?' vroeg één van de oudere mannen, alsof hij weigerde te geloven wat hij gehoord had.

'Ja, uit de tankauto's.'

'Wanneer?'

'Vandaag al.'

'De burgers besproeien hun bomen en bloemen met goed water,' zei de derde van het trio die tot nu toe zijn mond niet had open gedaan.

'Dat heeft hier niets mee te maken,' zei de jonge woordvoerder uit de hoogte.

De ander hield zich verder koest.

Manuel Ortega stelde zijn laatste vraag aan de woordvoerder van het groepje.

'Hoe heet u?'

'Crox.'

De delegatie droop af.

Twee minuten later belde Behounek. Zijn stem klonk hard en schor.

'Hebt u tijd om even met mij mee te gaan?'

'Waar naar toe?'

'Ik wou u iets laten zien en een paar mensen laten ontmoeten.'

'Ja, natuurlijk, als het belangrijk is.'

'Ik meen van wel. Ik kom u om twaalf uur halen.'

Het hoofd van politie was ongetwijfeld zeer vermoeid. Zijn ogen waren ontstoken en rood doorlopen en zijn witte uniform was gekreukeld en haveloos. Op zijn rechterhand die er opgezwollen en gekneusd uitzag, zaten verscheidene pleisters. Maar zijn stem was koel en bedaard en zijn bewegingen precies en resoluut. Hij deed denken aan een dodelijk vermoeide bokser die aan zijn laatste ronde begint en vastbesloten is zijn tegenstander knock-out te slaan.

'Dit is het huis van een jonge makelaar hier uit de stad, Alfonso Perez,' zei hij.

Ze stonden voor het huis dat eenzaam beneden aan de voet van de kunstmatig geïrrigeerde heuvel lag, een eindweegs buiten de stad op het land en bijna net zover van de arbeiderswijk als van de villa's van de rijken verwijderd. Het was een laag, witgepleisterd huis met blauwe luiken dat omringd was door lage, grijsgele muurtjes. Eén van de witte jeeps van de federale politie stond al voor de ingang.

'Ik zou graag willen dat u Perez en zijn gezin leert kennen,' zei Behounek. 'Ze hebben u iets zeer belangrijks te zeggen.'

Ze deden het hekje open en liepen over het met stenen geplaveide pad de tuin door. Enkele meters achter hen liep Lopez die een minuut of twintig geleden Fernandez had afgelost. Het was een netjes en goed onderhouden huis. Er stond een schommel in de tuin en een eindje verderop zagen ze een op de grond gegooid kinderfietsje liggen.

'Het weer is heel drukkend vandaag,' zei Behounek en keek naar de lucht waar een donzen witachtige nevel hing.

Manuel deed een stap in de richting van de deur.

'Nee! Wacht even! Ga nog niet naar binnen. Aangezien u kennelijk de situatie niet door hebt, moet ik u eerst zeggen dat u iets zeer onaangenaams te zien zult krijgen. Laat mij voorgaan.'

Desondanks was Manuel Ortega zo goed als geheel onvoorbereid toen hij op een pas afstand achter de politiechef het huis betrad.

Achter zijn rug hoorde hij iemand heftig naar adem snakken en hij begreep dat het Lopez moest zijn.

Ze stonden in een grote kamer met rieten meubelen en wit gepleisterde muren.

Midden op de stenen vloer lag een dode man in een gestreepte pyjama. Hij lag op zijn zij en zijn keel was met zo'n kracht doorgesneden dat zijn hoofd in een hoek van bijna negentig graden naar achteren was gevallen. Zijn tong was door de gapende wond naar buiten gedrongen. Zijn pyjamajasje en de vloer om hem heen waren bedekt met geronnen bloed.

'Dat is nog maar het begin,' zei Behounek en pakte de ander bij zijn arm.

Op een divan in de kamer ernaast lag het lijk van een vrouw. Ze was naakt en over het onderste deel van haar gezicht was een handdoek gebonden. Die was stevig aangetrokken en in de nek vastgeknoopt. Haar buik en dijbenen waren bebloed en haar benen lagen in een houding alsof ze gebroken waren.

Men kon er zich geen voorstelling van maken hoe ze er eens had uitgezien, maar voor zover na te gaan was, moest ze nog heel jong geweest zijn.

'Ze was drieëntwintig,' zei Behounek. 'De man zesentwintig.'

Hij hield Manuel nog steeds bij de arm om hem overeind te houden.

'We zijn er nog niet, ze hadden ook een kind.'

'Ik kan niet meer verdragen.'

'Nee, dat kan ik me voorstellen. Ik ook niet.'

Ze bleven buiten op de stoep staan. Behounek liet zijn blik dalen en keek zijwaarts over de stenen muurtjes heen.

'Soms,' zei hij, 'heb ook ik behoefte om uiting te geven aan wat er in me omgaat.'

Lopez stond roerloos naast de stoep. Hij was voor de anderen naar buiten gegaan.

'Wel, meneer de bodyguard,' zei Behounek en sloeg hem op de rug, 'wat zegt u er van? Niet gek, he? Of gaat uw voorkeur uit naar nette lijken in colbertkostuums en drie kogels in hun lichaam?'

Even later voegde hij eraan toe: 'Neem me niet kwalijk, ik ben erg moe. Laten we gaan.'

Veel later zei hij: 'En wat vindt u van Crox? Een charmante jongeman, is het niet... en als het niet zo moeilijk was een juiste graadmeter aan te leggen, zou ik zeggen dat hij één van de ergste bedriegers is die ik ooit ben tegengekomen. Hij kan lezen en schrijven en zit niet slecht in het geld. Voor alles wat hij doet moet hij geld hebben. Zijn rol van advocaat vandaag zal ze aardig wat gekost hebben... bovendien is hij één van mijn betrouwbaarste verklikkers in dat deel van de stad. Maar de mensen van het Bevrijdingsfront hadden hem helaas op een vroeg tijdstip al door. Vreemd eigenlijk dat hij nog in leven is.'

Manuel Ortega zat op de achterbank. Hij zei geen woord.

Toen ze afscheid genomen hadden van de politiechef en de witte marmeren stoep op liepen, zei Lopez: 'Vreemd eigenlijk; mijn hele leven ben ik bij de politie geweest, en toch zijn er dingen waar ik nooit aan zal wennen.'

12

'Ja,' zei Danička Rodriguez, 'dat begrijp ik. Het is heel erg. Haast alles wat hier gebeurt is even ontstellend. Op vele andere plaatsen is het al net zo.'

'En het was zo bruut... zo beestachtig... en zo zinloos.'

'Ja, het was volmaakt zinloos.'

'En het was ook zinloos gisterochtend de waterleiding te vernielen. En nog erger was het natuurlijk om daarna tweeënveertig onschuldigen neer te schieten.'

'Nee, hier maakt u een fout. Die beide laatste gebeurtenissen waren inderdaad heel erg, maar niet zo zinloos als de moord op de familie Perez. De ene partij heeft laten zien dat ze nog steeds in staat en bereid is toe te slaan en de andere kant dat ze zich kan wreken. Die dingen moet je tegen elkaar afwegen. Door het opblazen van het pompstation wilde het Bevrijdingsfront zijn kracht laten zien en de Burgerwacht antwoordde hierop met de enige vorm van machtsdemonstratie waartoe ze in staat is.'

'Maar onschuldigen zijn er de dupe van geworden.'

'Zeker. Maar toen het Bevrijdingsfront de waterleiding opblies was dat tevens als dreigement bedoeld: als jullie doorgaan met onze mensen te vermoorden, dan zullen wij jullie elektriciteitsbedrijf, jullie ziekenhuis, jullie kazernes en jullie wegen in de lucht laten vliegen. En toen de politie en de Burgerwacht onmiddellijk daarna veertig mensen van het leven beroofden was dat eveneens als dreigement bedoeld: als jullie met jullie sabotagedaden doorgaan zullen wij nog meer en nog grotere bloedbaden aanrichten.'

'Maar dat is je reinste waanzin.'

'Zeker. Het is een soort balans van de terreur, die hoe afschuwelijk ze ook is, in een situatie als deze wel moest ontstaan. Bovendien is dit evenwicht erg onstabiel. In een bepaalde gevoels- of gemoedstoestand kan het ook gebeuren dat geen van beide partijen iets onderneemt. Anders uitgedrukt, er ontstaat dan een soort koude oorlog volgens het bekende recept. Maar het kan net zo goed gebeuren dat alle verstandelijke overwegingen plotseling aan de kant geschoven worden en dat alles uitloopt op een chaos van doodsbange mensen die elkaar blindelings en redeloos van het leven beroven.'

'Dat moeten we nu juist zien te voorkomen. Als ik maar...'

Ze zag hem onderzoekend aan. Zei toen: 'Uw vriend kapitein Behounek, die op dit gebied ongetwijfeld grote ervaring heeft, had u een goede raad kunnen geven. Kennelijk heeft hij dat niet gedaan. Hij had moeten zeggen: Het is afschuwelijk om het mee te maken en u zult het nooit meer kunnen vergeten, maar om zelf verder te kunnen leven moet u leren inzien dat uw verhouding tot deze mensen strikt zakelijk moet zijn. Uw bemoeienis met hen moet niet verder gaan dan dat u probeert hun een draaglijk en niet al te vernederend bestaan te verschaffen, meer niet. Als dat niet lukt, moet u ze vergeten, moet u vergeten dat ze nog in leven hadden kunnen zijn en werken en liefhebben en slapen en het ontbijt hadden kunnen klaarmaken en... ja, wat al niet.'

Hij keek haar aan.

'U beschikt over een ontstellend cynisme.'

'Cynisme is uit de aard der zaak altijd ontstellend. In een goed geordende samenleving is het ook niet te verdedigen, maar voor mensen van deze tijd als u en ik is het een voorwaarde om verder te kunnen leven. Neem nog een glas cazal. Dat kan nooit kwaad.'

Het was halfdrie. Ze zaten in een grote, uitgestorven bar aan de andere kant van het plein zwarte koffie te drinken. Ze hadden er al een uur gezeten. Manuel Ortega zag er nog steeds wat bleekjes uit en zijn oogopslag was onzeker en onrustig. Lopez stond een eindje verderop met zijn rug tegen de bar.

'Eigenlijk zouden we siësta moeten houden,' zei ze. 'Het is je reinste waanzin dat we om deze tijd van de dag proberen te werken, we moesten niet eens op zijn.'

'Ook voor ons geldt de noodtoestand. Behounek houdt vast en zeker geen siësta.'

Ze keek hem bedachtzaam aan.

'Tussen twee haakjes,' zei ze, 'het is blijkbaar nodig dat ik u op een bepaalde samenhang in de gebeurtenissen wijs en ook op een aantal dingen die ik toevallig te weten ben gekomen. Ik doe dat alleen om te verhinderen dat u zich verbeeldt het psychologische gedragspatroon van mensen als kapitein Behounek te begrijpen.'

Ze zweeg.

'Ja?' zei hij op vragende toon.

'De gruwelen van de laatste tijd, dus sinds we hier zijn, zijn een onderdeel van een lange reeks gebeurtenissen; de oorsprong is niet eens meer na te gaan. Eergisteravond drong een zogenaamd springcommando van de Burgerwacht, vermoedelijk schooljongens, de arbeiderswijk binnen. Hoe ze voorbij de politieversperringen gekomen zijn zullen we nu maar buiten beschouwing laten. Dit gebeurt al een hele tijd, zo'n twee à drie keer in de week en kapitein Behounek heeft volkomen gelijk als hij zegt dat de plastic bommen in het algemeen geen grote schade aanrichten. Maar deze keer hebben ze blijkbaar twee ijzeren koffers in de lucht laten vliegen die volgepropt zaten met ijzerafval en dynamiet. Er werden elf mensen gedood of zwaar gewond. Onder andere een driejarig kind dat een been tot boven de knie moest missen. De federale politie trad niet op, volgens zeggen om geen van de partijen te provoceren. De wacht bij de versperring hield daarentegen, vermoedelijk uit domheid, enkele mensen tegen die het kind naar de dokter wilden brengen, net zolang tot het aan bloedverlies stierf. Nou zou het waarschijnlijk toch wel gestorven zijn, maar daar gaat het niet om. Dat de volgende dag het pompstation vernield werd was voor een deel het gevolg van die gebeurtenissen, net als de onlusten van de volgende ochtend.'

'Hoe weet u dat allemaal?'

Ze gaf daar geen antwoord op, maar vervolgde: 'Kapitein Behounek heeft volkomen gelijk als hij zegt dat er geen mensen wonen in het plaatsje waarover ik u die vraag aan hem liet stellen. Santa Rosa was een heel klein dorpje. Er woonden misschien zo'n twintig mensen. De saboteurs, die hun auto in elkaar gereden hadden gingen te voet naar het dorp en de inwoners hielden hen verborgen. Niet lang daarna kwam de politie. De groep saboteurs vluchtte, maar werd zoals u weet in het open veld omsingeld. Daarna keerde de politie naar Santa Rosa terug en fusilleerde zonder omhaal twaalf van de dertien volwassen dorpsbewoners. De kinderen werden ergens heengebracht, god weet waarheen. Eén van de saboteurs werd gevangen genomen; kapitein Behounek moet hem eigenhandig gemarteld hebben tot hij de geest gaf.'

'Hoe weet u dat?' vroeg Manuel Ortega opnieuw.

'Er waren dertien volwassenen in Santa Rosa. Eén van hen is ontsnapt. Hij wist de stad te bereiken.'

'Die man is zeer belangrijk als getuige.'

'Ja. Hij is dan ook al naar een plaats gebracht die veilig wordt geacht.'

'Is dit verhaal juist?'

'Volledige zekerheid kan ik u natuurlijk niet geven. Ik kan alleen vertellen wat ik gehoord heb. En zelfs door dat te doen neem ik al een zeker risico.'

'Als het waar is, dan zou Behounek gearresteerd kunnen worden.'

'Door wie?'

Manuel Ortega keek haar hulpeloos aan.

'Trouwens hij stond formeel en juridisch min of meer in zijn recht. Er is een militaire bepaling die voortvloeit uit de uitzonderingstoestand; daarin staat dat ieder die personen, welke kennelijk gevaarlijk zijn voor de veiligheid van de staat, verbergt of helpt bij het vluchten voor het standrecht geleid en de doodstraf opgelegd kan worden.'

'Toch moet het mogelijk zijn een oplossing te vinden. Zo gaat het niet langer. Wat u me nu vertelt en wat ik zelf vandaag gezien heb...'

'Wat u vandaag gezien hebt, daar weet ik niets van,' zei ze.

'Blijkbaar zijn er aan beide zijden mensen die, hoe dan ook, tot daden wensen over te gaan en het is in het belang van ons allemaal dat die daarvan afgehouden worden.'

'Maar dat gebeurt ook,' zei ze. 'Dat is wel duidelijk. Nuchter ingestelde leiders als Dalgren en zijn medewerkers verhinderen meestal al te zinloze daden. Hetzelfde gebeurt aan onze... ja, hetzelfde doet het Bevrijdingsfront. Er is niemand die wil dat dingen plaatsvinden als het opblazen van het pompstation eergisteren en de moorden van vanochtend. In het algemeen gesproken dan.'

'Toch kan er blijkbaar op ieder moment van alles gebeuren.'

'Ja, dat is zo.'

'De oplossing moet dus nog steeds gezocht worden in vredesonderhandelingen.'

'Ja, dat is een mogelijkheid.'

'De enige mogelijkheid, zou ik zeggen.'

'Aangenomen dat we op de president en zijn regering kunnen vertrouwen.'

'Zij zijn de enigen die we kunnen vertrouwen.'

Manuel Ortega tilde zijn glas op en sloeg de anisette naarbinnen. De drank was scherp en wrang en brandde in zijn keel.

'Kom,' zei hij, 'we moeten weer aan het werk.'

'Ja, we moeten weer aan het werk.

Ze gingen naar buiten, de afmattende hitte van de namiddag in en staken het plein over. Om hen heen was alles verblindend wit: de grond, de huizen, de lucht.

Midden op het plein zei Manuel Ortega: 'Ik heb een ernstige schok gehad vandaag. En u hebt me er nog een bij bezorgd, maar u hebt me ook goed geholpen.'

'Dan is het in orde. Dat wil ik ook.'

Manuel Ortega zat achter zijn schrijftafel en Lopez zat tegen de muur. Danička Rodriguez stond in de deuropening. Alles was als van ouds. Hij keek naar de vrouw en voelde niet langer het verlangen naar haar dat hem de vorige dagen zo geïrriteerd had. Het enige dat hij voelde was de hitte en het zweet dat langs zijn borst en buik naar beneden liep en zijn overhemd en ondergoed doorweekte. En het enige dat hij op dit moment hoorde was de echo van het oorverdovende gegons van de dichte zwermen vliegen in het lage huis met de blauwe luiken en de dode vrouw op de divan.

Nu, dacht hij, nu valt er nog maar één ding te doen. Werken. Actief zijn. Een conferentie beleggen. Verstandig zijn, ook als iedereen, met inbegrip van mijn lijfwachten en mijn secretaresse, gek is.

Hij belde kolonel Ruiz op.

'De kolonel houdt siësta.'

'Maak hem dan wakker.'

'Hij mag niet gestoord worden.'

'Dit is geen verzoek, maar een bevel.'

'Ja, meneer de gouverneur.'

Terwijl hij wachtte, nam hij een sigaret uit het pakje dat op zijn bureau lag en drukte de uiteinden aan zodat de tabak er niet uit zou rollen. Hij rookte zeer zelden en de sigaretten waren kurkdroog voor hij aan een nieuw pakje toe was.

Na drie minuten kwam kolonel Ruiz aan de lijn.

'Bent u al begonnen de noordelijke wijken van water te voorzien?'

'Nee, we beschikken niet over genoeg transportmiddelen.'

'Hoe is de verdeling van de auto's over de stad?'

'Er is een reservoir op het plein en één bij elke toegangsweg tot de stad en er zijn er twee in de villawijk. Voor elk van deze reservoirs hebben we de beschikking over drie auto's. Eén auto is in reparatie.'

'Maar u hebt in totaal twintig auto's. Waar zijn de andere vier?

'Die worden gebruikt in de villawijk.'

'Waarvoor?'

Geen antwoord.

'Waarvoor, vroeg ik!'

'Voor besproeiing.'

'Schakel ze onmiddellijk in voor het vervoer van drinkwater naar de noordelijke wijk.'

'Dat gaat niet. Daar heb ik geen bevoegdheid toe. De auto's zijn privé-eigendom en ik heb formeel geen recht erover te beschikken.'

De stem van de kolonel klonk afwijzend, maar ook een tikje onzeker. Manuel Ortega maakte een einde aan het gesprek en belde Dalgren op.

'Señor Dalgren is in conferentie.'

'Dan stoort u hem maar.'

Dalgren kwam aan de lijn.

'Is het juist dat u vier tankauto's gebruikt om grasvelden te besproeien, terwijl er geen drinkwater is in de noordelijke wijk?'

'Goede vriend, dat eisen de villabewoners. Vergeet niet dat het hun eigen auto's zijn. En ze zeggen dat het water uit de putten heel drinkbaar is.'

'Ik heb de bewoners van de noordelijke wijk drinkwater beloofd en ik ben van plan die belofte na te komen. U weigert dus die vier auto's ter beschikking te stellen?'

'Zoals ik al zei, de auto's zijn privé-eigendom en ik kan er niet veel aan doen. Denk ook eens even aan die dertien andere privétankwagens die ingeschakeld zijn bij het transport.'

Manuel Ortega pakte een vochtige handdoek, legde die om zijn nek en belde Behounek.

'Dalgren, en dus de Burgerwacht, weigert de vier tankwagens af te staan die de tuinen in de villawijk besproeien, ondanks het feit dat de noordelijke wijk nog niet van drinkwater is voorzien.'

'Zo.'

'In de gegeven omstandigheden heb ik het recht privé-eigendommen te vorderen ten bate van het algemeen belang, nietwaar?'

'Ik denk van wel.'

'Dan vorder ik alle zeventien auto's die in bedrijf zijn. U dient dit besluit ten uitvoer te brengen. Daarna moeten er onmiddellijk vier ingezet worden om de noordelijke wijk van water te voorzien.'

'Daar heb ik een schriftelijke order voor nodig.'

'Stuur dan direct iemand hierheen om hem te halen.'

'In orde.'

'En dan nog iets, kapitein Behounek. U schijnt gisteravond in het dorp Santa Rosa bepaalde militaire uitzonderingsbepalingen toegepast te hebben. Is dat juist?'

'Ja.'

'Ik geef u bij deze het strikte bevel vanaf heden onder geen enkele omstandigheid deze of enig andere militaire uitzonderingswet toe te passen, doch u stipt aan de politievoorschriften te houden.'

'Ik betwijfel of u het recht hebt mij bevelen te geven.'

'Ik zal u onmiddellijk een afschrift doen toekomen van het telegram dat ik vandaag van de minister van binnenlandse zaken ontving en waarin dit bevestigd wordt.'

'Dat is niet nodig.'

'U legt u dus bij het bevel neer?'

'Ja.'

'Wilt u het schriftelijk bevestigd hebben?'

'Ja.'

Anderhalf uur later arriveerde de eerste tankwagen in de noordelijke wijk. Even daarvoor had Behounek zich gemeld.

'Het bevel inzake de tankauto's is uitgevoerd.'

'En leverde het nog problemen op?'

'Niet in het minst. Ze hebben nog meer auto's.'

Manuel Ortega nam weer contact op met Dalgren. Deze lachte en zei: 'Wel, wel, u hebt uw auto's gekregen.'

'Zoals u ziet.'

'Goed zo. Initiatief kan geen kwaad zo nu en dan.'

'Er is een ander en belangrijker vraagstuk dat ik met u wil bespreken. De regering heeft mij vandaag verzocht zo spoedig mogelijk een conferentie te beleggen tussen vertegenwoordigers van de Burgerwacht en het Bevrijdingsfront. Aan alle deelnemers wordt vrijgeleide gegarandeerd.'

'Er hebben al eerder geruchten de ronde gedaan over een dergelijk initiatief van regeringszijde,' zei Dalgren ontwijkend.

'Hoe staat u hier tegenover?'

'Mijn persoonlijke mening is niet onverdeeld positief. Maar ik zal het vraagstuk vandaag nog voorleggen aan het uitvoerend comité.'

'Ik van mijn kant zou graag naar voren willen brengen dat volgens mij onderhandelingen de enige mogelijkheid bieden orde en rust in de provincie te herstellen.'

'Ik zal het overbrengen. U hoort van mij in de loop van morgen.'

'Ik reken er eveneens op, señor Dalgren, dat u doet wat in uw vermogen ligt om repressailles te voorkomen naar aanleiding van de moord op de familie Perez.'

'Zoals ik u al zei, u hoort morgen van mij.'

Zijn stem klonk koeltjes en onpersoonlijk.

Manuel Ortega keek op zijn horloge. Halfzeven. De zon stond laag en in de kamer was het warmer dan ooit. Van de werking van de ventilator was praktisch niets te bespeuren. Hij begon te begrijpen wat Behounek bedoelde toen deze zei, dat het weer fris en mooi geweest was de afgelopen dagen, want deze hitte was anders: kleverig, onmenselijk en verlammend. Hij ademde zwaar en onregelmatig en zijn hart bonsde. Zijn kleren waren doornat van het transpireren.

Hij ging naar Danica Rodriguez en zag dat haar witte jurk nu al smoezelig was en op haar rug vastgeplakt zat.

'Gaan we samen eten?'

'Ja, graag.'

Manuel liep naar zijn woonvertrek en trok andere kleren aan. Daarna volgde het gebruikelijke ritueel met Lopez achter hem en de deur voor hem en ondanks het feit dat hij ervan overtuigd was dat er die dag niets zou gebeuren had hij zijn hand op de kolf van de revolver toen hij over de drempel stapte.

Op dat moment rinkelde de telefoon. Het was Behounek.

'We hebben ze,' zei hij.

'De moordenaars van Perez?'

'Ja.'

'Levend?'

'Ik heb ze hier. Waarom komt u niet hier naar toe, als u interesse hebt tenminste. Dan kunnen we het gelijk over die andere kwestie hebben.'

'Ik kom.'

'Vergeet uw lijfwacht niet. Ik heb niet meer dan tachtig man hier. Is het dezelfde als laatst?'

'Ja.'

Manuel Ortega ging naar het meisje toe.

'Hebt u zin om mee te gaan?'

'Nee, liever niet.'

'Het spijt me, maar ik moet er wel heen. Eensdeels omdat ik hem moet spreken, maar ook omdat ik er op toe wil zien dat hij niet te hardhandig tegen hen optreedt. Het spijt me erg.'

'Het hindert niet. Trouwens ik moet wassen vanavond. Dat wil zeggen, als er water is.'

De kazernes en het hoofdbureau van de gendarmerie lagen in het westelijk deel van de stad, in de buurt van het radiostation. Verscheidene lage langgerekte gebouwen, omgeven door een witte stenen muur die afgezet was met prikkeldraad. De politiechef zat in zijn werkkamer te telefoneren. Hij had zijn boord en uniformjasje losgeknoopt. Zijn koppelriem met de pistoolholster hing over de rugleuning van een stoel. Aan de muur hing een grote landkaart van de provincie, bezaaid met een groot aantal witte, rode en zwarte knopspelden.

'De witte spelden geven aan waar onze patrouilles op dit moment zijn of behoren te zijn,' zei Behounek. 'De rode geven de plaatsen aan waar de laatste drie weken groepjes partizanen zijn gesignaleerd.'

'En de zwarte?'

'Die zijn voor de plaatsen waar terroristen, hetzij alleen, hetzij in groepen, gegrepen of onschadelijk gemaakt zijn sinds wij hier arriveerden.'

Manuel Ortega bestudeerde de kaart. Overal waren witte spelden geprikt, met duidelijke concentraties in het zuidelijk deel van de provincie en om de hoofdstad heen.

De rode spelden, zo'n stuk of veertig, zaten bijna uitsluitend in de berggebieden in het zuiden. Maar vijf waren er uitgezet in de hoofdstad of in de onmiddellijke omgeving daarvan.

De zwarte ten slotte waren gelijkelijk verdeeld over de hele provincie, vanaf de grens in het noorden tot aan de bergrand in het zuiden. De kaart gaf een goed beeld hoe de partizanen naar het zuiden opgedreven waren sinds de federale politie de teugels in handen had genomen.

'Hier lag Santa Rosa,' zei Behounek. Hij plaatste zijn grote, bruine wijsvinger op een zwart knopje, ongeveer dertig kilometer ten zuidoosten van de hoofdstad.

'Dat knopje betekent dus achttien doden?'

'Negentien. Zes terroristen, een gendarme en twaalf dorpelingen.'

Manuel Ortega keek naar de gekneusde omzwachtelde hand van de chef van politie, maar zei niets. Lopez stond onverschillig naar de kaart te kijken.

Ze gingen een ijzeren wenteltrap af, liepen door een lange, onderaardse gang en passeerden een bewaakt traliehek. Behounek hield stil voor een ijzeren deur. Voordat hij klopte, nam hij een sigaar uit zijn borstzakje, beet het puntje er af en stak een lucifer aan door deze langs de muur te halen.

Manuel voelde een zekere opwinding, die alleen maar te verklaren was door het feit dat hij bij zijn weten nog nooit een moordenaar had gezien, in ieder geval niet één die in verband kon worden gebracht met een bepaalde misdaad. Hij moest de hele tijd denken aan de nachtmerrieachtige aanblik die het witte huis geboden had: de man op de grond, de vrouw op de divan en het ergst van alles, het kind dat hij niet gezien had. Hij dacht eveneens met een zeker gevoel van onbehagen aan de toestand waarin de daders zich zouden kunnen bevinden, maar erg verontrusten deed hem dat niet.

Een politieagent maakte de deur open. Het lokaal dat voor hem lag was groot en kaal. Er stonden banken in die aan de muur bevestigd waren en in de hoogte vlak bij het plafond zaten een paar kleine raampjes.

Langs de achterwand zaten drie mannen in voddige, witte pakken. Voor hen op de grond lagen hun vuile, breedgerande, uit bast vervaardigde hoeden.

'Ga staan,' zei Behounek.

De mannen rezen onmiddellijk overeind. Manuel Ortega nam ze stuk voor stuk op. Het hadden de drie mannen kunnen zijn die een uur of acht geleden in zijn kamer gestaan hadden.

'Het zijn mijnwerkers,' zei Behounek. 'Ze hebben het gedaan toen ze op weg waren naar hun werk vanochtend. Daarna hebben ze tien uur lang stenen gesjouwd; ze zijn gepakt toen ze thuis kwamen.'

'Hoezo?'

'Ze zijn aangebracht. Ze hebben nogal wat uit het huis meegenomen. Wekkers, wisselgeld, ringen en oorbellen, een blikken trompetje en nog meer speelgoed. Ook het pistool van Perez waar notabene een naamplaatje op zat en... wel, van alles zo'n beetje.'

'Hebben ze het pistool nog uitgeprobeerd?'

'Nee, dat lukte hun niet. Ze hadden er geen benul van waar de veiligheidspal zat. Ze dachten dat het pistool niet deugde en hebben het weggegooid.'

'Wat zeggen ze zelf?'

'Ze hebben bekend. Wat kunnen ze anders doen? Die rechtse daar heeft zelfs bloed op zijn broek zitten. Trouwens, dit soort mensen ontkent haast nooit.'

De drie mannen stonden met gebogen hoofden.

Manuel Ortega zag opnieuw de vrouw op de divan voor zich, haar man op de grond en het kinderfietsje in de tuin. Plotseling was het alsof er een hete golf van bloed door zijn hoofd sloeg; hij voelde het branden achter zijn voorhoofd en hoorde het gonzen in zijn achterhoofd.

'Wat hebt u met hen gedaan?' vroeg hij.

Hij had moeite zijn stem in bedwang te houden. De eerste woorden klonken als een hees soort gekrijs.

'Ik heb ze gearresteerd, ze een klein verhoor afgenomen en ze kruisjes en vierkantjes laten zetten op een proces-verbaal.'

Manuel keek weer naar de rechterhand van de politiechef.

'Was het niet verleidelijk andere methoden te gebruiken?'

'U begrijpt het niet,' zei hij. 'Deze mensen zijn op het verkeerde pad gebracht door anderen.'

Hij deed een trekje aan zijn sigaar.

'Neem zo'n verhoor nou eens,' zei hij en haalde zijn schouders op. 'Daar valt ook al niet veel plezier aan te beleven. Luister maar.'

Hij wees naar de man die helemaal rechts stond. Een kleine man met een rond gezicht, een zwarte snor en weemoedige bruine ogen.

'Jij daar, kom eens een stap dichterbij. Juist. Ben je getrouwd?'

'Ja, señor.'

'Heb je kinderen?'

'Ja, señor.'

'Hoeveel?'

'Twee, señor.'

'Wie van jullie heeft señor Perez vermoord?'

'Juan, señor.'

Hij wees op degene die het dichtst bij hem stond.

'Waarom heeft hij señor Perez vermoord?'

'Weet ik niet, señor.'

'Wie heeft de señora gedood?'

'Weet ik niet. Ze was nog niet dood toen we weggingen.'

'Nee, maar ze stierf kort daarop, als gevolg van wat zij gedaan hadden,' zei hij terzijde.

Toen vroeg hij: 'Wie heeft het kind het hoofd afgesneden?'

'Ik, señor.'

'Waarom?'

'Het schreeuwde.'

'Schreeuwen je eigen kinderen dan nooit?'

'Jawel, señor.'

'Wel, waarom hebben jullie señor Perez, zijn vrouw en zijn kind gedood?'

Stilte.

'Wie van jullie heeft het plan voorgesteld?'

'Ik, señor.'

'Wanneer?'

'Vanochtend toen we langs het huis kwamen, señor.'

'Heb je ooit eerder iemand gedood?'

'Nee, señor.'

'Zei je het voor de grap? Dat jullie het huis moesten binnendringen?'

'Ja, señor.'
'Kende je señor Perez en zijn vrouw?'
'Nee, señor.'
'Had je ze ooit wel eens gezien?'
'Nee, señor.'
'Had je vroeger al eens gezegd dat jullie eigenlijk iemand moesten doden?'
'Ja, señor.'
'Waarom is het dan niet eerder gebeurd?'
'Ik wou het niet alleen doen, señor. Niemand wou met me mee.'
'Zijn het alleen blanken die je wilt doden?'
'Ja, señor.'
'Waarom?'
'Ze doden ons, señor.'
'Heeft iemand jullie gezegd blanken te doden?'
'Ja, señor.'
'Wie heeft dat gezegd?'
'De bevrijders, señor.'
'Het Bevrijdingsfront, bedoel je.'
'Ja, señor.'
'Ben je lid van het Bevrijdingsfront?'
'Nee, señor. Ik wou wel, maar ze wilden me niet hebben. Juan wilden ze ook niet.'
'Je maakte dus geen grapje toen je zei dat jullie señor Perez moesten doden?'
'Jawel, señor.'
'Waarom stal je de trompet?'
'Hij was mooi, señor.'
'Heb je berouw?'
'Ik begrijp u niet, señor.'
'Heb je er berouw van dat je de vrouw, het kind en de man in het witte huis gedood hebt.'
'Ik weet het niet. Ik begrijp u niet, señor.
'Ben je bedroefd?'
'Ja, señor.'

'Waarom ben je bedroefd?'
'Ik wil naar huis, señor.'
'Hoe oud ben je?'
'Weet ik niet, señor.'
'Wat denk je dat we met je zullen doen?'
'Doodmaken, señor.'
Behounek haalde opnieuw zijn schouders op.
'Ga zitten,' zei hij. 'Zullen we gaan?'
'Wat gaat er met hen gebeuren?' vroeg Manuel op de gang.
'We houden ze in hechtenis. Daarna zullen ze terecht staan voor een civiele federale rechtbank en waarschijnlijk veroordeeld worden tot levenslange dwangarbeid zonder recht op gratie. Zonder te begrijpen waarom.'
Toen ze de wenteltrap opgingen zei hij, vermoedelijk tegen zich zelf: 'Aan de rand van de afgrond. Vlakbij. Zo verdomd vlakbij.'
'Ik ben ervan overtuigd dat uw uitroeiingstactiek de zaak alleen maar erger maakt,' zei Manuel Ortega. 'Dat het een verkeerde tactiek is.'
'Alles is even verkeerd,' zei Behounek. 'Waar zullen we gaan eten?'
Ze aten in een privé-club voor zakenlieden en officieren. Deze lag op de bovenste verdieping van een der hoge flatgebouwen in het centrum. De eetzalen waren groot en somber, met stalen meubelen en een ventilator op ieder tafeltje en een aan het plafond. Er waren veel gasten, maar het eten was slecht, nog slechter dan in de kleine eetgelegenheid bij het plein. Bovendien was het erg duur, zelfs vergeleken bij de luxueuze restaurants in de hoofdstad van de federale republiek. Zowel Manuel als Behounek aten weinig en het weinige dat ze aten, aten ze met lange tanden en ze zeiden niet veel.
Pas bij de koffie hadden ze een kort gesprek dat van belang was voor de toekomst.
'Van welke leiders van het Bevrijdingsfront zijn de namen bekend?' vroeg Manuel Ortega.
Behounek keek strak naar zijn cognacglas en bleef dit al die tijd dat hij sprak doen.

'Van de meesten. In de eerste plaats is daar degene die ze "El Campesino" noemen, leider en organisator van de partizanenacties. Hij schijnt een Cubaan te zijn. Die naam heeft hij ontleend aan een legendarische communist uit Catalonië tijdens de Spaanse burgeroorlog. Dan is er doctor Irigo, leider van de communistische partij in ons land voordat deze ontbonden werd. Hij is afkomstig uit het noorden en heeft rechten gestudeerd. Hij heeft een tijd lang in een plaatsje gewoond vlak over de grens van onze zuiderburen. Op het moment verblijft hij vermoedelijk in het buitenland, waarschijnlijk op Cuba of in Chili. Dan is er een vrouw, Carmen Sánchez, die de propaganda verzorgt; ze is nog maar zevenentwintig en schijnt heel mooi te zijn. En dan is er een zekere José Redondo, bijgenaamd "El Rojo". Hij is een partizanenheld en neemt een vooraanstaande plaats in binnen de organisatie.'

'Dat zijn dan, lijkt mij de mensen die we voor een eventuele conferentie moeten benaderen. Ik neem aan dat ze via de radio en de pers of door het verspreiden van vlugschriften te bereiken zijn.'

'Ja, en via de jungletelegraaf.'

'Kent u nog meer namen?'

'Desgewenst wel. Maar deze vier moeten er in elk geval bij zijn. "El Campesino", doctor Irigo, Carmen Sánchez en "El Rojo". Ik zal u morgen vroeg een namenlijst sturen met alle gegevens.'

Het was halftwaalf toen Manuel Ortega uitgekleed was. Hij voelde zich ziek en geradbraakt en ademde moeilijk. Hij legde de Astra onder zijn hoofdkussen, nam drie van Dalgrens pillen in en ging naar bed.

Toen hij het licht uitdeed, viel het donker als een oeroud, zwart fluwelen kleed op hem: dik en wollig en stoffig en verstikkend.

13

Opnieuw was het ochtend, zijn zevende dag in deze verschrikkelijke stad. Fernandez, zonnebloempitten op het vloerkleed, zweetlucht, de twee stappen door de gang en de hand op de kolf van de revolver.

De waterleiding deed het nog steeds niet. De commandant van de genietroepen klaagde over materiaaltekort en vroeg om nogmaals vierentwintig uur.

Op de schrijftafel lag een grijsbruin telegram, voorzien van dienststempels.

met zo spoedig mogelijk wordt bedoeld uiterlijk binnen een week stop zes gedelegeerden van elke partij zaforteza

Naast het telegram lag een brief van de gendarmerie met de beloofde namen en gegevens.

Aan de telefoon: Behounek.

'Alles rustig.'

'Geen doden?'

'Nee.'

'Geen springcommando?'

'Nee niets.'

Tien minuten daarna: Dalgren.

'De Burgerwacht is bereid te onderhandelen.'

'Wanneer?'

'Zodra u in staat bent de partijen bij elkaar te brengen.'

Daniča Rodriguez in haar groene jurk, sandalen met riempjes aan haar blote voeten.

Gomez die Fernandez afloste. Groot, zwaar en ongeschoren, zweet op zijn gezicht.

De zonnestralen die als een wolkbreuk van wit vuur op de grond neerstortten.

Om tien uur ging Manuel Ortega gemakkelijk achter zijn bureau zitten en begon een concept op te stellen voor zijn officiële bekendmaking. De drie slaaptabletten waren nu praktisch uitgewerkt.

De tekst wou niet vlotten en even later ging hij naar de kamer ernaast om zijn secretaresse een aantal instructies te geven.

'Reserveer tijd bij de radio voor vijf uur precies.'

'Zoek een drukkerij die vandaag nog kan beginnen met het drukken van tienduizend vlugschriften.'

'Kijk wat de verspreidingsmogelijkheden zijn en zorg voor de nodige mensen.'

'Laat ijs en een nieuwe kist met citroenlimonade komen.'

'Bijt niet op uw nagels.'

Toen barstte ze in lachen uit. Het was de eerste keer onder kantoortijd dat ze lachte. Ze was mooi als ze lachte, dacht hij. En ze droeg geen b.h. Vandaag waren de tepels duidelijk te zien onder de stof van haar jurk. Misschien kwam het door de warmte.

Hij kreeg een eigenaardig gevoel en zette zich weer aan zijn concept.

Om elf uur kwam Fernandez terug. Sloop als een kat de kamer binnen.

Om half twaalf stond Danička Rodriguez in de deuropening en zei: 'U hebt bezoek. Een dame.'

'Laat haar binnenkomen.'

Het was Francisca de Larrinaga. Geheel overrompeld rees Manuel overeind. Hij betrapte zich er eensklaps op dat hij haar, de proclamatie en de generaal totaal vergeten was.

Ze was helemaal in het zwart en had een rouwsluier voor het gezicht, maar ze bewoog zich snel en energiek. Desondanks zag ze er koel en fris uit, alsof de verschrikkelijke hitte geen vat op haar had.

'Kan ik vrijuit spreken in het bijzijn van uw personeel?' vroeg ze. Danička Rodriguez stond nog steeds in de deuropening; Fernandez stond als vastgenageld bij de muur.

'Absoluut.'

'Uitstekend, ik wou het alleen even weten. Ik had beloofd u binnen vier etmalen een definitief antwoord te geven. Wel, ik heb een besluit genomen.'

Ze deed haar handtas open en haalde er een lange, witte envelop-pe uit met een monogram in reliëf.

'In dit couvert zit het ontwerp voor mijn vaders redevoering. Ik heb er een beëdigde verklaring bijgevoegd inzake de echtheid van het document.'

Manuel Ortega pakte het couvert met twee vingers aan alsof hij bang was het vuil te maken.

'Ik overhandig het u dus om de redenen die ik al eerder uiteengezet heb. Wat u er verder mee wilt doen is een zaak waarin ik mij niet wil mengen.'

Ze knipte haar handtas weer dicht.

'Dat ik persoonlijk ben gekomen berust eensdeels op het feit dat ik dit document te belangrijk vind om het aan een bediende toe te vertrouwen. Anderzijds kon dit nauwelijks per telefoon afgehandeld worden.'

'Ja, natuurlijk. De afluisterpost...'

'Die werkt uitstekend. Op zijn tijd worden er zelfs mensenlevens door gered. Misschien interesseert het u, meneer de gouverneur, dat vijf personen mij na uw condoleantiebezoek opgebeld hebben, uitsluitend en alleen om de reden van uw bezoek te weten te komen. Tenminste twee van hen behoort u te kennen: señor Dalgren en kapitein Behounek.'

Voordat Francisca de Larrinaga de kamer verliet, keek ze geamuseerd naar Daniča Rodriguez en zei: 'Ontzettend warm, vindt u niet?'

Daarna vertrok ze.

In vergelijking met de vrouw die zojuist de kamer verlaten had maakte Danića Rodriguez de indruk ontkleed, zweterig en verhit te zijn.

Fernandez staarde de generaalsdochter na alsof hij zojuist een visioen had gezien.

Danića Rodriguez haalde haar schouders op.

Manuel Ortega droogde met een zakdoek die reeds doornat was het zweet van zijn voorhoofd. Daarna ging hij zitten, nam zijn briefopener en sneed het couvert open.

'Kom eens hier,' zei hij, 'dit zou wel eens interessant kunnen zijn.'

Ze liep om het bureau heen en las mee over zijn schouder.

De hele proclamatie ging gemakkelijk op twee gewone kwartovelletjes. Ze was getypt en als een militaire dagorder in punten opgesteld, maar hier en daar had de generaal met een hoekig en moeilijk leesbaar handschrift doorhalingen en toevoegingen aangebracht. Het leek erop, dat alle veranderingen niet op hetzelfde tijdstip hadden plaatsgevonden, want hij had verschillend schrijfmateriaal gebruikt, de ene keer inkt, de andere keer potlood.

PROCLAMATIE

1. *Ik, generaal Orestes de Larrinaga, momenteel gouverneur en gevolmachtigd vertegenwoordiger der regering in deze provincie, maak hierbij mijn zienswijze over de situatie hier ter plaatse openbaar;*
2. *Deze zienswijze berust eensdeels op het inzicht dat ik verworven heb dank zij mijn kennis van het land en haar bevolking, anderdeels op de ervaring die ik tijdens een lang en afwisselend leven als officier in vooraanstaande functies heb opgedaan;*
3. *De onlusten in de provincie vinden hun oorzaak in het feit dat twee extreme politieke richtingen om de macht strijden. De ene (de Burgerwacht) wil de bestaande toestand handhaven. De andere (het Bevrijdingsfront) wil onze huidige samenleving vernietigen. Het streven van beide partijen is in gelijke mate foutief en dient ten zeerste veroordeeld te worden. Dit geldt niet alleen voor de doelstellingen maar ook voor de methoden die door beide zijden aangewend worden;*
4. *In grote delen van de wereld, evenals in de meeste deelstaten van onze federale republiek, is de laatste jaren een nieuwe visie ontstaan met betrekking tot de enkele burger als individu (= mens). Deze visie heeft in onze provincie geen ingang gevonden. Het merendeel van de bevolking leeft in grote materiële en geestelijke armoede en heeft evenmin de mogelijkheid zich verder te ontwikkelen. Zo iets kan in onze tijd niet langer verdedigd worden;*
5. *De Burgerwacht heeft ongelijk daar waar ze met geweld tracht vast*

te houden aan het huidige systeem dat vanuit verscheidene gezichtspunten verouderd is. Daardoor verkeert het merendeel van de mensen noodgedwongen in materiële ellende. Dit kan tot een catastrofe leiden;

6. *Het Bevrijdingsfront heeft ongelijk daar waar het door middel van gewelddadige handelingen de macht probeert te grijpen. Het heeft eveneens ongelijk wanneer het gelooft in staat te zijn de macht zonder steun van de andere bevolkingsgroepen ten uitvoer te kunnen brengen;*
7. *De Burgerwacht heeft gelijk daar waar ze de bezittingen en materiele verworvenheden probeert te beschermen en te bewaren die in deze provincie reeds verkregen zijn. Ze heeft ook gelijk waar ze binnen redelijke grenzen wil zorgdragen voor de belangen van de landeigenaren;*
8. *Het Bevrijdingsfront heeft gelijk wanneer het ervan uitgaat dat alle mensen recht hebben op werk en een verdere ontwikkeling, op behoorlijke woongelegenheid en lonen, die in een zo redelijk mogelijke verhouding staan tot de verrichte arbeid en die ongeveer in overeenstemming zijn met de economische levensomstandigheden van de arbeiders in andere delen van de federale republiek en in andere landen;*
9. *Op grond van hetgeen in de punten 3-8 naar voren is gebracht verdient geen van beide partijen de steun van de regering of het leger;*
10. *Toch behoren beide partijen wettelijk het recht te hebben hun respectieve klassebelangen te behartigen op voorwaarde dat ieder gewapend optreden gestaakt wordt;*
11. *Op grond van het lage ontwikkelingspeil van de bevolking inzake de hiermede verband houdende vraagstukken is de tijd nog niet rijp voor het houden van algemene verkiezingen. Daarom dient een interimregering gevormd te worden, bestaande uit een gelijk aantal vertegenwoordigers van elke partij plus een overeenkomstig aantal vertegenwoordigers van de federale overheid;*
12. *Het onderwijssysteem dient evenals het ziekenhuiswezen onmiddellijk uitgebreid te worden. Kazernewoningen dienen de huidige onbewoonbare arbeiderswijken rond de hoofdstad van de provincie te vervangen;*

13. *Voor het loonvraagstuk met betrekking tot de mijnwerkers en de plantage- en industriearbeiders dient omgaande een regeling getroffen te worden volgens de hierboven aangegeven richtlijnen. De arbeidstijd dient eveneens geregeld te worden;*
14. *De eis van de boerenbevolking om land voor eigen gebruik te bezitten dient omgaand ingewilligd te worden, hetgeen gemakkelijk te verwezenlijken is. Daarentegen is de tijd nog niet rijp voor een snelle en ingrijpende landbouwhervorming;*
15. *De federale politie dient teruggetrokken en in het vervolg uitsluitend voor zuiver politionele doeleinden gebruikt te worden;*
16. *Het leger dient de verantwoordelijkheid voor de openbare orde over te nemen, doch eerst nadat de huidige militaire gouverneur en de huidige hogere legerleiding op non-activiteit zijn gesteld en vervangen door niet-politieke officieren;*
17. *De huidige situatie in de provincie is beschamend zowel voor de mensen die hier leven als voor het land in het algemeen. Daarom dienen de maatregelen genoemd in de punten 10-16 omgaand ten uitvoer gebracht te worden.*

Orestes de Larrinaga
generaal, gouverneur der provincie

Er was nog een achttiende punt met de volgende tekst: *Alle politieke ideologieën dienen toegestaan te worden. Ook moet, ongeacht huidskleur, godsdienst of maatschappelijke achtergrond, een ieders recht op het verkrijgen van een basis-opleiding en de mogelijkheid tot bevredigende materiële levensomstandigheden in de wet vastgelegd worden.*

Achter dit punt stonden verscheidene vraagtekens en ten slotte was het helemaal doorgestreept.

'Dit is fantastisch,' zei Daniča Rodriguez. 'Oudere, reactionaire generaal ontdekt zijn medemensen en wordt Derde Weg-man. Dit is dynamiet.'

'Ja, het is dynamiet,' zei Manuel Ortega.

'Wat bent u van plan ermee te gaan doen?'

'Publiceren,' zei Manuel Ortega.

'Nu?'

'Ja, zo spoedig mogelijk.'

'Ze zullen hun toevlucht nemen tot elke denkbare methode om u tegen te werken.'

'Wie ze?'

'De Burgerwacht, de militairen, de politie, iedereen.'

'Dat moeten ze dan maar proberen.'

'Op welke manier had u gedacht het bekend te maken?'

'We moeten er iets op zien te vinden.'

'Ja,' zei ze. 'We moeten er iets op zien te vinden.'

Ze stond achter hem en streek door haar korte zwarte haar.

'Zelfs je haar is hier nat van het transpireren,' zei ze. 'Het is een afschuwelijk gevoel.'

Manuel dronk een glas citroenwater en droogde opnieuw zijn gezicht met de kletsnatte zakdoek af.

'Francisca de Larrinaga scheen niet te transpireren,' zei hij.

'Nee, als je hier je hele leven gewoond hebt wen je eraan.'

Geheel onverwachts voegde ze eraan toe: 'Vindt u haar knap?'

'Nauwelijks.'

'Aantrekkelijk dan?'

'Nee, niet in het minst.'

De onverbeterlijke Fernandez liet een verbaasd gegrom horen.

'Geef het document maar hier,' zei ze, 'dan zal ik er enkele afschriften van maken. Anders zouden we wel eens voor vreemde dingen kunnen komen te staan.'

'U denkt ook altijd aan alles.'

Ze boog zich over zijn schouder en pakte de proclamatie van de generaal. Terwijl ze dat deed, raakte ze met haar lippen even zijn oor aan en hij voelde haar neus tegen zijn wang.

'Ja,' zei ze, 'ik denk altijd aan alles, maar meestal gaat het toch fout.'

Ze ging weg en hij keek haar na. Toen hij zijn blik afwendde, zag hij dat Fernandez hem met een mengeling van verbazing en vrolijke ontsteltenis opnam. Op dat moment kwam Lopez binnen, hing zijn zwarte hoed op en ging op de stoel bij de muur zitten.

Twaalf uur dus.

Twee uur later was hij gereed met zijn bekendmaking en ging hij naar de kamer ernaast om hem te laten uittikken.

'Ik denk niet dat ze dit accepteren,' zei Danića Rodriguez.

'Wie bedoelt u?'

'Het Bevrijdingsfront. De verstrekte garanties zijn te slecht. Ze durven niet op de regering te vertrouwen en helemaal niet op u.'

'Dat zouden ze wel moeten doen,' zei Manuel Ortega.

'Ja, dat vind ik ook.'

'Wel, de hoofdzaak is dat we met hen in contact komen.'

'Dat zal zeker gebeuren.'

Een half uur later was ze klaar met het overtikken van de tekst en kwam ze hem brengen. Tegelijkertijd overhandigde ze twee afschriften van de proclamatie van generaal Larrinaga.

'Ik heb er drie gemaakt,' zei ze. 'Eén houd ik er zelf.'

Hij knikte, vouwde één van de bladen dicht en stopte dit bij zich. Toen hij zijn portefeuille pakte merkte hij dat het leer zacht en vochtig was en een enigszins scherpe geur had gekregen. Hij deed de andere kopie in een envelop, plakte deze dicht en ging naar de man op de stoel.

'Wilt u dit tot morgen voor mij bewaren?'

Lopez knikte en stak de envelop in zijn rechter binnenzak.

Manuel Ortega ging aan zijn schrijftafel zitten nadenken. De hitte en de lage luchtdruk oefenden ook een negatieve invloed uit op het denkvermogen. Zo nu en dan was het of hele delen van zijn hersenen gevoelloos en uitgeschakeld werden. Het duurde lang voor hij erin slaagde een besluit te nemen.

Intussen belde Behounek.

'Alles rustig?'

'Ja, maar de communisten verspreiden een vlugschrift, ondertekend door het Bevrijdingsfront. Dat hebben ze in tijden niet gedaan.'

'Wat staat er in?'

'Ik moet zeggen dat het goed in elkaar zit. Die vervloekte Carmen Sánchez... Ja, alles wordt haarfijn uitgelegd: de springcommando's, de waterputten, de onlusten van eergisteren, die geschiedenis in Santa Rosa...'

'Ik ben van mening dat u over het laatste maar beter kunt zwijgen, kapitein Behounek. Later zult u zeker gelegenheid krijgen een nadere verklaring af te leggen.'

'Ja, ja, maar wat mij verontrust is hoe het is uitgelekt. Iemand moet nonchalant geweest zijn. Misschien dat... ja, ik moet die zaak grondig uitzoeken.'

Het klonk alsof hij dit voor zichzelf formuleerde.

'Waar worden die vlugschriften gedrukt?'

'Hier ergens, god mag weten waar. Ze hebben geen drukkerij nodig, ze zetten de tekst met de hand en drukken hem af met een handpers, ja zo heet dat geloof ik. We hebben zo'n stuk of acht, negen van die dingen in beslag genomen, maar ze hebben er kennelijk nog meer. Ze zijn trouwens maar klein en gemakkelijk te verbergen.'

'Om vijf uur zal ik voor de radio een boodschap voorlezen.'

'Uitstekend. Ik zal naar u luisteren.'

'Wilt u controleren of de uitzending ook via het luidsprekersysteem in de arbeiderswijken te beluisteren valt?'

'Jazeker. Bovendien zal ik er zorg voor dragen dat ook de luidsprekers bij de mijn ingeschakeld worden.'

Manuel Ortega dacht na.

'Morgen zal ik meer gedetailleerde mededelingen doen.'

'Mooi.'

'Tussen twee haakjes, doet de telefoon het nu?'

'Alleen lokaal.'

'Dat is niet ongemerkt aan mij voorbij gegaan. Maar waarom niet interlokaal?'

'De lijn is ergens in het noorden kapot. Men is er nog niet in geslaagd te lokaliseren waar. Kennelijk in de buurt van de grens, misschien niet eens aan onze kant. Ik heb erover getelegrafeerd.'

'Zouden de partizanen het gedaan hebben?'

'Dat is niet onmogelijk.'

Het gesprek was afgelopen. Manuel dronk een glas citroenwater, keek uit over het verlaten plein en ging naar Danièa Rodriguez.

'Reserveer uitzendtijd bij de radio voor morgenochtend tien uur. En zeg tegen de chef van politie dat ik dan een nieuwe belangrijke mededeling doe. Zeg hem dat de luidsprekerinstallatie bij de arbeiderswijken en de mijnen aangezet moet worden.'

Ze zag hem vragend aan.

'Denkt u dat...'

'Ja,' zei hij en klopte met twee vingers op zijn linker binnenzak.

Ze lachte en liet het puntje van haar tong tussen haar tanden zien.

Pure baldadigheid, dacht hij niet erg origineel.

Toen zei hij: 'Maar dat is niet voldoende. Denkt u dat er een drukker te vinden is die we over kunnen halen een paar duizend exemplaren te drukken?'

'Nee,' zei ze, 'daar hoeft u niet op te rekenen.'

Hij bleef staan en keek naar haar benen en voeten. Ze volgde zijn blik en glimlachte. Hetzelfde lachje als de dag tevoren, wellustig en met een glinstering in de half toegeknepen ogen.

Jij kleine dondersteen...

Zijn gedachtengang werd afgebroken door het rinkelen van de telefoon en hij ging meteen weg. Het was kolonel Ruiz die een lang en omslachtig gesprek voerde over de watertransporten. Hij sprak op zeer formele toon en wat hij zei was van geen enkel belang. Manuel stelde slechts één vraag: 'Hoeveel auto's rijden er momenteel?'

'Vijfentwintig. Drie militaire wagens, zestien die gevorderd zijn en nog vijf privé-wagens. Eén is in reparatie.'

Manuel bedankte hem en legde de hoorn op de haak. Behounek had zoals altijd gelijk gehad.

Maar dadelijk daarna dacht hij: Nee, niet als altijd. Behounek had geen gelijk. Behounek had *geen* gelijk. Behounek mocht geen gelijk hebben. Wat essentiële vraagstukken betrof had Behounek nooit gelijk.

Enige tijd later kwam Danièa Rodriguez binnen met een telegram. Het luidde:

hoe staat het er voor met de conferentie stop geef volledige garanties stop werk ten nauwste met behounek samen zaforteza

Hij gooide het papier in een la van zijn schrijfbureau en ging zich verkleden. Zag dat er vijf grote waterkannen in de douchecel stonden. Ondanks alles werd er goed voor hem gezorgd. Toen hij terugging dacht hij: Deze keer zal ik niet bang zijn. Dat met die deur is een belachelijk stukje theater dat ik af moet leren.

Toch stak hij automatisch zijn rechterhand in zijn jasje toen hij de hendel van de deur omlaag drukte. De kamer was heet en wit en een helse verschrikking.

Om halfvijf maakte hij zich gereed om naar het radiostation te gaan. Toen hij op het punt stond te vertrekken hield Daniča Rodriguez hem tegen.

'Ik heb een idee gekregen,' zei ze. 'In één van de kamers heb ik een oude stencilmachine zien staan. Ik geloof dat die het nog doet. Daar kunnen we een paar duizend kopieën mee maken.'

'Vanavond nog?'

'Ja. Ik zal voor inkt, stencils en papier zorgen.'

'Dan bent u er dus nog als ik terugkom?'

'Ja zeker.'

De temperatuur in de studio tartte iedere beschrijving.

Het technische personeel werkte in shorts en nethemden en had natte handdoeken om hun nek geslagen. De vrouw in de controlekamer zat met haar voeten in een bak water. De omroeper die onder de rode uitslag zat, schudde zijn hoofd en zei: 'We komen bijna allemaal uit het noorden van het land en zijn hier nog niet zo lang. Het grootste deel van hun eigen mensen heeft ontslag genomen vorig jaar maart toen de rechtse extremisten het oude radiostation in de lucht hadden laten springen en vervolgens in brand hadden gestoken.'

'Daar wist ik niets van. Waarom hebben ze dat gedaan?'

'Er zaten enkele communisten onder het personeel. Die zouden een paar keer per dag illegale programma's uitgezonden hebben. Dat was vóór de regeringscrises en voordat de federale politie hier arriveerde. Het schijnt hier toen een ware wildwest geweest te zijn.'

'Maar gaat het nu beter?'

'Ja, we hebben nu nergens last meer van. Maar je went nooit aan deze hitte. Zoals alles in deze vervloekte uithoek is ook dit gebouw fout opgezet. De idioot die het ontworpen heeft, heeft de air-conditioning vergeten.'

Manuel keek om zich heen in de studio. Ondanks het feit dat het gebouw pas nieuw was, was het plafond gebarsten en waren de onvoldoende isolerende triplexmuren kromgetrokken.

'We hebben de thermometers maar weggegooid. Als we zouden zien hoe heet het hierbinnen is, zouden we een beroerte krijgen. Maar het is nog een geluk dat ze hier geen televisie hebben, met al die lampen en zo,' zei hij filosofisch.

Manuel Ortega was gedwongen zijn jasje uit te trekken. Hij zat voor de tafel met het groene vilten kleed in een overhemd met open boord en opgerolde hemdsmouwen, gestreepte bretels en een revolver in de schouderholster.

De omroeper keek sceptisch naar de Astra.

Terwijl Manuel op het rode lichtje wachtte, keek hij naar Lopez en voelde zich uiterst belachelijk. Het lichtje floepte aan en hij begon te lezen. In twee minuten was het gebeurd.

'Het klonk heel goed,' zei de omroeper onverschillig. 'Alleen moeten we uw essen een tikje corrigeren. We kunnen nu op ons gemak een nieuwe bandopname maken, zodat we eens en voor altijd weten waar uw stem gecorrigeerd moet worden. Dan zullen we die bandopname ieder heel uur in ons programma uitzenden.'

De man stond volkomen onverschillig tegenover de politieke situatie en had weinig benul van de ernst van de toestand.

'Dat is maar beter ook,' zei Manuel Ortega bij zichzelf, 'het is een geschikte vent.'

Toen hij terug was in het gouvernementspaleis, vroeg hij aan Danića Rodriguez: 'Hebt u de uitzending gehoord?'

'Ja, de garanties zijn nog steeds onvoldoende.'

Wat hij gezegd had kwam er op neer, dat de regering hem had

opgedragen een verzoeningsbijeenkomst te beleggen tussen de Burgerwacht en het Bevrijdingsfront en dat men zorg zou dragen voor volledige garanties ten aanzien van de persoonlijke veiligheid van de gedelegeerden. Ten slotte had hij beide partijen aangespoord zich zo spoedig mogelijk middels gevolmachtigde vertegenwoordigers bekend te maken.

'We zullen zien,' zei hij.

Daniča Rodriguez gaf geen antwoord. Ze had voor papier, stencils en tubes inkt gezorgd. Het materiaal lag op haar schrijftafel en daarnaast stond een stencilapparaat, een stoffig, ouderwets monster, dat het laatste decennium waarschijnlijk door niemand gebruikt was.

Even later zei ze: 'Hij doet het niet goed.'

Ze had een paar zinnetjes op een stencil getikt en was aan het proefdraaien. Het resultaat was weinig verheugend.

Manuel Ortega keek mistroostig naar het apparaat. Hij was niet technisch aangelegd en voelde zich verslagen. Alsof dat nog niet genoeg was, schudde de vrouw haar hoofd en zei: 'Ik heb geen verstand van techniek.'

Ze gaf nog een draai aan de slinger, bekeek het onleesbare schrift en verfrommelde het papier.

'Verdomme,' zei ze.

'Neemt u mij niet kwalijk.'

Ze schrokken beiden op en Manuel stak zijn hand in zijn jasje. Het was Lopez die gesproken had.

'Als ik zo vrij mag zijn,' zei hij. 'Toen ik bij de vreemdelingenpolitie werkte hadden we daar net zo'n machine.'

Ze staarden hem aan. Hij zat zoals gewoonlijk op een stoel bij de muur met zijn handen op zijn knieën.

'Ik kon toen geen normale dienst doen,' voegde hij er verklarend aan toe. 'In mijn voet geschoten.'

'Dan kunt u ons misschien helpen?'

'Het is niet onmogelijk,' zei Lopez.

Tien minuten later deed het apparaat het, maar na een paar honderd afdrukken ging het eerste stencil kapot. Manuel stond bij de muur toe te zien, terwijl ze een nieuw stencil uittikte. Ze werkte snel en maakte een enthousiaste en opgewekte indruk en haar borst deinde op en neer onder haar jurk. Ze had een inktvlek op haar slaap en toen ze haar hand ophief om het zweet van haar voorhoofd te vegen, breidde de vlek zich uit tot een lange, zwarte streep.

Ze liep rakelings langs hem heen, lenig en soepel. Als een dier. Ze legde het stencil om de rol en zocht naar papier. Liep opnieuw langs hem heen. Kwam weer terug. Hij strekte zijn hand uit en pakte haar bij haar arm.

'Daniča.'

'Ja.'

Haar ogen waren groot en donkergrijs en vragend. Even maar. Toen knikte ze en legde het stapeltje papier weg.

'Ja,' zei ze rustig. 'Ja, ik kom.'

Hij hield haar bij haar arm vast en nam haar mee door de andere kamer, de gang over. Opende de deur en ging naar binnen.

Dacht niet. Niet aan Lopez. Niet aan Behounek. Aan niemand. Aan niets. Stak het licht aan.

Ze keek hem ernstig aan, veegde met haar pols het haar van haar voorhoofd.

'Ja,' zei ze.

Hij pakte haar bij haar schouders en kuste haar. Haar lippen waren smal, zacht en warm. Langzaam strekte ze haar hoofd en opende haar mond. Hij voelde haar tong. Ze was bij hem. Haar soepele lichaam dicht tegen het zijne aangedrukt.

Ze hadden elkaar losgelaten. Hij trok zijn jasje en schoenen uit en gespte de schouderholster los.

Ze maakte de bovenste twee knopen van haar jurk los, ging niet verder.

Hij strekte zijn hand uit en knoopte de derde los. De vierde, Stroopte haar jurk van haar schouders. Raakte haar naakte borsten aan. Zag ze. Klein en goed gevormd. Het zuigmerk was praktisch verdwenen, er was slechts een zwakke, blauwachtige schaduwvlek te zien. De tepels waren donkerbruin en hard.

Hij begon zijn overhemd uit te trekken.
Ze keek naar hem. Zei plotseling: 'Nee, verdraaid, het kan niet.'
Hij was hevig teleurgesteld.
'Waarom niet?'
'Het oude liedje. Hoe heb ik dat nu kunnen vergeten?'
Hij nam haar op.
'Het gaat niet. Ik kan het niet hebben. Het doet me pijn.'
Ze scheen net zo van haar stuk gebracht als hij.
'Maar daarna?'
'Wat daarna?'
'Als het over is? Dan wel?'
'Ja natuurlijk. Meteen.'
'Echt?'
Ze lachte en legde twee vingers op zijn mond.
'Ik zweer het,' zei ze.
Hij lachte eveneens.
'Begrijp me goed, ik wil werkelijk.'
'Kleed je uit.'
Vragende, grijze blik.
'Ja, ik zal je een douche geven. Er is voldoende water. Je bent bezweet.'
'Jij ook.'
Hij trok de ritssluiting van haar jurk naar beneden.
Ze had afgezien van haar sandalen nog maar twee dingen aan en stond nu gereed voor hem. Ze namen elkaar op.
'Je bent naakt,' zei ze.
'Jij ook.'
'Ontzettend wat heb jij veel haar.'
'Jij ook.'
'Alleen hier,' zei ze.
Streek met haar vingertoppen door het dichte, zwarte haar.
Boven de haargrens zat een blauwe plek.
Ze stond in de douchecel, in het begin met haar handen op haar knieën. Hij goot langzaam twee kruiken water over haar uit.
'Mijn haar ook,' zei ze.

Toen was het zijn beurt. Hij rilde en dacht dat het water toch niet zo koud kon zijn.

Droogde zich af en ging naar de slaapkamer. Ze ging op het bed liggen en keek naar hem terwijl hij de deur dicht deed en terugkwam.

'Je hebt een fijn lichaam,' zei ze.

'Jij ook.'

'Ik heb lange benen en mooie voeten. Verder is er niet veel bijzonders aan me.'

Hij boog zich over het bed heen en kuste haar.

'Soms heb ik een minderwaardigheidscomplex,' zei ze. 'Ik die zo hard en zelfverzekerd ben.'

'Wanneer dan?'

'Als ik iemand zie als die vrouw vandaag. Dwaas he?'

Opnieuw keken ze elkaar aan.

'Wil je dat ik iets voor je doe?'

'Ik kan wachten,' zei hij.

'Ik vraag niet wat je kunt, maar wat je wilt.'

Hij ging naast haar liggen en strekte zijn arm uit.

'Nee, zei ze, 'doe het licht niet uit.'

En meteen daarop: 'Ik wil op je arm liggen.'

Hij lag stil met haar vochtige haren op zijn schouder. Haar lichaam was koel en aangenaam na het douchen. Schoon.

Dacht hij.

En: Als je zo ligt schijn je heel lang te zijn en volkomen volwassen, maar als je aangekleed bent lijk je klein.

Slank en toch stevig, zoals alleen schepen en bepaalde vrouwen kunnen zijn.

Hij zei: 'Hoeveel afdrukken kun je eigenlijk van één stencil maken?'

'Duizend. Maar stil nu. Niet praten, niet denken. Niet nu. Denk aan mij. Denk aan jezelf. Dit is de enige kans.'

Woelde met haar hand door zijn haar. Legde hem ongedwongen op zijn buik.

'Wel,' zei ze. 'Wil je?'

'Ja.'

Pas veel later bewoog ze haar hand.

Heel zachtjes. Omlaag.

Even later zei ze: 'Zo goed?'

Hij zei niets. Pakte haar hard vast. Haar schouders. Haar borsten. Haar buik. Gleed met zijn vingers door het dichte haar. Tussen haar benen. Kwam dichterbij.

'Je bent een beetje bang voor me, niet?'

Ze tilde haar linkerbeen wat op, legde het over het zijne. Knie tegen knie, voet tegen wreef.

'Een heel klein beetje maar,' zei ze.

'Ja.'

'Ik lig op mijn rechterarm,' zei ze. 'Dat is onhandig.'

Ze ging overeind zitten.

'Zie je me nu,' zei ze.

'Ja.'

'Ik zie jou ook.'

Hij knikte.

'Dan doe ik nu het licht uit.'

Ze ging op haar knieën liggen en deed de lamp uit. Boog zich in het donker voorover en kuste met geopende lippen. Hij streelde zacht met zijn rechterhand vanaf haar heup langs haar rug en hals en voelde haar huid. Liet zijn hand licht op haar hoofd rusten. Ze begon zich te bewegen, bijna onmerkbaar in het begin. Gleed met het puntje van haar tong en haar lippen over zijn kin. Zijn hals en verder langs zijn borst, zijn buik. Loodrecht omlaag, als volgens een vastgestelde lijn. Kwam op de plaats van bestemming, betastte zijn lid, beet, zacht en licht en prikkelend, legde haar wang tegen zijn dijbeen.

'Je hebt een fijn lichaam,' zei ze.

Hij pakte haar vast om haar heupen en tilde haar op. Ze was licht en lag nu schrijlings op hem, steunend op handen en voeten. Hij hield haar voeten vast, stevig, en met een wisselende druk. Liet los. Streek zacht met zijn rechterhand langs haar kuit, haar dijbeen. Verplaatste haar knieën. Vond dat ze zo beter lag, met haar hielen op zijn borstkas. Helemaal open. Hij streelde haar, zijn vingertoppen beschreven een ellips. Zocht haar meest gevoelige plekje. Vond het zoals men iets vindt in het donker.

'Fijn?'

'Ja,' zei ze.

'Echt fijn?'

'Ja,' zei ze. 'Dat zul je wel merken.'

Ze lichtte haar wang van zijn dijbeen. Zijn lid richtte zich op onder de langzame, zekere bewegingen van haar smalle, sterke vingers. Hij voelde de tip van haar tong en alles concentreerde zich op dit ene punt. Daarna haar lippen, die zich eromheen sloten, zacht, dicht en vochtig. Haar tong en mond. Haar rusteloze bewegen. Ze was er, gleed op en neer, op en neer, op en neer, op en neer. Hoewel ze hem in de mond hield voelde hij geen keer haar tanden.

Als een welvende brug naar de oneindigheid. Zo lang en zachtjes stijgend. Boog, onontkoombaar op weg naar zijn breekpunt.

Dicht bij het breekpunt. Heel dicht. Heel heel dicht.

Het begon in haar. Als een zacht vibreren in haar voetzolen en benen. Daarna in haar hele onderlichaam, trillend en met onregelmatige schokken, en haar lange vingers waren nu hard, maar ze beet hem niet.

Manuel Ortega, ondergedompeld in mildheid, een ogenblik heel hardhandig. Zijn linkerhand om haar linkerborst. Die was zacht en klein en zijn greep heel heel hard. Daarna brak de boog en hij voelde de kramp uit zijn armen en benen en lendenen wegebben. Voelde het. Liggend met gespreide benen, pulserend en hulpeloos.

Danièa Rodriguez, verloren in zichzelf en ingekapseld in de nabevingen van de laatste erupties.

Ademen. Liggen. Lang liggen.

Ze bewoog zich en veranderde in het donker van houding. Hij stak de lamp aan. In halfliggende houding, steunend op haar elleboog, keek ze naar hem. Streek met haar vingertoppen langs zijn lippen.

'Dat was vast een hele tijd geleden voor je,' zei ze.
'Ja, een hele tijd.'
'Wat is een hele tijd?'
Hij moest erover nadenken.
'Negen, tien dagen. Maar voor jou was het niet zo lang geleden.'
'Nee, niet zo erg lang geleden.'
'Hoe lang dan wel?'
'Drie dagen. Nee, vier.'
'Die officier?'
'Nee.'
'Wie dan?'
'Je kent hem niet. Hij heet Ramón.'
'Ken je hem? Ik bedoel goed?'
'Ja.'
'Dat was dus niet de eerste keer?'
'Nee, nee.'
'Deed hij het goed, Ramón?'
'Ik mag hem graag, dat is het voornaamste.'
'Was hij het die je die blauwe plek bezorgde?'
'Welke?'
'Die op je buik.'
'Ja.'
'En die officier?'
'Dat was eerder.'
'Was die ook goed?'
'Dat weet ik niet. Ik mocht hem niet zo.'
'Maar je ging toch met hem naar bed?'
'Ja.'
'Het was dus waardeloos?'
'Met elkaar naar bed gaan is zelden helemaal waardeloos.'
'Ben je altijd zo?'
'Min of meer. Niet altijd. Bij tijden. Vind je dat erg?'
'Ja, ja. Dat vind ik heel erg.'
Ze ging met haar hoofd op zijn schouder liggen en legde haar hand op zijn borst.

'Vroeger was ik niet zo,' zei ze. 'Niet van jongs af aan. Maar ik ben zo geworden. Ik heb mij een paar maal aan iemand gehecht en ik meende het ernstig. Maar het ging niet. Het slot van het liedje was altijd, dat ik degene waar ik van hield gemeen behandelde. Daarom werd ik bang te nauw bij iemand betrokken te raken en om dat te voorkomen ben ik op deze manier gaan leven. Nu geloof ik dat ik me niet langer meer aan iemand kan hechten. Maar ik ben er niet zeker van en daarom heb ik lang geaarzeld in dit geval, in het geval Manuel.'

Ze zei dit op een met opzet komische toon en hij kon niet nalaten in lachen uit te barsten. Toen zei ze: 'Zo ben ik dus. Maar hoe ben jij?'

'Een tikje anders.'

'Bedrieg je je vrouw?'

'Zoals je ziet.'

'Vaak?'

'Ik doe het wel, maar niet zo vaak.'

'Met veel vrouwen?'

'Nee, zeker niet met veel vrouwen. En ik hou er niet van daarover te praten.'

'Je bent aardig,' zei ze. 'Dat staat vast.'

'Jij ook. Hoe voel je je?'

'Reusachtig slecht.'

'Wat doe je daar?'

'Ik zoek mijn sigaretten.'

Ze lag stil naast hem een sigaret te roken. Zei: 'Voel jij je ook zo reusachtig slecht?'

'Ja.'

'Denk er dan maar niet aan hoe je je overmorgen zult voelen.'

Even later: 'Zeg, we moeten aan het werk. Je mag niet gaan slapen.'

'Ik zou het bijna vergeten.'

Zo was het. Hij zou het bijna vergeten hebben.

Hij stond op en kleedde zich aan en ze zei: 'Heb je geen luchtiger kostuum dan dat?'

Hij schudde van nee.
'Ik zal zorgen dat je er morgen een hebt.'
Hij gespte zijn revolver om en trok zijn jasje aan. Ze lag nog altijd naakt op het bed, kaarsrecht.
'Sta jij niet op?'
'Jawel; wil je iets voor me doen?'
'Wat?'
'In mijn tas in mijn kamer zitten tampons. Wil je die even halen?'
Lopez zat op zijn draaistoel. Manuel deed de twee passen door de gang, pakte de deurknop vast en drukte die naar beneden. Op dat moment werd hij bang en kromp ineen. Legde zijn hand op de kolf van de revolver, deed de deur open, behoedzaam. Daarna bedacht hij hoe belachelijk hij er uit moest zien voor iemand die achter hem stond, strekte zijn rug en ging naar binnen. Hij nam haar tas in zijn geheel mee. Ze lag nog op bed.
Ze vond het pakje in haar tas, ging naar de douchecel en kwam terug. Liep op hem toe en kuste hem op de wang. Dertig seconden later was ze aangekleed en had zelfs kans gezien een kam door haar haren te halen.
Om halfdrie lagen er vijfhonderd exemplaren van de boodschap van generaal Larrinaga aan de bevolking op een stapeltje in de kast.
Fernandez had nu dienst en liep op zijn gummizolen langs de muren in het rond als een wild, opgesloten dier.
Ze hadden hard gewerkt en waren moe en doorweekt van het transpireren en nog altijd was de hitte zwaar en drukkend.
'Zullen we naar huis gaan?' vroeg ze. 'Ik bedoel dat je met mij mee naar huis kunt gaan. Als je wilt, natuurlijk.'
Manuel aarzelde lang.
'Nee,' zei hij ten slotte. 'Iemand moet hier blijven.'
'Ja, natuurlijk. Soms ben ik een beetje in de war.'
'Kun jij niet bij mij blijven?'
Haar beurt om te aarzelen.
'Nee, dat gaat niet. Nee.'

'Welterusten. Luister eens, het is al laat. Wil je mijn revolver hebben? Als je bang bent?'

'*Ik* ben niet bang.'

14

Het was de ochtend van de achtste dag en Manuel Ortega werd opnieuw wakker doordat Fernandez over hem heen gebogen stond en hem bij zijn schouders beetpakte.

Hij had de nacht tevoren geen slaappillen ingenomen en was onmiddellijk klaar wakker.

'Die dame is hier; ze zegt dat het belangrijk is.'

'Welke dame?'

'Die van ons, señora Rodriguez.'

'Laat haar maar binnen komen.'

Danīča kwam binnen. Ze rookte een sigaret en had een witte jurk aan.

'Dag,' zei hij.

'Sixto wil je graag ontmoeten.'

'Om deze tijd? En wie is die Sixto dan wel?'

Het was halfzes. Ze hadden geen van beiden meer dan hooguit twee uur geslapen.

'Hij is de districtsleider van het Bevrijdingsfront hier.'

'Wat wil hij? Me doodschieten?'

'Dat lijkt me niet waarschijnlijk. Maar ik weet het niet. Dat was het enige dat me gezegd werd, zo'n twintig minuten geleden.'

'Waarom komt hij zelf niet? Of hij kan toch bellen?'

'Hij wordt door de politie gezocht en de telefoon durft toch zeker niemand te gebruiken. Kom, maak wat voort!'

Tien minuten later waren ze op weg. Danīča Rodriguez reed. Manuel Ortega zat naast haar en op de achterbank zat Fernandez. Bij de zuidelijke uitvalsweg passeerden ze de politieversperringen. Ze reden voorbij de kazernes en namen een grindweg die door een stenig veld naar de zogenaamde zuidelijke sector leidde.

Danīča reed heel goed, snel en met een intuïtieve zekerheid.

Manuel nam haar van opzij op en zag dat er een kleine rimpel boven haar neuswortel ontstond wanneer ze al haar aandacht aan het ongelijke wegdek moest schenken.

'Hoe diep ben je eigenlijk betrokken bij die kringen?' vroeg hij.

'Zeer diepgaand.'

Ze remde af bij een opening in de stenen muur. Voor de radiator van de auto stond een agent met een machinepistool in de aanslag.

'Het was erg sympathiek van je dat je dit gisteravond niet vroeg, toen je dat spelletje "De waarheid zeggen" speelde,' zei ze.

Hij keek haar verwonderd aan en ze schudde haar hoofd en zei: 'Neem me niet kwalijk, ik voel me een beetje in de lappenmand vandaag en dan word ik gemeen.'

Ze lieten hun legitimatiebewijzen aan de gendarme zien, die in de houding ging staan en vroeg: 'Wilt u een escorte hebben?'

'Nee, dank u wel,' zei Manuel Ortega.

Daarna bedacht hij dat een escorte nu juist datgene was dat hij het liefst zou willen hebben.

Ze reed door een lange, bochtige straat tussen kleine grijsgele stenen huisjes door. In de open plekken tussen de vooroverhellende muren stonden alle mogelijke soorten geïmproviseerde woningen, van oude ijzeren vaten tot en met omgekeerde laadbakken van vrachtauto's op houten kisten en oude autobussen zonder wielen. De straat wemelde van de kinderen, varkens en honden, maar veel volwassenen waren er niet te zien. Danica gebruikte onafgebroken de claxon en de verwensingen van de kinderen regenden op hen neer.

Ze kwamen uit op een heel groot, driehoekig plein, dat vrij leeg was, behalve bij de waterput. Daar stonden enkele vrouwen met lemen kruiken in hun handen zich al tetterend te verdringen. Het plein was niet geplaveid, maar bestond uit gele aangestampte klei, die kurkdroog en gebarsten was, zodat er een ongelijk niveau ontstaan was. Midden op het plein wroetten varkens, kinderen en gieren in enkele grote hopen afval. De gieren werden door de auto opgeschrikt en vlogen op, zwaar klapwiekend. Tien meter verderop gingen ze weer zitten.

'Hier stoppen we,' zei Danica. 'De rest van de weg kunnen we beter lopend afleggen.'

Ze sloeg een smal steegje in en liep een korte trap af. Het stonk er naar urine en rottend afval en Manuel wilde zijn neus dichtknijpen, maar kon zich nog net beheersen. In plaats daarvan draaide hij zich om en keek naar Fernandez die een meter of drie achter hem liep, met opgetrokken schouders, lange glijdende passen en zijn rechterhand op zijn heup.

Danića hield stil voor een lage houten deur en klopte aan.

Het was duidelijk dat de manier waarop ze klopte een soort signaal inhield, maar hoewel het een kort signaal was, was het moeilijk te duiden.

Iemand schoof het luikje voor een kijkgat opzij. Onmiddellijk daarop zwaaide de deur open.

Danića deed een stap opzij en liet Manuel het eerst naar binnen gaan. Fernandez volgde hem. Ze stonden in een kille kamer; in de ruwe stenen muren zaten geen ramen. Het daglicht dat door het luchtgat en de kieren in de deur naar binnen drong, vulde de kamer met een grijswit, onwezenlijk licht. De man die opengedaan had was waarschijnlijk iets jonger dan hijzelf. Hij was gekleed in rubberlaarzen en een slordig dichtgeknoopte overal, die met een leren riem om zijn middel aangesnoerd was. Zijn gezicht was bruingebrand en zijn gelaatstrekken zwaar en krachtig. Hij had bruin, krullend haar en daarbij blauwe ogen. Danića had de deur weer dichtgetrokken en er de grendels voorgeschoven.

'Dag Ramón,' zei ze en gaf hem een licht en vriendschappelijk tikje op de wang.

Manuel Ortega voelde een zwakke jaloezie in hem opkomen, die echter meteen weer verdween. Ze gingen enkele traptreden op en kwamen in een volgende kamer zonder vensters. Achter in het vertrek stond een ovale tafel met twee lange houten banken. Achter de tafel zat een man de loop van een pistool schoon te maken. Hij was zwaar en krachtig gebouwd en had heel licht kortgeknipt haar.

'Dit is Sixto,' zei Danića. 'Hij is de districtsleider.'

'En hoofd van de politieke afdeling van het Bevrijdingsfront,' zei de man en stond op. 'Gaat u zitten alstublieft.'

Ze schudden elkaar de hand en gingen zitten.

Fernandez had zich onmiddellijk bij de muur opgesteld. Zijn blik vloog tussen de beide mannen heen en weer. De man met het kortgeknipte haar nam hem op, stopte het magazijn in zijn pistool en legde dit demonstratief weg.

'Gaat u toch ook zitten,' zei hij. 'Hier wordt niet geschoten, hier wordt gepraat.'

'Ga zitten, Fernandez,' zei Manuel Ortega.

Ten slotte ging Fernandez zitten, maar nog steeds aarzelend en helemaal aan het eind van de bank.

'Om met de deur in huis te vallen,' zei Sixto, 'we zijn bereid te onderhandelen. Dat is altijd onze wens geweest. Maar we eisen daadwerkelijke garanties. In de eerste plaats wensen wij dat de onderhandelingen op neutraal terrein gevoerd zullen worden, in het buitenland dus.'

'Dat gaat eenvoudig niet. Daar hebben we geen tijd voor. De conferentie moet binnen zes dagen beginnen.'

'Welke plaats had u dan gedacht?'

'Dat maakt me niets uit. Hier in de stad bijvoorbeeld.'

'Dat is voor ons onaanvaardbaar. Eventueel kunnen we genoegen nemen met een plaats ergens in de provincie, met een gedemilitariseerde zone van tien kilometer. Binnen deze tien kilometer mogen geen politie en geen militairen komen.'

'Dat valt natuurlijk te regelen. Ik vermoed niet dat de andere partij daar iets op tegen zal hebben.'

'Als we nu even aannemen, dat wij met uw plan instemmen,' zei Sixto, 'wat zijn dan de voorwaarden?'

'Een eerste voorwaarde is dat alle gewelddaden onmiddellijk stopgezet worden. Vanaf het moment dat besloten is een conferentie te beleggen zal er een wapenstilstand van kracht zijn. Door de regering wordt alle deelnemers vrijgeleide gegarandeerd naar en van de plaats van samenkomst.'

'Hoe weten we dat we daarop kunnen vertrouwen?'

'Ik ben de vertegenwoordiger van de federale regering en u zult mij moeten vertrouwen. De belofte van de regering is bindend. Ik sta als representant van de regering garant voor het feit dat deze belofte nagekomen zal worden. Anders zou ik immers niet hier zijn, in eigen persoon bedoel ik.'

'Wij kennen u niet,' zei Sixto.

'U moet mij en de regering vertrouwen. Anders is iedere samenwerking onmogelijk.'

'Nu moet u eens goed luisteren. Sinds de toegangswegen over de grens afgesloten zijn, is onze situatie heel moeilijk geworden. Dit is een publiek geheim, dus ik kan het rustig zeggen. Daarom kunnen wij het ons niet permitteren risico's te nemen. Tussen twee haakjes, wie zullen onze onderhandelingspartners zijn?'

'De leiders van de Burgerwacht. Onder voorzitterschap van mij en enkele assistenten, waaronder vermoedelijk señora Rodriguez en nog iemand anders. Ik acht het van het grootste belang dat het een bijeenkomst wordt op het hoogste niveau, dus tussen de werkelijke topleiders binnen de beide organisaties. Daarom had ik gedacht de partijen elk drie of vier vertegenwoordigers van hun tegenstander te laten aanwijzen.'

'Dat is wel wat erg onorthodox. Is dat voorstel van uzelf afkomstig?'

'Ja.'

'Zoals ik al zei, ik vind het een heel onorthodox idee. Maar u hebt in zoverre gelijk, dat als er een conferentie plaats vindt, het een topconferentie moet zijn.'

'U bent dus bereid dit voorstel te aanvaarden?'

'We zijn nergens toe bereid. Uw woord dat de regering haar belofte zal nakomen is ons niet voldoende. We willen meer garanties.'

'U kunt en zult vanzelfsprekend een uitvoerige schriftelijke verklaring krijgen, waarin ieder punt duidelijk vastgelegd is. Ondertekend door leden van de regering, als u dat wenst. Daar u niet op mij persoonlijk schijnt te vertrouwen.'

'Zo zou het bij voorbeeld geregeld kunnen worden,' zei Sixto.

'Op welke manier kan ik contact met u opnemen.'

'Op het moment dat wij een besluit genomen hebben – en dat besluit wordt bepaald door de garanties die u namens de regering en namens u zelf kunt verstrekken, – op dat moment zullen wij een contactman, een soort verbindingsofficier naar u toe zenden.'

'Wie zal dat zijn?'

'Een man die Ellerman heet, Wolfgang Ellerman.'

'Is hij op korte termijn beschikbaar?'

'Ja.'

'Ik wil er nogmaals met nadruk op wijzen dat de belangrijkste voorwaarde is, dat alle gewelddaden stopgezet worden en dat de meer actieve elementen in bedwang gehouden worden.'

De man achter de tafel wierp hem een vermoeide blik toe.

'Al anderhalf jaar houden wij in deze provincie een kwart miljoen mensen in bedwang, om te verhinderen dat ze door de militairen en de politie afgeslacht worden.'

'Het leger heeft zich teruggetrokken.'

'En de politie heeft de terreurdaden overgenomen. Eergisteren nog werd de bevolking van een heel dorp uitgemoord. Drie dagen geleden zijn tweeënveertig mensen, die voor het grootste deel ongewapend waren, door de politie en leden van de Burgerwacht in het noordelijk deel van de stad vermoord, de dag daarvoor elf door een zogenaamd springcommando, en daarvoor... tja, wat heeft het voor zin het allemaal op te sommen. Dacht u werkelijk dat het de politie was die een einde gemaakt heeft aan de onlusten van drie dagen geleden? Nee, dat waren wij. Het zijn onze mensen die de rust onder de bevolking hersteld hebben en hen in bedwang hebben gehouden. Anders zou er spoedig een algemeen bloedbad zijn gevolgd.'

Plotseling balde hij zijn vuist en sloeg op de tafel.

'Maar,' zei hij, 'als er even een kans van slagen was geweest, zouden we de massa niet tegengehouden hebben, maar ze zijn voorgegaan in de strijd. Zoals het er voorstond zou het enige resultaat het zinloos offeren van mensenlevens geweest zijn.'

Manuel Ortega hield de blik van de man vast en zei: 'Het meeste is ons bekend. Daarom hebben wij van onze kant dan ook bepaalde maatregelen getroffen. Een gevolg van de gebeurtenissen in Santa Rosa is, dat de politie het bevel heeft gekregen zich vanaf heden aan het federale politiereglement te houden en dat het haar verboden is militaire uitzonderingsbepalingen toe te passen.'

Sixto wierp een blik op Danića Rodriguez, die bevestigend knikte.

'U weet u goed uit te drukken, maar de tijd dat praten enige indruk op ons maakte is al lang voorbij.'

Hij maakte aanstalten om op te staan door de rand van de tafel vast te pakken. Manuel zei snel: 'Eén ogenblik nog, ik wou nog een paar dingen zeggen. Een vertegenwoordiger van de Burgerwacht heeft al contact met mij gehad...'

'Wie was dat?'

'Dalgren... en ik ben het een en ander met hem overeengekomen. Teneinde tijd te winnen zou het van groot nut zijn als u nu reeds een voorstel zou kunnen doen voor een eventuele plaats van de conferentie en ten tweede als u mij voorlopig vier namen van vertegenwoordigers van de Burgerwacht zou kunnen noemen, die u aan de conferentietafel zou willen zien plaatsnemen.'

'Tja,' zei Sixto en speelde met zijn pistool. 'Waar?'

Hij keek naar Ramón, die heimelijk door middel van een knikje zijn instemming betuigde.

'Mercadal,' zei Sixto. 'Mercadal is niet zo gek. Het is een klein plaatsje ongeveer veertig kilometer ten zuiden van hier. Er staat ook een voor ons doel geschikt huis, een militaire post die gemakkelijk ontruimd kan worden.'

Manuel keek naar Danića Rodriguez.

'Maak een notitie,' zei hij.

'En dan de vier vertegenwoordigers, dat is niet zo moeilijk. Dat zijn graaf Ponti, Dalgren, José Suárez en natuurlijk kolonel Orbal.'

'Kolonel Orbal?'

'Ja. Hij is de oprichter en organisator van de Burgerwacht. Wist u dat niet?'

'Nee, dat wist ik niet.'

'En één ding moet u goed onthouden. We vechten wel met onze rug tegen de muur, maar we zijn allesbehalve machteloos.'

'Dat weet ik.'

'Degene die ons er in laat lopen, lukt dat meestal maar één keer. Wat ze ook mogen zeggen, wij hebben de vorige gouverneur niet van het leven beroofd, maar dat wil niet zeggen dat...'

'Dat weet ik en bovendien wint u er niets bij mij te bedreigen.'

'Wat weet u?'

'Dat jullie Larrinaga niet vermoord hebben. Maar jullie hebben wel massa's anderen vermoord, als ik niet foutief ben ingelicht.'

Sixto scheen het antwoord schuldig te blijven. Hij fronste zijn voorhoofd en stond op.

'Kan ik u hier bereiken?' vroeg Manuel Ortega.

'Tien minuten nadat u vertrokken bent zal niets ter wereld mij meer hier kunnen houden.'

Ze schudden elkaar de hand. Sixto stopte zijn pistool bij zich. Ramón liet hen uit.

Later, in de auto, vroeg Manuel Ortega: 'Wat zijn dat voor mensen. Het zijn in geen geval Indianen.'

'De meesten die de leiding hebben van de diverse districten zijn arme blanken of halfbloeden, die om uiteenlopende redenen in de achterbuurten hier of in de dorpen op het platteland opgegroeid zijn. Ramón komt uit hetzelfde dorp als ik.'

'Bematanango?'

'Je hebt een goed geheugen.'

'En Sixto?'

Ze reed schuin het plein over en remde voor de ingang af.

'Sixto...'

Ze maakte haar zin niet af, maar lachte kort en kil.

'Vraag dat de volgende keer maar als we met elkaar naar bed zijn geweest. Dan ben ik weerloos.'

Tien minuten later voerde Manuel Ortega zijn eerste gesprek van die dag met Behounek.

'Met de communisten? Met wie dan?'

'Met een zekere Sixto.'

'Aha, allemachtig. Sixto Boreas. Stel je voor; nog maar drie dagen geleden zou ik een hele stadswijk omsingeld hebben als ik geweten had dat hij zich daar schuilhield. Nu zullen we het maar over zijn kant laten gaan. Hij is geen echte topfiguur, maar wel gevaarlijk.'

'Wie is José Suárez?'

'Een journalist. Hoofdredacteur van de plaatselijke krant, de "Diario". Een goede vriend van Dalgren, en een hele piet bij de Burgerwacht.'

'Hoe was het vannacht?'

'Zo zo.'

'Wat bedoelt u met zo zo?'

'In de noordelijke sector zijn twee mensen neergeschoten. In de oostelijke één. Ze werden vanochtend dood aangetroffen. Diep in het zuiden een overval van de partizanen, waarbij vier mensen zijn vermoord. Dat is alles wat ik op dit moment weet.'

Er moet een wapenstilstand komen, dacht Manuel Ortega. Er moet een wapenstilstand komen. Nu. Vandaag. Tot elke prijs.

Daarna herinnerde hij zich de proclamatie en wat hij op het punt stond te doen.

Hij liep naar het raam en keek uit over het lege plein en de palmen en de vierkante huizen op de achtergrond.

Zo had de stad er op dit uur altijd uitgezien en iedere ochtend had hij zich opnieuw afgevraagd of hij haar voor de laatste maal zag.

15

Het was vijf minuten over acht. Als een muur stond de hitte achter het raam, compact, verblindend, verschrikkelijk.

De waterleiding deed het niet. De stem van de commandant van de genietroepen klonk vermoeid en berustend. Vroeg om nog eens twaalf uur.

De telefoonverbindingen met het noorden van het land waren nog steeds verbroken. In de centrale zeiden ze dat de storing in de buurt lag van de grens van de provincie, in een afgezet gebied waar juist militaire manoeuvres gehouden werden.

Het hoofdkwartier van het derde regiment infanterie deelde mee dat ze niet verwachtten dat generaal Gami en kolonel Orbal de eerstkomende drie dagen terug zouden zijn.

Kolonel Ruiz had dysenterie en was in het militaire hospitaal opgenomen. Zijn stafchef rapporteerde dat acht van de vijfentwintig tankwagens voor reparatie in de werkplaats stonden.

Een onbekend persoon zei uit naam van Dalgren dat het vraagstuk van de plaats van de conferentie en het aanwijzen van de delegatieleden onmiddellijk door het uitvoerend comité van de Burgerwacht in behandeling genomen zou worden.

Manuel sprak met Daniča.

'Bel het radiostation op en zeg dat ze vanaf dit moment iedere vijf minuten aankondigen dat ik een toespraak zal houden.'

'In orde.'

Haar gezicht stond hard en gespannen.

'Hoe moeten de vlugschriften verspreid worden?'

'Dat heb ik al geregeld. Het is beter als je niet weet op welke manier dat gebeurt.'

'Het voorlezen van de proclamatie duurt hooguit vier minuten. Denk je dat ze de stroom zullen uitschakelen?'

'Het hangt er vanaf wie het eerst verbinding krijgt.'

'Hoe voel je je overigens?'

'Ik heb een verschrikkelijke pijn in mijn ene borst.'

'Dat spijt me.'

'Daar is de pijn niet mee over.'

Manuel Ortega zat aan zijn schrijftafel. Zijn hart bonsde en zijn handen trilden. Hij moest naar de w.c., hoewel hij vijf minuten geleden ook al geweest was.

Fernandez kauwde. Buiten was de wereld wit.

Het werd kwart over negen. Het werd twintig over negen. Niemand belde op, zelfs Behounek niet.

Vijf voor halftien. Over tien minuten moest hij weg. Hij ging naar de w.c. Het angstige lopen door de gang. De Astra als een loden last tegen zijn hart.

Danič̌a zette de radio aan. De stem van de omroeper had een geroutineerde, onheilszwangere klank: *Hier volgt een belangrijke mededeling. Om klokslag tien uur richt de gouverneur van de provincie zich tot de bevolking. Wij wekken iedereen op te luisteren.*

Harde, schetterende muziek.

Toen hij zijn handpalmen op het bureau legde bleef er een vochtige afdruk op het bruine vloeiblad achter.

Fernandez gaapte en peuterde aan zijn nagels.

Een zweetdruppel viel van het voorhoofd van Manuel Ortega op de proclamatie van generaal Larrinaga.

Hij veegde zijn handen af aan zijn broekspijpen en op de lichte stof werden grote donkere plekken zichtbaar.

Hier volgt een belangrijke mededeling. Om klokslag tien uur richt de gouverneur van de provincie zich tot de bevolking. Wij wekken iedereen op te luisteren.

Hij stond op. Vouwde de proclamatie dicht en stopte die in zijn linker binnenzak. Daarna in zijn rechter binnenzak. Zette zijn zonnebril op. Pakte zijn hoed. Zei tegen Fernandez: 'Het radiostation.'

Een vrouw in een witte jurk die hem ernstig aankeek. Ze zei niets, gaf geen enkel teken.

Manuel Ortega liep de witte gang door, de witte trap af, de witte hal door voorbij de witte toonbank van de receptie en de agent in het witte uniform, reed door een witte stad. Keek recht voor zich uit, dacht aan niets.

Zelfde studio, zelfde omroeper met rode, etterende puisten op zijn voorhoofd en bleke armen. De muren stonden krom van de hitte. Twee technici in nethemden achter de glazen wand. Ze droegen amuletten aan zilveren kettinkjes om hun hals en spraken met elkaar. De ene had haren op zijn borst en dronk aan één stuk door uit een metalen kroes.

De waarschuwingslichtjes, dood als blinde ogen. Fernandez bij de muur. De omroeper die zei: 'Als het sein tot spreken wordt gegeven, blijf ik nog even om u aan te kondigen. Dan verdwijn ik. Wat voor soort muziek zullen we daarna opzetten? Een mars?'

Zijn hart bonsde, hevig en onregelmatig en het beverige gevoel in zijn maagstreek wilde maar niet ophouden. Hij verbeeldde zich dat zijn stem hem in de steek had gelaten en schraapte een paar maal zijn keel. Het velletje papier ritselde in zijn zweterige vingers.

Groen lampje. De technici achter het glas praatten nog steeds met elkaar, maar keken naar iets dat voor hen lag. Rood lampje. De omroeper boog zich over zijn schouder en zei op ongedwongen toon: 'Hier volgt een belangrijke mededeling voor de bevolking. Wij geven het woord aan de gouverneur der provincie, Don Manuel Ortega.'

Manuel had intussen als verlamd naar het groene vilten kleed zitten staren. Hij wist nu zeker dat zijn stembanden niet meer functioneerden en dat zijn stem al bij het eerste woord een hees en onverstaanbaar gekras zou voortbrengen.

Daarna was hij bijna verbaasd toen hij zichzelf plotseling hoorde spreken, kalm en duidelijk en vol overtuiging: 'Dit is Manuel Ortega. Als gouverneur der provincie is het mijn taak voor vrede en veiligheid in dit gebied zorg te dragen. Het is eveneens mijn taak voor alle burgers in deze provincie de mogelijkheden te scheppen om tot een waardiger en rijker leven te komen, zowel in materieel als in geestelijk opzicht. Deze taak zal ik zo goed mogelijk proberen te vervullen. Mijn voorganger, generaal Orestes de Larrinaga was een groot en wijs man. Voor zijn dood schreef hij een proclamatie, die ik u thans ga voorlezen. De proclamatie is bestemd voor u allen, zonder uitzondering; zij geeft de richtlijnen aan voor mijn werkzaamheden en die van mijn opvolgers. Hier volgt de boodschap van generaal Orestes de Larrinaga aan u, door hemzelf opgesteld.

Hij las de zeventien punten langzaam en met nadruk voor, al die tijd verkerend in een toestand van onwerkelijkheid. Het enige dat bestond waren de letters en woorden en een klein geel spinnetje, dat langzaam, langzaam dwars over het papier kroop.

Op het moment dat hij de laatste woorden Orestes de Larrinaga, generaal, gouverneur der provincie uitsprak, wist hij dat hij er nog iets aan toe moest voegen: 'Ik kan u nog meedelen dat ik hier in mijn hand een beëdigde verklaring heb van de dochter van de generaal, Doña Francisca de Larrinaga, waarin zij instaat voor de echtheid van het document. Ik wil er ook de nadruk op leggen dat er een groot aantal aanwijzingen zijn die er op duiden, dat de in deze proclamatie neergelegde opvattingen de dood van de generaal ten gevolge hebben gehad. Persoonlijk ben ik van mening dat hij om het leven is gebracht om te verhinderen dat hij de zeventien punten die u zojuist gehoord hebt bekend zou maken. Daaruit volgt ook dat de organisatie die beschuldigd wordt van zijn dood naar alle waarschijnlijkheid, wat deze misdaad betreft, vrijuit gaat.'

Hij hield even op met spreken. Het rode lampje brandde nog steeds.

'De regering heeft mij opgedragen zijn werkzaamheden ten bate van de vrede en het algemeen belang te voltooien. Aan de huidige gespannen en moeilijke situatie zal binnenkort een einde komen... er zal een vredesconferentie belegd worden. Nadere bijzonderheden zullen in een extra uitzending vanmiddag om twaalf uur bekend worden gemaakt.'

Alle lichten waren uit.

Manuel Ortega bleef met gebogen hoofd aan de tafel zitten. Zijn handen op het groene vilt wekten de indruk klein en week en willoos te zijn. Zweetdruppels van zijn gezicht vielen op het vuile, beduimelde papier.

Fernandez zat tegen de muur, zijn benen voor zich uitgestrekt, onverschillig met een afgebroken lucifer tussen zijn tanden te peuteren.

De beide technici achter de glazen wand praatten en gesticuleerden opgewonden met elkaar. Zo nu en dan wierpen ze een verlegen en nieuwsgierige blik op de man achter de groene tafel.

Manuel Ortega hief zijn rechterhand op, zette zijn duim op het gele spinnetje en drukte het dood. Daarna stond hij langzaam op en liet het papier op de tafel liggen.

De omroeper kwam binnen. Zijn gezicht was zweterig en verhit. De warmteblaasjes op zijn wangen gloeiden, hadden een boosaardige kleur.

'Ja, ik had geen gelegenheid de uitzending te besluiten,' zei hij, 'hij werd ineens afgebroken...'

'Wanneer?'

'Ik weet niet precies wanneer er niet meer werd uitgezonden.'

Manuel Ortega haalde een getypt velletje papier uit zijn jaszak.

'Dit is een belangrijke mededeling over het vredescongres,' zei hij. 'Die moet voor het eerst om twaalf uur en daarna één keer per uur uitgezonden worden.'

'We moeten het op de band zetten,' zei de omroeper nerveus. 'Van nu af aan mag er niets meer direct uitgezonden worden. Dat is een nieuwe order.'

'Wie heeft die order uitgevaardigd?'

'De militaire gouverneur, generaal Gami.'

De kleine, grijze auto reed door de witte, lege stad; at zich door de trillende hitte heen. Er waren maar weinig mensen buiten. De straten tussen de rijen stoffige palmen lagen kaarsrecht en verlaten. Aan beide zijden stonden de grote, witte kubussen met de gesloten, witte luiken.

Op het kruispunt van de avenida en de Calle del General Huerta stonden vier mannen met de gele banden van de Burgerwacht om hun arm. Het leken huisvaders van middelbare leeftijd. Eén van hen hief zijn geweer op en richtte het op de auto. Manuel Ortega zag het en dacht: Nu ga ik dood. Hij hoorde een langgerekt, steunend gehijg en wist dat hij het zelf voortbracht.

'Trek u toch niets aan van dergelijke stupiditeiten,' zei Fernandez kalmpjes. 'Als het gebeurt dan niet op die manier. Die vent had niet eens de moeite genomen de veiligheidspal van zijn donderbus los te maken.'

Op de achterbank zat Gomez met een kort machinegeweer op zijn knieën. Manuel vroeg zich af waar hij zo gauw vandaan gekomen was.

Een wit plein met witte monumentale bouwwerken, de witte hal en de toonbank van de receptie en de vlek op de grond waar generaal Larrinaga met doorboorde borstkas en bloed op zijn witte uniform gelegen had. De trap en de witte gang en de angstaanjagende witte deur. Hij durfde hem niet open te doen, maar draaide zich om en liep door de kamer van de kanselier heen, waar trouwens geen kanselier was maar alleen stapels statistische tabellen op het schrijfbureau, naar de kamer van de vrouw in de witte jurk.

'De uitzending werd afgebroken,' zei hij.

'Ja, maar niet voor je aan je op één na laatste zin toe was.'

Fernandez rammelde met zijn zonnebloempitten.

De telefoon ging.

'Een ogenblikje alstublieft, ik zal het even vragen.'

Ze dekte met haar handpalm de hoorn af.

'Hier is de secretaresse van Dalgren, ben je bereikbaar?'

Hij nam de hoorn over. Het meisje verbond hem door. Toen was Dalgren daar. Zijn stem scheen van heel dichtbij te komen, indringend, alsof de spreker vlak naast hem stond en al doorgedrongen was in zijn bewustzijn. De stem was droog en hard en raspend, als schuurpapier over roestig plaatijzer.

'Jongeman, u hebt een noodlottige misstap begaan. Ik kan u niet langer beschermen. Ik wil dat ook niet. U hebt de naam van mijn oude vriend Orestes door het slijk gehaald. U hebt ons allemaal verraden. Het zal mij verbazen als u morgen om deze tijd nog in leven bent.'

Een metaalachtige klik en vervolgens een doodse, lege stilte.

Het gesprek was afgelopen en Manuel Ortega bleef met de hoorn in zijn hand staan tot Danica hem die afpakte.

Hij fronste zijn wenkbrauwen en schudde even met zijn hoofd

alsof hij probeerde zich op een heel ernstig, heel praktisch probleem te concentreren.

'Ze zullen me doden,' zei hij.

'Dan zullen ze er toch minstens twee moeten doden,' zei Fernandez onbewogen.

Hij stond met één voet in elk van de twee kamers, terwijl hij met zijn rug tegen de deurpost leunde.

'Nee,' zei Danića Rodriguez vol overtuiging. 'Ze zullen je niet doden. Waarschijnlijk zullen ze het niet eens proberen. Ze durven niet.'

De telefoon ging weer.

'Nee, de gouverneur is niet voor énen bereikbaar.'

Ze pakte haar tas van de grond en stond op.

'Kom,' zei ze.

In het vertrek achter hen rinkelde de telefoon.

In zijn slaapkamer gekomen ging hij op zijn bed zitten wachten. Ze liet hem alleen, maar kwam onmiddellijk daarop terug en sloot de deur achter zich.

'Kleed je uit,' zei ze.

Hij gehoorzaamde. Zijn kostuum was gekreukeld en vochtig, zijn ondergoed doorweekt. Ze maakte zijn zakken leeg en gooide de kleren op een hoop op de grond.

'Vooruit naar de douchecel.'

Hij ging.

'Buk je voorover, zó ja. En nu opzij.'

Ze goot langzaam twee kruiken water over hem uit en hij huiverde van de kou. Enkele van zijn nog functionerende hersencellen registreerden een verbazingwekkend detail: het grote gemak waarmee ze de zware kruiken optilde.

'Je bent sterk,' zei hij.

'Ja, ik ben een sterk en gezond meisje.'

Ze pakte een schone handdoek en begon hem droog te wrijven. Haar bewegingen waren doelbewust en snel en precies.

'Je lichaam is net zo fijn als de laatste keer,' zei ze. 'Dat vindt lang niet iedereen zo gauw daarna.'

Ze haalde een glazen tubetje uit haar tas, legde een tabletje in zijn hand en zei: 'Slik dit in en neem een beetje water na.'

Terug in zijn slaapkamer haalde ze de sprei en de deken van het bed, sloeg het laken open.

'Ga liggen.'

Hij deed wat ze zei en ze trok het laken over hem heen. Hij lag op zijn zij naar de muur te staren en zei: 'Ik ben hier niet voor geschikt, neem me niet kwalijk.'

'Je bent erg moe en een tikje bang. Je bent een beetje van streek en dat ben je niet gewend. En verder heb je niet meer dan twee uur slaap gehad vannacht. Denk er liever aan dat je vandaag een daad hebt gesteld en daar zou je blij mee moeten zijn.'

'Je bemoedert me.'

'Daar ben ik nooit erg goed in geweest, noch in het bemoederen van mezelf noch van anderen, maar soms is het nodig. Maar nu moet je stil zijn en gaan slapen. Ik ben hier, Fernandez zit in de andere kamer en Gomez zit op de gang. Bovendien gebeurt er niets.'

'Mijn revolver,' zei hij.

Ze pakte hem en legde hem op het nachtkastje. De Astra. Hij nam hem op en legde hem onder zijn hoofdkussen.

Ze stak een sigaret op, liep naar het raam en keek tussen het latwerk van de luiken door naar buiten, terwijl ze stond te roken. Zo nu en dan beet ze op haar nagels. Zonder zich om te draaien zei ze: 'Als je wilt kan ik me uitkleden en bij je komen liggen. Met blauwe plekken en al.'

Toen hij geen antwoord gaf, ging ze naar het bed en zag dat hij sliep. Ze liep een paar maal de kamer op en neer. Toen doofde ze haar sigaret in de asbak en ging weg.

'Ja,' zei ze voor zich heen, 'ze zullen hem doden.'

Op de gang hoorde ze de telefoon al rinkelen.

Buiten op het plein dreven politieagenten in witte uniformen een menigte tierende mensen uiteen, die zich voor de stoep van het gouvernementspaleis verzameld had.

16

Toen hij wakker werd zat het laken aan zijn lichaam vastgeplakt. Het was Danića die hem gewekt had en zij was het ook die nogmaals water over hem uitgoot in de douchecel. Daarna ging ze weg en enkele minuten lang voelde hij zich uitgerust en betrekkelijk kalm. Maar net toen hij het witte kostuum van teryleen opnam om het in het daglicht te bekijken, schoot hem Dalgrens stem te binnen en daarna, terwijl hij zich aankleedde, maalde deze onafgebroken door zijn hoofd: droog en raspend en onverzoenlijk.

U hebt ons allemaal verraden. Het zal mij verbazen als u morgen om deze tijd nog in leven bent.

Hij moest ook denken aan het lid van de Burgerwacht dat op de hoek van de Calle del General Huerta zijn geweer op hem gericht had en wat er op dat moment in hem omging.

Toch geloofde hij dat hij toen diep in zijn binnenste gevoeld had dat het gebaar niet ernstig genomen hoefde te worden. En daar kwam nog bij dat hij niet alleen was geweest.

Toen hij de deur naar de andere kamer opendeed stond Lopez van zijn stoel op en verdween in de gang. Lopez bewoog zich onhoorbaar en behoedzaam alsof hij op zijn tenen liep. Soms deed hij denken aan een onderdanige kelner die wel altijd bij de hand wil zijn, maar die probeert de gasten niet te irriteren met zijn aanwezigheid.

Het kostuum was licht en zat prettig. Het had een goede pasvorm en toen hij het jasje dichtknoopte, merkte hij dat dit zo ruim was dat het niet over de revolver spande.

Toen hij dit eenmaal geconstateerd had, trok hij het jasje weer uit, maakte zijn boord los en ging naar de wastafel om zich te scheren. Daar was vanochtend niets van gekomen en bovendien greep hij iedere geldige reden aan om het contact met de gang en de witte deur naar zijn kantoor zolang mogelijk uit te stellen.

Een kwartier later was het moment onherroepelijk aangebroken.

Hij voelde of zijn revolver goed in de holster zat, deed de deur open en zag Lopez op de draaistoel zitten. Stak in twee passen de gang over, legde zijn linkerhand op de deurknop en schoof zijn hand in zijn jasje.

Nog altijd had Lopez geen aanstalten gemaakt op te staan. Manuel moest om deze traagheid glimlachen, daarna duwde hij de deur open en deed een stap over de drempel.

De kamer was leeg en wit en heet en door de gesloten deur naar het secretariaat hoorde hij Danića praten. Ze was kennelijk aan het telefoneren en haar stem klonk stug en obstinaat en was nauwelijks nog beleefd te noemen.

Hij liep naar het raam en keek naar buiten. Beneden bij de ingang stonden twee witte politieagenten, terwijl er vijf op de stoep een sigaret zaten te roken. Ongeveer op het midden van het plein stond een groepje mensen, meest vrouwen en scholieren. Het leek erop dat ze wachtten of er iets zou gebeuren.

Danića Rodriguez kwam de kamer binnen.

'Hoe voel je je?'

'Dank je. Een stuk beter.'

'Past het kostuum?'

'Ja, dank je wel. Ben je vaak lastig gevallen?'

'Een paar gekken hebben opgebeld en buiten is het wat lawaaiig geweest.'

'Waren er dreigementen?'

Ze knikte.

'Er zijn een stuk of zeven, acht brieven gekomen.'

'Wat staat er in?'

'Hetzelfde ongeveer wat Dalgren over de telefoon zei, alleen wat grover geformuleerd.'

'Heeft kapitein Behounek nog iets van zich laten horen?'

Ze schudde van nee.

'Maar er valt ook iets positiefs te melden. Sixto heeft een brief gestuurd. Met een speciale boodschapper. Een half uur na de eerste radio-oproep.'

'Het communiqué over de conferentie wordt elk uur uitgezonden,' voegde ze eraan toe.

'Geef me die brief even en bel daarna kapitein Behounek op. Die dreigbrieven wil ik ook hebben.'

De telefoon rinkelde voor hij tijd had gehad de grijze envelop met het rode stempel van het Bevrijdingsfront open te scheuren.

'Ja, Behounek.'

'Met Ortega. Ik had verwacht dat u wel zou bellen.'

'Kom, kom, hebben er al niet genoeg mensen gebeld. Ik heb hier een lijst met twaalf personen die u met de dood bedreigd hebben, de lijst loopt van een heel hoog potentaat met wie u zelf het genoegen hebt gehad te praten tot en met een taxichauffeur en de beruchte dame uit de parfumeriewinkel. Wat vindt u dat ik met ze moet doen?'

'Zijn hier dan ook taxi's?'

'Ja, een paar, maar ik begrijp niet wie er gebruik van maken. Er wonen niet veel mensen meer in de binnenstad. Zestig procent van de huizen staat leeg. Dat komt omdat een deel vertrokken is, en omdat de huizen fout gebouwd zijn. De ventilatie schijnt heel slecht te zijn.'

Manuel Ortega voelde iets van de spanning uit zich wegebben. Het alledaagse karakter van het telefoongesprek deed hem goed.

'Maar in alle ernst nu, ik heb u niet vergeten. Een poosje geleden al heb ik twee patrouilles instructie gegeven de omgeving van het gebouw in de gaten te houden. Dacht dat dat effectiever was dan een hoop onzin uit te kramen.'

'De mensen zullen wel niet veel goeds meer van me denken.'

'Dat moet u niet zeggen. Mijn mensen in de oostelijke sector hebben gerapporteerd dat u aanhangers hebt die met rode verf op de muren "Viva Ortega!" schrijven. Dat is zo gek nog niet. Natuurlijk kunt u niet verwachten dat alle bevolkingsgroepen even enthousiast zijn.'

'Het allerbelangrijkste op dit moment is de conferentie.'

'Zo is het.'

'Denkt u dat die in gevaar is gebracht?'

'Nauwelijks. Eerder andersom. Maar...'

Hij maakte zijn zin niet af.

'Wat maar?'

Toen Behounek opnieuw begon te spreken was het op een andere toon en met een andere klank in zijn stem. Manuel had hem al eerder op die manier horen spreken, in de auto op weg naar het witte huis met de blauwe luiken.

'Ortega, luister goed naar wat ik nu ga zeggen. U hebt een groot risico genomen. Persoonlijk ben ik van mening dat u niet helemaal ongelijk hebt, maar dat zullen we nu maar buiten beschouwing laten. Ik geloof niet dat u de conferentie in gevaar hebt gebracht, maar wel iets anders, waaraan u toch op z'n minst enige waarde zou moeten hechten. Uzelf namelijk. U verkeert in een levensgevaarlijke positie. En morgen zal het nog erger zijn. Maar aan de andere kant is het niet ondenkbaar dat de druk binnen een paar dagen afneemt. Er zijn twee oplossingen mogelijk, maar ik vrees dat u geen van beide zult accepteren. Oplossing nummer één: u vlucht, nu, onmiddellijk. Ik kan u tot aan de grens een escorte meegeven, we zouden ook een helikopter kunnen vorderen. Oplossing nummer twee: u roept de hulp van de politie in. In dat geval neem ik u in preventieve hechtenis.'

'U begrijpt zelf wel dat het ene al even ondenkbaar is als het andere. Mijn hele opdracht zou gevaar lopen...'

'Dat weet ik. Mijn opsomming was alleen bedoeld om u erop te wijzen dat dit voor u de enige mogelijkheden zijn om het er levend af te brengen. Maar u verkiest dus te blijven en dat betekent te blijven in een stad waar twintigduizend mensen bereid zijn u af te maken zoals men een prairiewolf of een rat afmaakt. *En het is onmogelijk u afdoende te beschermen, Ortega.* Dat zeg ik als politieman. Ik heb zevenhonderd man, over de hele provincie verspreid, en zelfs als ik die allemaal naar hier terugtrok zou ik niet voor uw leven durven instaan. Er bestaat niets dat meer meedogenloos is dan een politieke moord – omdat de moordenaar niet verwacht de dans te ontspringen. Het enige waar hij rekening mee houdt is te doden en gedood te worden. Zelfs al zou u een vesting en een leger tot uw beschikking hebben, dan zou u nog niet veilig zijn.'

Hij zweeg, maar Manuel hoorde hem ademhalen.

'Weet u of uw secretaresse uw gesprekken afluistert?'

'Dat doet ze, ja.'

'Uitstekend, pak je stenoblok, meisjelief.'

Hij zei dit zonder enige spot of ironie. Opnieuw zweeg hij even.

'Onthoud ieder woord dat ik nu ga zeggen. Verlaat het gebouw nooit. Ga ook nooit naar andere delen van het gebouw. Zorg ervoor, dat uw lijfwachten in uw onmiddellijke nabijheid blijven. Maak nooit zelf een postzending of een pakje open. Kom nooit in de buurt van een raam. Laat uw lijfwacht eerst uw slaapkamer controleren voor u naar binnen gaat. Ontvang nooit een bezoeker, behalve degenen die u werkelijk kent. Wees nooit ongewapend, zelfs niet op het toilet. Leg uw pistool niet onder uw matras of uw hoofdkussen. Zet rechts van uw bed ongeveer in het midden een stoel neer en leg daar uw pistool op. Zorg ervoor dat het wapen altijd geladen en ontgrendeld is. Controleer of u het wapen te allen tijde in onderdelen van een seconde kunt grijpen. Eet uitsluitend wat ik u stuur. Gebruik geen slaaptabletten of andere middelen die het reactievermogen vertragen.'

Hij zweeg en scheen na te denken. Toen zei hij: 'Ik heb dit alles niet gezegd om u angst aan te jagen. U moet het allemaal strikt nakomen en toch uw hoofd koel houden. Onder geen voorwaarde mag u uw zelfbeheersing verliezen. Maar de situatie heeft ook gunstige kanten, om nu eens iets positievers te zeggen. Ik neem de bewaking van het gebouw voor mijn rekening en zal ervoor zorgen dat zich dag en nacht vier patrouilles, dat wil zeggen zestien man, in of in de nabijheid van het paleis bevinden. Op dit moment moet de eerste patrouille al gearriveerd zijn. Eén man houdt altijd de wacht bij de deur van de gang die naar uw afdeling leidt. Dat is de enige toegang en de instructies die hij gekregen heeft zijn zeer rigoreus. Het is goed dat u dat weet, speciaal voor 's nachts.'

Manuel gaf geen antwoord en na enkele ogenblikken gewacht te hebben, gaf Behounek zijn slotrepliek: 'Er is mij alles aan gelegen u in leven te houden... maar deze keer is het hun ernst. En ik kan me dat voorstellen.'

Manuel Ortega zat aan zijn bureau en transpireerde. Zijn hand die de hoorn van de telefoon vasthield trilde. Het duurde enkele seconden voor hij in staat was zich uit zijn verstarring los te maken en de hoorn op de haak te leggen.

Danića stond hem vanuit de deuropening met ernstige ogen op te nemen. Hij haalde diep adem, trok zijn schouders op en wendde zich tot de onbeweeglijke Lopez: 'Weet u dat de toestand er ernstiger op is geworden?'

'Ja.'

Manuel kwam tot de ontdekking dat hij nog steeds Sixto's brief in zijn hand had. Hij maakte hem open en las:

De vooruitzichten zijn verbeterd. Ellerman zal vandaag om vier uur in hotel Universal zijn. Zorg voor politiebescherming.

Sixto
Hoofd afdeling politieke zaken van het Bevrijdingsfront

PS *U kunt Ellerman vertrouwen. Laat dit schrijven aan uw secretaresse zien.*

De brief was met de hand geschreven en het schrift was groot en resoluut en makkelijk leesbaar.

Hij ging naar Danića en gaf haar de brief. Ze knikte, maar gaf verder geen commentaar.

'Dat zou wel eens het begin kunnen zijn van een belangrijk succes,' zei Manuel Ortega.

'Ja, het is inderdaad een succes. Je conferentie gaat door.'

'Onze conferentie mag ik wel zeggen. Die goeie Sixto heeft kennelijk contact met zijn partijleiding gehad.'

'Dat betwijfel ik.'

'Waarom zou hij anders van gedachte veranderd zijn?'

'Begrijp je dat echt niet?'

'Ja,' zei hij. 'Ja natuurlijk.'

'Viva Ortega,' zei ze, terwijl er een vluchtige glimlach over haar gezicht gleed.

'Maar wat ik niet begrijp is, dat ik zelf het verband niet heb gezien, terwijl het zo voor de hand ligt.'

'Het is warm en je bent nog steeds moe en een beetje bang,' zei ze.

'Denk je dat er een geheime bedoeling achter dat PS steekt?'

'Alles wat Sixto doet, zegt of schrijft heeft een speciale bedoeling. In dit geval bedoelde hij ermee, dat ik zou zeggen: "Ja, je kunt werkelijk op Ellerman vertrouwen." '

'Ken je hem?'

'Ja.'

'En het is wel duidelijk dat je Sixto ook heel goed kent. Hoe heb je hem eigenlijk leren kennen?'

'Dat moet je nu niet vragen. Ik wil daar liever geen antwoord op geven, maar er ook niet om liegen.'

Ondanks zichzelf werd hij boos en ze merkte het meteen.

'Ik ben gewoon een hopeloos geval,' zei ze berustend. 'Alles wat ik doe doe ik fout. Als ik bij iemand ben waar ik werkelijk om geef, flap ik er alles uit. Ik praat veel te veel. Nu heb ik de boel weer grondig verknoeid. Je weet toch al te veel.'

'Je geeft dus om mij?'

'Ja, ik geloof dat ik je heel graag mag.'

'Oké, dan praten we er een andere keer wel eens over. Zorg ervoor dat Ellerman zodra hij in het hotel opduikt hierheen komt.'

'Ja. En vergeet niet Behounek te bellen om hem hierover in te lichten.'

'Goed zo. Je bent geen slechte secretaresse.'

Hij liep op het raam toe.

'Manuel! Niet bij het raam! Denk aan de voorschriften!'

'Ja natuurlijk,' zei hij, van zijn stuk gebracht en ging naar zijn kamer.

'Manuel,' zei ze opnieuw.

'Je moet nu voorzichtig zijn. Heel erg voorzichtig. Om verschillende redenen.'

Toen moest hij aan iets heel anders denken. Ze zouden het een andere keer over Sixto hebben. Maar was er wel een andere keer?

Toen hij daaraan dacht brak het zweet hem over zijn hele lichaam uit en dit maal was het anders, koud en klammig en hij rilde alsof hij door de stromende regen over de Karlavägen in Stockholm liep. Misschien was het de waarheid, misschien was er wel geen andere keer. Misschien had hij nog maar enkele uren de tijd om in te halen wat hij gedurende vele lange jaren had verwaarloosd. Zijn vrouw, zijn kinderen, zijn carrière. En dan alles wat hij verder gemist had: al die niet gespeelde tennismatches, de boot die hij nooit gekocht had, de boeken die hij niet gelezen had, al die vrouwen die hij had willen hebben en vermoedelijk ook had kunnen hebben, maar die hij nooit bezeten had. Manuel, al die zachte lichaamsdelen, die warmte, die niet gehoorde muziek, die verzuimde kerkgangen, die verzwegen waarheden. Nee, dat kon niet. Hij ging zitten en belde Behounek.

'Goed, we zullen hem met fluwelen handschoenen aanpakken. Heet hij Ellerman?'

'Wolfgang Ellerman. Weet u wie dat is?'

'Nee, dit keer niet. Maar bel me over een half uur nog eens, dan weet ik misschien meer.'

'U bent ook maar een mens, zie ik. Tot kijk.'

'Eén ding nog, Ortega. Vergeet mijn twaalf punten niet. Wat uw eigen persoon betreft zijn die aanzienlijk praktischer dan de zeventien punten van generaal de Larrinaga.'

Manuel verviel weer in ledigheid en meteen nam de angst weer bezit van hem.

Er was maar één oplossing voor: werken en nog eens werken. En de koe bij de horens vatten, zoals dat heet. Hij strekte zijn hand uit om Dalgren te bellen, maar de telefoon zelf was hem voor.

'Ja, met Ortega.'

'Zal ik eens zeggen wat jij bent? Je bent een vies, vuil, walgelijk, pervers zwijn. Weet je wat we hier doen met lummels die met Indianen flikflooien? We snijden ze eerst de pik af en dan...'

Het was een vrouw. Hij gaf een tik op de haak zodat het gesprek verbroken werd. Riep: 'Danića, moet je werkelijk zulke idioten doorverbinden? Bel Dalgren liever.'

'Zo, u leeft dus nog,' zei Dalgren koeltjes. 'Dat verbaast me.'

'Ik bel u op om over de vredesconferentie te praten, niet om over onze persoonlijke geschillen te discussiëren.'

'Jongeman, het gaat hier niet om persoonlijke meningsverschillen. U bent een verrader en u vernietigen op welke manier dan ook – is een zaak van nationaal belang. Overigens stuit het me tegen de borst met u te moeten praten. Daar de conferentie toch door zal gaan, zij het zonder u, eis ik dat ik mij voor nader contact tot een van uw medewerkers kan richten.'

'Dat is uitstekend. Eén ogenblikje, dan zal ik u doorverbinden met señora Rodriguez. Ik wens u goedemiddag.'

Het gelukte hem de laatste woorden op een lichtelijk spottende toon te zeggen, hoewel hij woedend was en het holle gevoel in zijn maagstreek met de seconde erger werd.

Tien minuten later stond Danica naast zijn schrijftafel.

'Ze gaan akkoord met Mercadal als plaats van samenkomst,' zei ze. 'Ze stellen als eis dat de volgende personen aanwezig zullen zijn: doctor Irigo, "El Campesino", Carmen Sánchez, met als alternatief José Redondo of...'

'Of?'

'Sixto Boreas. Die naam is fout, zo heet hij niet eens.'

'Hoe heet hij dan?'

'Van hun kant zijn ze bereid de gedelegeerden te zenden die het Bevrijdingsfront eiste, namelijk graaf Carlos Ponti, Don Emilio Dalgren, Don José Suárez en kolonel Joaquin Orbal. Wat kolonel Orbal betreft gebeurt dit onder voorbehoud, omdat hij op dienstreis is en ze nog geen persoonlijk contact met hem hebben kunnen krijgen.'

'Heb je niet gehoord wat ik vroeg? Hoe heet Sixto?'

'Manuel, dwing me niet te liegen.'

'Ben je met hem getrouwd geweest?'

Om de een of andere reden vroeg hij dit op zeer heftige toon.

'Met Sixto? Getrouwd geweest? Oef, wel nee.'

Manuel herinnerde zich plotseling dat ze niet alleen waren. Hij wierp een schuchtere blik op Lopez, maar deze zat zoals gewoonlijk doodstil en zonder uitdrukking op zijn gezicht op zijn stoel.

Het was de dag van de grote hitte. De witte dag die witter en witter en heter en heter werd, die uur na uur als een stalen veer meer en meer uitzette, totdat de veer plotseling zou springen, onverhoeds en catastrofaal.

Als vanuit de verte hoorde Manuel Ortega zijn secretaresse zo nu en dan de telefoon beantwoorden.

Hij liep als een slaapwandelaar naar zijn slaapkamer en kwam doodsbang weer terug met Lopez achter hem aan, zijn hand op de kolf van de revolver en met een bonzend hart.

Om zes uur arriveerde Ellerman, klein, gezet, gebogen neus, een hoed van wit materiaal en een licht kostuum met een smal streepje. Hij wekte de indruk efficiënt, energiek, scherpzinnig en praktisch te zijn en over een gezond oordeel te beschikken. Het hele gesprek nam niet meer dan een half uur in beslag.

'De grootste moeilijkheid zit hem natuurlijk in de tijdsfactor,' zei Ellerman. 'Een of meer van onze gedelegeerden bevinden zich niet in het land. Die moeten benaderd worden; er moeten ook voorbereidende werkzaamheden verricht worden. De situatie waarin de partij zich op het ogenblik bevindt is er de oorzaak van dat administratieve werkzaamheden achterop geraakt zijn. Laat eens zien, vandaag is het vrijdag de vijftiende juni.'

Hij telde op zijn vingers.

'Zaterdag, zondag, maandag... woensdag dus. Op zijn allervroegst dinsdag. Op zijn aller, allervroegst. Maar liefst woensdag.'

'We proberen het op dinsdag te houden.'

'Maar dat is werkelijk erg kort dag, bijna absurd kort. Al het voorbereidende werk dat nog administratief verzet moet worden, de interne discussies. Maar we zullen het proberen.'

'Zullen we zeggen dat de conferentie op dinsdag de negentiende, 's avonds om 7 uur bijvoorbeeld, geopend zal worden? Daarna kunnen we net zo lang doorvergaderen als nodig mocht zijn. Het spijt me dat ik dit min of meer moet forceren, señor Ellerman, maar de toestand is bijzonder gespannen. Ieder moment kan de bom barsten.'

Kan de bom barsten, dacht Manuel Ortega.

'Ik moet eerst met een aantal mensen contact opnemen. Morgenochtend om acht uur krijgt u een definitief antwoord. En de overige details zijn duidelijk, nietwaar? Zondag moet ik in het bezit zijn van de schriftelijke garanties van de regering. Uiterlijk maandagmorgen. Een gedemilitariseerde zone van tien kilometer. Een wapenstilstand over de gehele linie, ingaande vannacht om twaalf uur: geen arrestaties, geen gewapende acties, niets van dat alles. Het is helaas voor de rechtse extremisten gemakkelijker contact op te nemen met hun... militie dan voor ons om onze strijdende troepen te bereiken. Na afloop van de conferentie achtenveertig uur respijt. En wat onze gedelegeerden "El Campesino" en José Redondo betreft, tja, waarom partizanenleiders aan een onderhandelingstafel? Maar we zullen ze benaderen, en ook natuurlijk Carmen Sánchez. Het grote probleem is doctor Irigo. Maar het zal wel lukken. Anders moeten we het een dag uitstellen. Alle meer praktische bijzonderheden regelt u nietwaar? Zoals inkwartiering, drukwerk, radio-uitzendingen, enzovoorts. Uitstekend. Tot ziens.'

Ellerman stond op, pakte zijn aktentas en keek uit het raam.

'Wat een hoop politie,' zei hij. 'Een verontrustend gezicht. En wat een demonstranten. Zijn die rechtse extremisten van plan ook u van het leven te beroven?'

'Ja,' zei Manuel Ortega.

'Geweld,' zei Ellerman. 'Ik verafschuw geweld in welke vorm dan ook. Het spijt me dat de strijd uitgerekend op die manier gevoerd moet worden.'

Hij zweeg en peuterde met zijn rechterpink in zijn neus.

'Nou ja, bij ons zijn er een aantal die daar anders over denken. De één legt andere normen aan dan de ander. Als onze juridische positie maar niet zo onduidelijk was. U weet dat de communistische partij in de federale republiek niet verboden is, maar door de vorige regering waarin veel militairen zitting hadden, werd ontbonden. De partij is dus eigenlijk niet toegestaan, maar ook niet verboden. Bovendien is het Bevrijdingsfront geen uitgesproken communistische organisatie. Dat is een vraagstuk waar het hoogste gerechtshof zich over zal moeten uitspreken. De regering kan niet zonder meer vaststellen dat het een communistische beweging is – en de president weet dat. Een dergelijke maatregel heeft geen rechtsgeldigheid. Toen Radamek president werd heeft hij beide kwesties aan het hoogste federale gerechtshof voorgelegd, met de aanbeveling het Bevrijdingsfront als communistisch te bestempelen, maar tegelijkertijd de communistische partij wettig te verklaren. Sindsdien is het gerechtshof geen steek opgeschoten, de zaak staat nog steeds onderaan op de agenda. Hier heeft men de hele probleemstelling omzeild door de uitzonderingstoestand af te kondigen en de krijgswetten van toepassing te verklaren. Het enige dat ik na zeven jaar studie van militaire uitzonderingswetten weet is, dat generaals de vrije hand hebben om te doen wat ze willen. Met andere woorden, het valt niet mee in dit land een vurige aanhanger te zijn van de socialistische beginselen.'

Hij zweeg even en wreef langs zijn neus. Schuin achter hem leunde Dani̇̌ca glimlachend tegen de deurpost.

'U weet dat onze partij altijd onderdrukt is en in enkele zelfstandige deelstaten nooit erg machtig is geweest. Daarom hebben onze beste mensen zich hier in het zuiden gevestigd, waar het mogelijk was iets waardevols tot stand te brengen. Nu zijn velen van hen dood – fijne, energieke mensen, echte idealisten. Alleen de bovenlaag is nog over. De rest rust voor eeuwig in dit verschrikkelijke, treurige land. Een miserabele feodale provincie met zijn miljonairs en zijn militaire dictatuur. Al honderd jaar lang hebben politici en politieke partijen van verschillende groeperingen die feodale meneren onder de kin gestreeld om bij hun verkiezingscampagnes door hen gesteund te worden. Al honderd jaar lang hebben carrière-hongerige generaals deze uitgemergelde steenwoestijn als springplank gebruikt voor het presidentschap. En de bevolking is alleen maar uitgehongerd en uitgebuit. Hoe zou iemand anders miljoenen kunnen verdienen in zo'n steenwoestijn? En...'

'Wolfgang,' zei Dačica Rodriguez.

Hij schrok op en draaide zich om.

'Ja ja, neem me niet kwalijk. Ik praat weer eens te veel. Dan word ik pathetisch en langdradig en vergeet ik mezelf. Nog een geluk dat ik niet aan de conferentietafel zal zitten... Zo'n kletskous... een slechte gewoonte... nou goedemiddag dan... tot morgenochtend acht uur...

Met zijn hoed in zijn ene en zijn aktentas in zijn andere hand liep hij achterstevoren de kamer uit.

'Hij was oorspronkelijk strafpleiter,' zei Danica, 'maar hij praatte het kleinste proces naar de bliksem. Hij kon drie dagen doen over een eenvoudige strafzaak en daarnaast had hij ook nog zijn politieke handicap. Nu houdt hij zich, gek genoeg, alleen nog maar bezig met kwesties die betrekking hebben op onroerende goederen en natuurlijk met de partij... Hij kan heel efficiënt zijn als hij er zich toe zet.'

'Ik mocht hem wel.'

Van buiten af drong gejoel, geschreeuw en gefluit tot hen door. Er werd ergens een ruit ingegooid die zacht rinkelde. Ze keek naar buiten.

'Het kleine werk,' zei ze, 'meest vrouwen en kleine kinderen. De politie stuurt ze al weg. Ze hebben borden en spandoeken bij zich.'

'Wat staat er op die borden?'

'Dood aan de verrader. Wat had je anders gedacht?'

Manuel Ortega lag met open ogen in het donker op zijn rug, zijn rechterhand op de kolf van zijn revolver. Hij hoorde Fernandez snuiven en zich bewegen in de andere kamer. Het was halfvier en hij had al vier uur op deze manier gelegen.

Hij had een inspannende dag achter de rug, een lange, succesvolle dag. De conferentie ging zo goed als zeker door. Mensen die hij nooit gezien had hadden 'Viva Ortega' op de muren van de huizen geschreven. De wapenstilstand was nu van kracht geworden. Voor iedereen, behalve voor hem.

Hij dreef van het zweet. Hij was bang in het donker, maar durfde geen licht aan te doen uit angst voor wat hij plotseling zou kunnen zien. Hij lag te luisteren naar elk geluid. Was Fernandez weggegaan? Nee, weer geritsel; hij was er nog. Maar kon hij Fernandez eigenlijk wel vertrouwen? Lopez? Gomez? Behounek? Danica? Iemand anders? Antwoord: nee.

'Je zit helemaal scheef, Manuel,' fluisterde hij, 'van het begin af aan heeft het scheef gezeten. Je bent ambtenaar en geen volksheld, hoe graag je dat ook zou willen zijn. Je bent geen Behounek. Geen Sixto. Nu moet je hen laten zien dat het niet op zwakheid behoeft te berusten als je handelt als een normaal mens, maar dat het van kracht kan getuigen. Daar zul je aan moeten wennen. Je zit tussen twee ideologieën in, die je als molenstenen trachten fijn te malen; je bent omringd door specialisten in het doden. Maar zijn zij ook specialisten in het sterven? Ligt Behounek eveneens wakker in zijn dienstbed? Of Sixto in zijn kelderkamertje? Of Lopez in zijn hotel?'

Van Sixto gingen zijn gedachten naar de bruinharige Ramón en naar de blauwe plek en hij werd jaloers. Dat luchtte hem even op, maar het was meteen weer voorbij.

Ze hadden geen van allen gelijk. Dalgren niet en Ellerman niet. Ook Behounek niet. Vooral Behounek niet. Orestes de Larrinaga niet. Ellerman niet.

Punt elf: Op grond van het lage ontwikkelingspeil van de bevolking is de tijd nog niet rijp voor... Maar had niet ieder volk, onafhankelijk van zijn ontwikkelingspeil, recht op zijn eigen land? Mocht een klein aantal indringers alle anderen van hun rechten beroven? Maar kon je aan de andere kant mensen die hier geboren waren indringers noemen? Die waren hier toch opgegroeid, hadden steden en wegen gebouwd, gezorgd voor energiebronnen en inkomstenbronnen...

Deze simplistische manier van redeneren hielp niet.

Hij was bang.

Waarom kon hij niet als Behounek zijn?

Of Sixto?

Waarom kon hij niet haten met een bewuste en heftige haat, ingegeven door een dogmatische ideologie?

Manuel, waar blijf je nu met je compromissen? Wat is de formule voor een compromis tussen water en vuur? Stoom. Ja, natuurlijk.

Plotseling zit hij recht overeind in het donker. Een krampachtige greep om de kolf van de revolver. Hij richt de revolver op het donker.

Hij had voetstappen gehoord; iemand bewoog zich bij de deur.

Dan geritsel, gekauw en keelgeschraap, Fernandez. Hij liet zich achterover vallen op het vochtige kussen.

Daarna stemmen die opkwamen uit het duister.

'U bent een verrader en u te vernietigen is een zaak van nationaal belang...'

'Je bent een vies, vuil, walgelijk, pervers zwijn. Weet je wat we hier doen met lummels die met Indianen flikflooien...'

'En het is onmogelijk u afdoende te beschermen, Ortega. Dat zeg ik als politieman...'

'Ze zijn gek, ze zullen proberen je te doden, al was het alleen maar ter wille van het doden zelf...'

'Manuel... wees voorzichtig... het is hun ernst...'

'Degene die ons erin laat lopen, lukt dat meestal maar één keer...'

'Het zal mij verbazen als u morgen om deze tijd nog in leven bent...'

'Wij hebben de vorige gouverneur niet van het leven beroofd, maar dat wil niet zeggen dat...'

Stemmen, stemmen, stemmen.

Om tien over halfzes vielen zijn ogen dicht. Zijn rechterhand gleed langs de rand van het bed naar beneden en de Astra glipte eruit. Viel tegen de stoel en vervolgens met een klap op de grond.

Een seconde later was de deur open en wierp Fernandez zich in gebogen houding en met een wilde uitdrukking in de ogen de kamer in. Het duurde verscheidene minuten voor hij door had wat er gebeurd was.

Hij legde de revolver op de stoel, en stond in het schemerdonker naar de man op het bed te kijken. Hij schudde zijn hoofd. 'Arme drommel,' zei hij.

Manuel Ortega merkte niets, bewoog zich niet. Eigenlijk sliep hij ook niet; hij was in zwijm gevallen en volledig buiten bewustzijn.

In twee stappen de gang over, linkerhand op de deurknop, rechter op de revolver, zijn hart een ijsklomp. Fernandez op de stoel; kramp in zijn maagstreek.

Bleek, met donkere kringen onder zijn ogen, kwam Manuel Ortega zijn werkkamer binnen.

Vermeed het raam, liep door naar de andere kamer. Danica in een rode jurk van dunnere stof en geraffineerder snit, lager uitgesneden.

God zij dank. Hij had het bijna hardop gezegd. Voor het eerst sinds vele uren een normale gedachte.

Ze merkte het en keek naar hem op. Glimlachte bedachtzaam.

Hij zag zijn gezicht in de spiegel weer voor zich en wist waarom.

Hij stond achter haar en was vergeten dat hij plotseling kon sterven zonder dat hij weten zou wat ze had willen zeggen.

'Ik heb ook niet bepaald een rustige nacht gehad,' zei ze. 'Ik had me niets van die idioot van een Lopez aan moeten trekken, maar hier moeten blijven.'

Lopez had erop gewezen, dat haar aanwezigheid de zaak wel eens gecompliceerder zou kunnen maken.

'Maar niemand kan me weerhouden vanavond hier te blijven. Ik heb zelfs al wat spulletjes bij me,' zei ze en klopte op haar tas.

'Was je alleen vannacht?'

'Ja,' zei ze ernstig, 'als de situatie zich ontwikkelt zoals nu, dan ben ik óf bij degene die de oorzaak is van die situatie óf alleen.'

'Leuke jurk,' zei hij mat.

'Mm, maar ik draag hem niet graag. Er moet een b.h. onder.'

'Doet het nog pijn?'

'Mmm, het is nog wat gevoelig. Ik heb de grootste blauwe plek in de geschiedenis der erotiek.'

De telefoon ging.

'Nee,' zei hij, 'ik beantwoord hem wel.'

Hij kon het leven weer aan en wilde dat bewijzen. De stem

klonk laag, bijna fluisterend en het was niet goed op te maken of hij aan een man of een vrouw toebehoorde.

'Zwijn, nu zal het gauw gebeuren, binnen vierentwintig uur, je weet niet wanneer, of hoe of waar, alleen dat het nu gauw gaat gebeuren, ík weet waar en wanneer, maar ik zeg alleen dat het binnen de vierentw...'

Hij gooide de hoorn op de haak. Had het er niet àl te goed afgebracht. De proef was mislukt.

'Bel kapitein Behounek op,' zei hij kortaf en ging naar zijn eigen kamer.

Angstgedachten maalden als molenstenen door zijn hoofd.

'Wat doet u eigenlijk aan die verdomde gesprekken?'

'Ja, wat moet ik eraan doen. Ik heb een lijst met zesentwintig namen op mijn bureau liggen. Ik kan er natuurlijk wel een mannetje aanzetten om rapporten op te maken en dan krijgen ze over een maand of vijf, zes een boete van een paar tientjes.'

'Bel ze dan op en kaffer ze uit.'

'Dat heb ik in enkele gevallen gedaan. Maar we maken ons alleen maar belachelijk. Er was bij voorbeeld één telefoontje bij dat volgens de jongens in de afluistercentrale wel eens werkelijk gevaarlijk zou kunnen zijn. Weet u van wie dat was? Van het achtjarig zoontje van een bankdirecteur. En weet u wat de bankdirecteur zei: Er zit in elk geval pit in die jongen.'

'Maar die vrouw die een week geleden belde, op de eerste avond dat ik hier was, die hebt u toch ook aangehouden?'

'In de eerste plaats was de situatie toen anders en in de tweede plaats was het niet waar wat ik toen zei.'

'Maar kapitein Behounek...'

'Ik wilde een goede indruk maken, begrijpt u. Maar ik heb haar wel opgebeld en haar de les gelezen. Wat is er overigens met die statistieken gebeurd?'

'Daar is de chef van de kanselarij mee bezig.'

'Laat hem daar dan meteen mee ophouden. Jezus, dat had ik al een paar dagen geleden moeten zeggen, maar ik heb er totaal niet meer aan gedacht.'

'Wat is er dan mee aan de hand?'

'Er is van alles mee aan de hand. In die hele stapel zult u geen cijfer aantreffen dat klopt. Ik heb hier onze eigen statistiek, keurig uitgewerkt. Die klopt wel. Als u wilt kunt u die inzien.'

'Wat mankeert u? Bent u niet goed bij uw hoofd?'

'Zeker wel. Maar het was de eerste keer en ik kende u niet; ik wist niet wat ons te wachten stond.'

'U bent een wonderlijk heerschap!'

'Ja, dat klopt. Volgens de statistiek die u gekregen hebt vinden hier minder gewelddaden plaats dan ergens anders in het land. Die statistiek werd samengesteld op bevel van het ministerie, toen er sprake was van een internationale controlecommissie, van de Verenigde Naties of iets dergelijks. Hij is trouwens niet eens hier vervaardigd, maar op de statistische afdeling van de generale staf. Hij is geschikt voor elke deelstaat en voor elk klimaat. Je hoeft alleen maar naar de datum en het tijdstip in te vullen. Heel handig.'

Plotseling nam het gesprek een andere wending.

'Kapitein Behounek, u zit vol haat, nietwaar?'

'Ja, ik zit vol haat.'

'Waarom?'

'U bent erbij geweest, toen met Perez. Als u hetzelfde zo'n keer of vijftig had gezien en soms nog veel, veel erger, dan zou u misschien ook vol haat zitten.'

'Dat is geen antwoord, dat is een uitvlucht. Uw eigen ondergeschikten begaan misdaden die net zo erg zijn.'

'U begrijpt het niet, het wortelt allemaal in één en hetzelfde kwaad.'

'In Spanje heb ik eens een leerstelling gehoord die als volgt luidde: Soms is de onwetendheid zo groot, dat de leraar de leerling voor zijn eigen bestwil moet doden. Denkt u er ook zo over?'

'Ik ben politieman en dus eerder een soort dokter dan een leraar. Als u mij uw metaforen blijft opdringen dan kan ik u dit antwoord geven: Er is in de geneeskunde een heel oude stelregel die zegt dat het vlees en het weefsel dat begint te rotten eerst weggesneden moet worden voordat de kogel uit de schotwond verwijderd mag worden. Op dezelfde manier moet je eerst de bijkomende infecties bestrijden voor je kunt beginnen met de haard van de infectie zelf.'

'Maar...'

'Wees nou reëel. Volg liever mijn twaalf punten op. Hoe staat het met de conferentie?'

'Dat kan ik u over een half uur laten weten.'

'Goed, een kwartier geleden is de waterleiding klaar gekomen. We kunnen weer een douche nemen.'

Het gesprek was afgelopen. Wat hem betreft had het nog wel even door mogen gaan. Daniča en Behounek waren momenteel de enigen die zijn gedachten wat konden afleiden. Nu maalden ze weer door zijn hoofd. Hij keek naar de rusteloos ijsberende Fernandez en zei met schrille en onbeheerste stem: 'Man, wees toch stil.'

'Dit,' zei Fernandez, 'is geen al te beste dag.'

Een zeurende pijn in zijn hoofd, in zijn maagstreek en in het onderste deel van zijn borstkas.

Danića kwam de kamer binnen. Met de conferentie scheen het van een leien dakje te gaan. Alle voorbereidingen waren in volle gang. Fiat van Ellerman. Fiat van Irigo. Fiat van Dalgren. Fiat van kolonel Orbal. De machine draaide. De militaire intendance was begonnen Mercadal in gereedheid te brengen.

Alles was in orde.

Op één kleinigheid na: Manuel Ortega wilde leven en wist dat ze hem zouden doden.

Verwarde gedachten. Keer op keer kwamen zinnen terug als: Hoe kan ik deze dag overleven, zelfs als er niets gebeurt? Het is nog maar elf uur. Zoveel uren nog. Ze duren zo lang en het zijn er zoveel.

Hetzelfde weer als de afgelopen dagen. De hitte was ondraaglijk, de lucht wit en vloeibaar. De ventilator hielp niet, die blies alleen maar meer warme lucht van het plafond de kamer in. Hij dronk citroenwater bij liters tegelijk. Hij sprak drie keer met Ellerman. Eén keer met de secretaresse van Dalgren. Eén keer met Behounek.

Tien over halftwaalf. Hij was moe en bang en drijfnat van het transpireren. De huid in zijn oksels en knieholten begon pijnlijk aan te voelen. Hij dacht eraan dat hij een douche kon nemen, maar vond het beter te wachten tot Lopez gearriveerd was. Het idee dat Fernandez en Lopez elkaar zouden aflossen terwijl hij naakt en weerloos onder de douche stond lokte hem niet aan.

Gomez had even de plaats van Fernandez ingenomen en stond met zijn korte machinegeweer, dat in de knik van zijn arm rustte, bij het raam. Nu kijkt hij uit over het grote, witte plein, dacht Manuel. Omdat hij zelf niet bij het raam mocht komen kreeg het trieste uitzicht over de palmen en de vier verdiepingen-huizen plotseling iets zeer aanlokkelijks. Maar hij bedacht eveneens dat zo gauw hij zich liet zien iemand verweg, misschien wel op één van de daken, de trekker van een geweer zou overhalen. Hij had gehoord dat een goed schutter zijn slachtoffer met behulp van een telescoopvizier op een afstand van negenhonderd meter kon raken. Hij had ook gehoord dat iemand eerst nog de knal kon horen voor dat de kogel hem raakte en daarvóór moest hij zelfs de lichtflits kunnen zien. Misschien zou je alles gewoon in de juiste volgorde waarnemen: de flits, de knal, het raam dat in stukken sprong en dan als laatste – de kogel.

Hij vroeg zich ook af wat voor een gevoel het zou zijn door een kogel getroffen te worden. Hij had ergens gelezen dat het net was of je een slag met een knots kreeg, bij voorbeeld in je maag of je buik.

De molenstenen maalden, maalden, maalden. Opeens werd hij zich ervan bewust dat datgene wat daarbinnen fijngemalen werd zijn wilskracht en weerstandsvermogen was. Dat alle vaste waarden tot pulp vermalen werden, dat hij langzaam maar zeker met een fijne brij opgevuld werd, dat hij nieuwe, nutteloze organen had gekregen, onbruikbaar, geleiachtig.

Manuel Ortega was uitzinnig bang.

Hij probeerde iets te zeggen, maar was er zeker van dat hij alleen maar een zwak gepiep zou voortbrengen. Hij schraapte zachtjes zijn keel en zei: 'Gomez, hoe ziet het er daar buiten uit?'

Zijn stem klonk vast en kalm.

'Leeg,' zei de man aan het raam. 'Drie agenten en een kat.'

De deur ging open en Lopez kwam binnen. De man met het machinegeweer knikte en ging weg.

Het zweet droop Manuel Ortega in de ogen. Hij ging naar de vrouw en zei: 'De waterleiding werkt weer. Zullen we een douche nemen?'

'Er moet iemand hier blijven. We kunnen om de beurt gaan. Ga jij maar eerst.'

'Ik wil die blauwe plek zien,' zei hij op kinderlijke toon.

'Vanavond. Vanavond mag je hem zien.'

Oké, dacht hij, ik ga eerst. Laten we hopen dat het niet al te veel opvalt hoe ik me voel. De molenstenen maalden. Zijn rechterbeen leek verlamd. Zijn hart functioneerde niet goed.

Lopez doorzocht de kamer.

Toen hij onder de douche stond dacht hij dat het belachelijk was om bang te zijn. Er was politie bij de buitendeur en in de hal; er stond een agent bij de toegang tot de gang. Lopez zat in de gang. Danica in de kamer die naar de zijne leidde. Het zou al heel moeilijk zijn één van deze mensen onopgemerkt te passeren. Er twee te passeren moest tot de onmogelijkheden behoren.

Hij stond een kwartier lang onder de douche. Toen hij weer in zijn slaapkamer kwam en het bed zag geloofde hij eensklaps dat de angst hem die avond impotent zou maken.

Toen bedacht hij dat hij een ernstige fout maakte, want als je geloofde dat het niet zou gaan, dan ging het meestal ook niet.

Daar peinsde hij over, terwijl hij zich aankleedde.

Hij deed er lang over en zijn gezicht en nek waren al weer klam voor hij klaar was.

En nog steeds: het malen van de molenstenen, het gekke gevoel om zijn hart, iets vreemds met zijn testikels en zijn rechterbeen dat krachteloos en slap aanvoelde. Zijn hoofd bonsde. Hij ging terug naar de douchecel.

Manuel Ortega liet koud water over zijn polsen lopen, plensde water over zijn gezicht en bette zijn nek met een natte handdoek. Er was nu weer wat anders aan de hand met zijn hart. Het was of het langzaam maar zeker opzwol tot het het hele linker gedeelte van zijn borstkas opvulde.

Toen haalde hij diep adem, liep door het voorvertrek en hulpeloos overgeleverd aan zijn angst, dacht hij: Dit is de negende dag en nu hebben ze echt een aanleiding.

Hij deed de deur open en zag Lopez op de draaistoel zitten. Stak in twee stappen de gang over, legde zijn linkerhand op de deurknop en stak zijn rechterhand in zijn jasje. De kolf van de revolver gaf hem een gevoel van veiligheid.

Nog steeds was Lopez niet opgestaan. Manuel glimlachte om diens traagheid. Manuel glimlachte dus en duwde de deur open en deed een stap over de drempel.

Er stond een man midden in de kamer.

In onderdelen van een seconde registreerden Manuel Ortega's hersenen een honderdtal geluiden en beelden, verwerkten deze en produceerden de juiste indrukken en betekenissen. Geen man, een kind, van een jaar of zeventien misschien, met een bleek geëxalteerd gezicht en een doodsbange blik in de ogen, zwarte netjes gekamde haren met een witte rechte scheiding, een kind dat een pistool op kinhoogte hield. Het pistool staarde hem aan met het zwarte oog van de dood. De tijd stond stil en misschien zou hij in dit laatste duizendste deel van een seconde nog in staat zijn de blanke neus van de kogel uit de vuurmond tevoorschijn te zien komen. Hij wist het niet. Maar wat hij wel wist en altijd al geweten had, was dat zijn veiligheid een illusie was, dat de Astra onder zijn linkerarm vastgeklonken zat en daar zou blijven zitten, dat hij dit iedere keer als hij deze deur geopend had had geweten. Hij had geweten dat Lopez niet eens de gelegenheid zou hebben van zijn stoel op te staan. Hij had al die tijd geweten dat ze hem zouden doden, dat Uribarri die keer die zo oneindig ver weg leek gelijk had gehad, dat ze allemaal gek waren, inclusief de kinderen, want dit was een kind.

Manuel Ortega had nog de tijd dit alles te denken en in zich op te nemen tijdens dit laatste duizendste deel van een seconde. Hij dacht aan namen, vrouwen, kleine kinderen en kerken.

Daarna werd alles overstemd door het ritmische geblaf dat uit de Colt van Frankenheimer kwam, toen de man in het linnen kostuum vanaf de kroonlijst voor het raam door het gesloten venster vijf schoten in de rug van het kind met de scheiding vuurde. Een recht lichaam met uitgestrekte arm tuimelde als een ledepop drie meter naar voren en sloeg naast de deur tegen de muur, eerst met het pistool en daarna met het gezicht en de borst en de buik en de dijen, vlezig en dood en sinister. Daarna hing het enige seconden als aan de muur vastgekleefd voor het neergleed op de vloer.

Manuel Ortega viel duizelig tegen de deurpost, op hetzelfde moment dat Lopez hem in zijn kraag greep en hem met geweld achteruit de gang in gooide en geen van beiden zag hoe Frankenheimer rustig en systematisch met de kolf van zijn revolver de glassplinters uit het raam sloeg en naar binnen klom.

Het enige dat functioneerde scheen zijn gehoor te zijn. Manuel Ortega zat op een stoel bij de muur en luisterde naar Lopez en Frankenheimer.

Lopez : Hoe is hij erin geslaagd binnen te komen?

Frankenheimer : Dat moet vannacht gebeurd zijn; hij moet de hele dag in het gebouw geweest zijn.

Lopez : Waar?

Frankenheimer : In de andere kamer, achter de rug van het meisje. Daar is een kleine nis waar een paar jassen hangen. Daar moet hij hebben staan wachten. Het was wel nauw natuurlijk, maar hij is klein van stuk. Ja, Gomez had die nis horen te controleren, zou ik zo zeggen.

Lopez : Gomez is een ezel, dat heb ik altijd al gezegd.

Frankenheimer : Wel, dat ligt eraan hoe je het bekijkt. Hij heeft zo zijn eigen ideeën, hij ook, zo nu en dan. Wat die jongen betreft, moet het als volgt gegaan zijn: waarschijnlijk heeft hij in de nis staan wachten tot jullie de kamer uitgingen. Daarna heeft hij afgerekend met het meisje en is hier rustig gaan staan wachten lijkt me. Dat is logisch... of niet?

Lopez: Waar was jij?

Frankenheimer: Op de plee; als er iets gebeurt zit je altijd op de plee.

Lopez: Is het meisje dood?

Frankenheimer: Dat is waar ook, daar hebben we nog niet naar gekeken. Ze ligt op de grond, dat heb ik wel gezien.

(Voetstappen en gemompel)

Lopez: Ze leeft, maar het ziet er niet zo mooi uit. Een hoop bloed.

Frankenheimer: Hij zal haar met de kolf van zijn pistool neergeslagen hebben, durfde natuurlijk niet te schieten, nee. We zullen haar naar de andere kamer brengen, dan hebben we ze bij elkaar.

Lopez: Heeft er al iemand om een ambulance gebeld?

Frankenheimer: De politie. Die dingen knapt de politie op. Ik dacht dat ik sirenes hoorde. Of niet?

Lopez: Ja, ik hoor ze ook. Je hebt aardig wat schoten gelost.

Frankenheimer: Nou ja, ik had niet veel tijd en ik moest zorgen dat die knaap zijn evenwicht verloor. Ik vind dat jij ook niet meer zo snel bent als vroeger. Je had hem nooit vlug genoeg kunnen wegtrekken.

Lopez: Ieder mens wordt een dagje ouder.

Frankenheimer: Ja dat wel, maar mijn schoten vielen waar ze vallen moesten. Hoewel ik het risico niet durfde nemen eerst de ruit kapot te slaan. Eigenlijk moet je nooit door glas heen schieten. Door de breking van het licht kun je je vergissen.

Lopez: Dat is waar, maar deze keer is het prima gegaan.

Frankenheimer: Ja, dat vind ik ook.

Lopez: Hoe lang denk je dat dit baantje nog zal duren?'

Frankenheimer: Weet ik niet. Verdomd, ik begin heimwee te krijgen. Naar moeder de vrouw en de kinderen en zo.

Lopez: Het meisje ziet er niet best uit. Helemaal bleek.

Frankenheimer: Die haalt het niet.

Manuel Ortega zat met gevouwen handen en met de ellebogen op zijn knieën op zijn stoel. Hij zag Lopez en Frankenheimer en de beide lichamen op de grond wel, maar in een vreemd licht, onwerkelijk en glashelder. Hij dacht: Ik leef. God zij dank en dank zij Frankenheimer. Hier liggen een paar doden, maar ik leef.

Buiten zwegen de sirenes, voetstappen in de gang.

Behounek kwam de kamer binnen. Luitenant Brown was er ook bij en een dokter en een fotograaf.

'Hoe voelt u zich?'

'Ik leef.'

Zijn stem klonk helder en duidelijk.

'Dat zie ik, maar u ziet zo bleek als een... ja, als een lijk.'

'Hij heeft een shock,' zei de arts. 'Ik zal hem zo meteen een spuitje geven.'

Behounek was naar het andere einde van de kamer gelopen.

'Mijn God, wat voor soort wapen hebt u gebruikt? Een olifantengeweer?'

'Een gewone vijfenveertiger,' zei Frankenheimer. 'Vijf schoten.'

'Die moeten hem dan allemaal op praktisch dezelfde plek getroffen hebben.'

'Eén kogel zit hoger,' zei Frankenheimer, 'in zijn nek. Dat was waarschijnlijk de laatste.'

Hij stond bij het bureau en was doende met zijn revolver. Laadde hem weer.

'De vrouw leeft nog,' zei de dokter. 'Hier met de brancard, vlug. Wilt u even plaats maken?'

'Zou ze het halen?'

'Ik denk van wel. Ze heeft wel flink wat bloed verloren. Misschien een schedelbasisfractuur, maar dat is momenteel moeilijk te constateren.'

'Hij moet haar met de kolf van zijn pistool neergeslagen hebben,' zei Frankenheimer.

'En u stond dus op de kroonlijst,' zei Behounek. 'Staat u daar altijd?'

'Af en toe. Als het zo uit komt. Links van het raam is namelijk een pilaar. Je kunt er komen via een luik in een schoonmaakkast op het hierboven gelegen trapportaal. Een uitstekende plaats, al zeg ik het zelf, een uitstekende plaats, jaja. We hebben er twee spiegeltjes gemonteerd, ja, van binnen uit kun je die niet zien.'

Behounek scheen niet langer te luisteren.

'Brown,' zei hij, 'draai die arme jongen eens om.'

'Ik leef,' zei Manuel Ortega hardop en duidelijk verstaanbaar.

'Here Jezus,' zei de chef van politie en sloeg een kruis.

'Ik begrijp nog steeds niet hoe hij binnen is kunnen komen,' zei Lopez.

'Nee,' zei Behounek, dat kunt u niet begrijpen.'

'Lopez moet altijd alles reconstrueren,' zei Frankenheimer.

'Zo zo. Wel, dan zal ik het u uitleggen. Deze jongen kent het gebouw beter dan wie ook. Kende bedoel ik. Hij is vroeger waarschijnlijk door iedere ventilatiekoker en elke brandgang gekropen. Bovendien had hij de beschikking over alle sleutels.'

'Ja, hij moet op een vreemde manier binnengekomen zijn,' zei Frankenheimer.

'Zoveel is zeker. Hij heeft hier vanaf zijn vierde jaar gespeeld.'

Manuel Ortega stond op van zijn stoel en liep naar de chef van politie toe. Zijn tred was zeker en kalm, zijn ogen schitterden.

Behounek nam hem op.

'Hij heeft een shock,' zei de dokter. 'Ik zal hem zo meteen een spuitje geven. Daarna sturen we hem naar bed.'

Manuel hield Behounek bij de arm vast en keek naar de jongen op de grond. Opnieuw zag hij het smalle, bleke gezicht en het gladde, zwarte, netjes gekamde haar. Maar het gezicht stond niet meer gespannen en geëxalteerd; het had nu kinderlijke trekken aangenomen. Eén van Frankenheimers kogels was via de nek en de hals door het strottehoofd gegaan: boven de witte boord was de wond zichtbaar, maar er was weinig bloed. In het knoopsgat van het elegante, donkere jasje zat een kleine gele rozet met een kokarde en de initialen van de Burgerwacht.

'Wie is hij?' vroeg Manuel Ortega en hoorde zijn eigen stem in de glasheldere, witte lucht weerkaatsen.

'Hij heet Pedro,' zei Behounek. 'Pedro Orbal, de zoon van kolonel Orbal. Hij is zestien jaar en had op dit uur van de dag op school moeten zitten.'

Frankenheimer had zijn revolver bij zich gestoken. Hij knoopte zijn flodderige linnen jasje dicht en liep naar de muur, waar hij het zwarte pistool dat tegen de plint was blijven liggen oppakte. Hij bekeek het en mompelde verstrooid: 'Een negen millimeter Browning. Een gewoon legerpistool. Er is geen schot mee gelost.'

'Zo,' zei Lopez.

'Nu zul je wat beleven,' zei Behounek. 'Nu zul je wat beleven.'

18

De kamer kwam hem vreemd voor. Evenals het bed, het nachthemd en het zoemende geluid. Het was geen grote kamer, maar hij was wel netjes en schoon en hij had witte wanden en een plafonnière. Er lag geen kleed op de grond en er stonden maar enkele meubelen in: een ladekast, een stoel en een schrijfbureautje. De luiken waren dicht en in het grijswitte schemerdonker zag hij dat het geluid van een ingebouwde ventilator afkomstig was. Deze zat in de muur, ter hoogte van zijn voeteneinde en ondanks de warmte was de atmosfeer aangenaam zuiver en fris. Hij zweette niet eens.

Toen hij zich op zijn zij draaide zag hij op het nachtkastje zijn horloge, zijn bril en zijn sigaretten liggen. Ook de Astra lag er en toen hij deze zag ging er een steek door zijn borst, en keerde zijn geheugen terug.

Een halve minuut later was hij drijfnat van het transpireren en zijn hand beefde toen hij zijn horloge wilde pakken.

Het was halfnegen en dat moest halfnegen in de ochtend zijn. Overal was het even stil en er drong van buiten geen enkel geluid tot hem door.

'Fernandez!' riep hij.

Er gebeurde niets en hij riep nog twee keer, hees en schor.

Daarna bedacht hij dat hij op moest staan. Hij wierp het laken van zich af en zwaaide zijn benen over de rand van het bed. Zat, met zijn voeten op de warme grond en probeerde te denken. Dat lukte hem niet zo goed.

Zijn keel was droog en hij ledigde met grote teugen een glas lauwig water dat op het nachtkastje stond. Keek naar de Astra en de sigaretten en de bril en begreep het niet.

Manuel Ortega zat angstig op een witgelakt ijzeren bed in een vreemde kamer. Hij was ongeschoren en droeg een katoenen nachthemd dat tot aan zijn knieën reikte. Zijn oogopslag was schichtig en onzeker.

De deur ging open en kapitein Behounek kwam binnen. Hij maakte de indruk net opgestaan te zijn en hij rook naar scheerlotion en tandpasta. Hij legde zijn uniformpet op het schrijfbureau, deed de luiken open en verminderde het toerental van de ventilator.

'Goedemorgen,' zei hij opgewekt.

'Waar is Fernandez?'

'Ik heb hem gisteren naar huis teruggestuurd, hem en Frankenheimer en de beide anderen. U hebt ze niet meer nodig en het kwam gisteren toevallig goed uit, want er vertrok net een konvooi naar het noorden.'

Hij ging op de enige stoel zitten en keek glimlachend naar de man in het nachthemd.

'U ziet er niet al te florissant uit, maar u zult u spoedig beter voelen. Nee, luister nu even. Ik zal u eerst het een en ander uitleggen, anders wordt het een moeizaam gesprek. Vandaag is het zondag en het is nu 's ochtends kwart voor negen. Gisteren was het zaterdag en toen hebt u de hele dag geslapen. U bent wel even wakker geweest, maar daar weet u waarschijnlijk niets meer van. We hebben u een spuitje gegeven en toen bent u weer in slaap gevallen. U bevindt zich in het officiersverblijf van de gendarmerie. Mijn kamer ligt hiernaast en tot eergisteren was dit de kamer van luitenant Brown. Ik heb nieuwe dienstvertrekken voor u in orde laten brengen in het gebouw waar ook wij onze kantoren hebben en al uw papieren en eigendommen hierheen laten brengen. Durfde het niet langer voor mijn verantwoording te nemen dat u daarginds was. Bovendien hebben we veel met elkaar te bespreken. U hebt bij de aanslag vrijdag een flinke shock opgelopen en daar komt nog bij dat u al overwerkt was. Maar onze dokter zegt dat u vandaag al behoorlijk opgeknapt zult zijn. Hij heeft ook gezegd dat ik het niet met u over de aanslag mag hebben, maar daar trek ik me niets van aan. We moeten toch zeker met elkaar kunnen praten. Uw secretaresse...'

'Danića?'

'Ja, juist. Ik weet niet of u zich herinnert dat zij bewusteloos werd geslagen?'

Manuel Ortega knikte. Hij herinnerde het zich. Hij herinnerde zich ieder detail dat hij in dat heldere witte licht gezien had en hij herinnerde zich ook dat hij haar op de grond had zien liggen en dat hij al die tijd gedacht had dat ze dood of stervende was en dat hij zich daar niets van had aangetrokken.

'Het viel nogal mee met haar. Een hersenschudding en een gat in het hoofd. Ze ligt in het militaire hospitaal en schijnt overmorgen of zo ontslagen te zullen worden. Ze heeft u een brief gestuurd. En er is nog een tweede brief voor u, die gisterochtend met een posthelikopter uit de hoofdstad is aangekomen. En een dienst-telegram. Ze liggen op het bureau.'

Manuel fronste zijn wenkbrauwen.

'En hoe staat het met de conferentie?'

'Alles verloopt volgens plan. Ik heb contact gehad met Ellerman en Dalgren en degene die verantwoordelijk is voor de voorbereidingen in Mercadal.'

Hij keek op zijn horloge.

'Ik zou u nu willen voorstellen dat u uit bed komt en u aankleedt. Aan de overkant van de gang is de douche en het toilet. Ik kom u over een half uur halen. Dan wacht ons een gesprek, dat helaas minder aangenaam zal zijn.'

'Staat er iemand in de gang op wacht?'

'Nee, dat is niet nodig. U bent hier volkomen veilig. Bovendien is uw positie niet zo hachelijk meer, de mensen hebben hun opvatting over u gewijzigd. En de afloop van de aanslag heeft de actieve elementen van rechtse zijde van hun stuk gebracht. Het is trouwens overal rustig. Men houdt zich aan de wapenstilstand.'

Toen Behounek weg was, deed Manuel Ortega de deur op een kier en gluurde om een hoekje. De gang was leeg, maar toch wikkelde hij de Astra in een handdoek en nam deze met zich mee toen hij een douche ging nemen en zich ging scheren.

Voordat de chef van politie terugkwam had Manuel gelegenheid zijn post door te nemen.

Het telegram was afkomstig uit de hoofdstad van de republiek en luidde als volgt:

mijn complimenten stop een zeer handige en gewaagde zet stop wees de komende dagen voorzichtig stop indien nodig zoek bescherming bij behounek zaforteza

Hij las de tekst verscheidene keren over en schudde niet begrijpend zijn hoofd. Daarna keek hij naar het tijdstip van verzending. Vrijdag twaalf uur, dus van vóór de aanslag. Hij stopte het telegram in zijn zak.

Vervolgens een luchtpostbrief met Zweedse postzegels. Zijn vrouw had vier kantjes volgetypt met helemaal niets. Het had geregend en de kinderen waren gezond. Het meeste sloeg hij over. De brief kwam uit een verafgelegen en onbegrijpelijke wereld en hij kon zich nauwelijks voorstellen dat hij daar ook eens toe had behoord. Hij haalde zijn schouders op en gooide de brief in de witte metalen papierbak onder de schrijftafel.

De tweede brief was ongefrankeerd. De envelop was wit en voorzien van dienststempels van het militaire hospitaal. Langs de ene korte zijde was een strookje grijs plakband aangebracht, waarop stond *censura militar.*

Danič̌a schreef:

Hallo. Wat ben ik blij dat je er goed afgekomen bent. Zelf herinner ik me helemaal niets. Ik heb een beetje pijn in mijn hoofd en er zit een groot verband om. Ik mag maar een paar regels schrijven zeggen ze. Ik ben erg op je gesteld. Je kunt toch wel hier komen om te vragen hoe het met me gaat? Omhelsd. Danič̌a.

Na 'zeggen ze' volgde een onafgemaakte en doorgehaalde zin. *Manuel, ik geloof dat ik van je begin*

Hij zat nog met de brief in zijn hand toen de chef van politie hem kwam halen. Manuel liet hem Danič̌a's brief lezen en haalde het telegram uit zijn zak.

'Natuurlijk kunt u het meisje opzoeken,' zei Behounek. 'We zullen u een patrouille meegeven.'

'Begrijpt u hier iets van?'

Behounek las het telegram vluchtig door.

'Ja, ik zou denken van wel,' zei hij en barstte in lachen uit.

Daarna zei hij onverschillig: 'Het is als compliment bedoeld. Uw werk wordt kennelijk gewaardeerd. Zullen we nu naar mijn kantoor gaan?'

Het kwam Manuel voor of alles zich afspeelde achter een glazen wand. Tussen hem en de werkelijkheid scheen zich een vlies te bevinden. Alles wat hij zag en hoorde leek hem in afgezwakte vorm te bereiken en zelfs hier in de gang van het politiehoofdkwartier en op slechts een halve meter afstand van de chef van politie kon hij zijn angst, zijn vrees nog niet van zich afzetten.

In de hal kwam luitenant Brown op hen toe met enige paperassen in zijn hand. Behounek hield zijn pas in en zei: 'Gaat u maar vast naar mijn kamer, ik kom zo.'

Manuel Ortega deed de deur open en kroop ineen alsof hij een oorvijg kreeg. Er was al iemand. Pas toen het tot hem doordrong dat de ander in het geheel geen aandacht aan hem scheen te schenken, slaagde hij erin zich te vermannen en ging hij met bonzend hart naar binnen.

Het was een man van misschien een jaar of vijfenvijftig met zwarte lakschoenen aan en een keurig geperst donker kostuum. Hij was klein van stuk, had grijs haar en een grijze snor en zijn mager gezicht was bruingebrand en zat vol rimpels. Hij stond voorover gebogen met zijn handpalmen op de vensterbank geleund en scheen geen last te hebben van de zon die door het raam naar binnen scheen. Buiten lag een stenen binnenplaats, waar een paar gendarmes bezig waren kisten met munitie te laden in een met zeildoek bespannen jeep.

De man aan het venster keek echter niet naar buiten. Vermoedelijk zag hij helemaal niets. Hij huilde, geluidloos maar niet te bedwingen. Zijn schouders schokten en de tranen liepen over zijn wangen.

Manuel deed een aarzelende stap in de richting van het raam, maar hield toen stil. De man nam geen notitie van hem, scheen nauwelijks gemerkt te hebben dat iemand de kamer was binnengekomen. Manuel liep op de landkaart toe en stond een kort ogenblikje naar de verschillend gekleurde spelden te kijken. Hij zocht naar Mercadal; op die plaats zaten acht witte spelden geprikt.

Behounek kwam binnen en deed behoedzaam de deur achter zich dicht. De man aan het venster reageerde niet. De chef schraapte zijn keel en zei: 'Heren, ik meen dat u elkaar nog niet eerder ontmoet hebt.'

De man draaide zich om. Hij huilde nog steeds en zijn vriendelijke bruine ogen waren roodomrand.

'Mag ik u voorstellen, Don Manuel Ortega, gouverneur der provincie en kolonel Joaquin Orbal, plaatsvervangend militair gouverneur en stafchef van het vijfde militaire territorium.'

Manuel had met uitgestrekte hand reeds twee passen gedaan, maar nu bleef hij aarzelend staan. Kolonel Orbal nam een zwarte zijden zakdoek uit zijn borstzakje en droogde zijn ogen en zijn gezicht af. Vervolgens schudde hij Manuel kort en krachtig de hand.

'Laten we deze ontmoeting niet pijnlijker maken dan zij al is,' zei hij. 'Het feit dat ik niet in staat ben mijn ontroering en verdriet te verbergen, moet u zich niet aantrekken. Pedro was echter mijn enig kind en...'

Hij pakte opnieuw zijn zakdoek en snoot discreet zijn neus.

'In de eerste plaats, meneer de gouverneur, moet ik u mijn verontschuldigingen aanbieden voor mijn zoon. Hij heeft een vreselijke misstap begaan en de consequenties zijn al niet minder erg. Mijn zoon was echter niet de enige die uw bedoelingen fout geinterpreteerd heeft. Er zijn een hoop mensen die dezelfde foutieve opvatting gehuldigd hebben en het overgrote deel heeft ook nu nog het motief achter uw handelwijze niet door.'

'Zoveel te beter,' interrumpeerde Behounek op vriendelijke toon.

'Ik vraag u in ieder geval om vergiffenis en Pedro heeft er al met zijn leven voor geboet...'

Eindelijk lukte het Manuel Ortega enkele woorden te vinden: 'Ik hoop dat u begrijpt dat wat er gebeurd is, geen opzet is geweest.'

'Mijne heren,' zei Behounek, 'er is iets afschuwelijks gebeurd, maar dat kan niemand verweten worden. Geen mens zou het verloop der gebeurtenissen hebben kunnen beïnvloeden of tegenhouden. Ik ben van mening dat verder praten over deze zaak alleen maar onnodig verdriet met zich meebrengt.'

Hij legde zijn handen op zijn rug en wiebelde op zijn voeten heen en weer. Toen zei hij: 'We moeten deze ontmoeting maar louter beschouwen als een formaliteit, als een officiële kennismaking voordat de komende onderhandelingen zullen beginnen. De conferentie zal dus door u, meneer de gouverneur, geleid worden, terwijl u, meneer de kolonel zult optreden als voorzitter van de delegatie van de Burgerwacht. Het lijkt me echter minder geschikt om op dit moment nader op de zaak in te gaan.'

Kolonel Orbal knikte wat afwezig en keerde terug naar zijn plaats bij het raam. Zonder zich om te draaien, vroeg hij: 'Hoeveel mensen zijn er de laatste twee jaar gedood?'

'Ongeveer vijfduizend.'

'En dat allemaal veroorzaakt door hetzelfde euvel, door het drijven van een kleine kliek onverbeterlijke fanatici. We moeten ze vermorzelen. We moeten die duivels vermorzelen.'

'Ja,' zei Behounek, 'we zullen ze vermorzelen.'

Kolonel Orbal draaide zich met een ruk om en keek naar Manuel Ortega.

'Ik stond aan iets heel eigenaardigs te denken,' zei hij. 'Als u nu dood was geweest, zou mijn zoon naar alle waarschijnlijkheid nog in leven zijn geweest. Dus stond ik te denken dat ik wou dat u dood was. Bij mijn weten heb ik nog nooit eerder gewenst dat iemand dood was, behalve in mijn hoedanigheid als soldaat waar het de vijanden van ons land betrof.'

Hij haalde zijn schouders op.

'Tja,' zei hij, 'het is inderdaad heel vreemd. Oog om oog, tand om tand. En nu ga ik naar huis. Mijn vrouw is erg geschokt door de ramp die ons getroffen heeft. U kunt mij dus thuis bereiken. Goedemorgen heren.'

Kolonel Orbal. Leider van de rechtse extremisten. Organisator van terreurdaden. Beschermer van de springcommando's. Een grijze, oude man die huilt, dacht Manuel Ortega.

'Wel,' zei Behounek, 'dat verliep pijnlozer dan ik had durven hopen.'

Manuel keek hem aan. Het vlies was er nog steeds en het maakte alles even onwezenlijk en ongrijpbaar. Behounek haalde een sigaar te voorschijn, beet het puntje eraf en zei: 'Ik ga de situatie in de stad opnemen. Hebt u zin om mee te gaan?'

Manuel schudde van nee.

'Nee, ik blijf liever hier.'

'Als u bij mij bent kunt u zich veilig voelen. Dat wil zeggen net zo veilig als ik me zelf voel. Ik heb trouwens een afspraak met Dalgren.'

'Dalgren stelt er vast en zeker even weinig prijs op mij te ontmoeten als ík om hém te ontmoeten.'

'Daar vergist u zich in. Zijn instelling is totaal veranderd. Hij heeft na de stellingname van de minister van binnenlandse zaken, net als de overige leden van de topgroep, ingezien dat het publiceren van die idiote proclamatie van Larrinaga een list was om het vertrouwen van de communisten te winnen en ze tot een conferentie over te halen.'

'Maar dat is niet zo,' zei Manuel. 'Dat is nooit mijn bedoeling geweest.'

'Dat weet ik,' zei Behounek droogjes. 'Maar tot nu toe ben ik de enige die het weet.'

Hij liep naar de deur en zette zijn uniformpet op.

'Dus u gaat niet mee?'

'Nee.'

'U durft het niet aan?'

'Dat klopt.'

'Ik begrijp het.'

Hij hield zijn pas in alsof hem iets te binnen schoot en zei: 'Ik weet iets anders dat u kunt doen. U kunt naar het hospitaal gaan om uw kleine vriendin met de mooie voeten op te zoeken.'

Manuel schudde zijn hoofd.

'Wat een onzin,' zei Behounek. 'U krijgt een jeep en drie agenten van me mee. Het is maar een afstand van vier minuten en de stad is praktisch uitgestorven. Ik zal het even doorgeven van die auto. Over vijf minuten staat hij voor de deur.'

Hij ging weg.

Op het moment dat de witte jeep de wachtpost passeerde, overviel hem een panische angst. Het koude zweet brak hem uit en hij kromp in elkaar en probeerde zich zo ver mogelijk in de hoek te drukken. De agenten keken hem vol verbazing aan. Hij voelde de Astra tegen zijn ribben drukken, maar dit hielp niet. De revolver had hem al een keer in de steek gelaten en kon hem niet langer een illusie van veiligheid geven.

Danička Rodriguez lag op de officiersafdeling in een klein kamertje met air-conditioning, witte wanden en neonverlichting aan het plafond.

Twee van de agenten waren hem tot daar toe gevolgd, maar ze gingen niet mee naar binnen, evenmin als de non die de weg gewezen had en de deur voor hem had opengemaakt.

De vrouw in het bed zag er bleek en magertjes uit; haar lippen waren droog en gesprongen. Haar hoofd zat niet meer in het verband, maar een deel van haar kruin was kaalgeschoren en daar zat wel een verband om. Haar ogen waren groot en donkergrijs en stonden ernstig.

Manuel veegde het zweet van zijn gezicht en ging op de rand van het bed zitten. Na een korte aarzeling kuste hij haar op het voorhoofd en zei: 'Dag, hoe gaat het met je?'

'Beter. Ik heb geen hoofdpijn meer. En hoe gaat het met jou?'

'Heel goed.'

'Je ziet er slecht uit. Hoe is de situatie?'

'Goed. Morgen begint de conferentie.'

'Manuel, kom eens wat dichterbij.'

Hij gehoorzaamde.

'Luister,' zei ze, 'ik heb je niet gevraagd hier te komen om een babbeltje te maken en te zeggen dat alles goed gaat.'

Hij wist niet wat hij daarop moest antwoorden. Bovendien

voelde hij zich niet erg tot haar aangetrokken, tenminste niet op dat moment.

Ze vervolgde: 'In de eerste plaats wil ik je iets zeggen waar ik vroeger niet over wou praten. Ik ben lid van Irigo's communistische partij en tot op zekere hoogte werk ik samen met het Bevrijdingsfront. Daarom wou ik dit baantje hebben en dat is me ten slotte gelukt. Ik zou het al onder Larrinaga gekregen hebben, als die niet zo nodig een mannelijke secretaris, een oppasser had willen hebben. En verder: Sixto is mijn broer. Ik zeg dit omdat ik wil dat je het weet nu je alleen bent.'

'Ik begrijp het.'

'Nee, je begrijpt het niet. Gisteren toen ik wakker werd drong het ineens tot me door dat er iets niet klopt in de gang van zaken.'

Ze zweeg.

'Is dat alles?'

Ze keek hem met haar grote heldere ogen aan en zei zo zacht dat hij zich moest inspannen om het te verstaan: 'Manuel zou de conferentie een valstrik kunnen zijn?'

'Hoe kan dat nou?'

'Ik weet het niet. Maar het ging allemaal zo verdacht gemakkelijk. De rechtse extremisten hebben vroeger nooit willen onderhandelen en nu stemden ze overal mee in. Zou het niet een trucje kunnen zijn om deze mensen die ze nooit in handen hebben kunnen krijgen nu te grijpen, mensen die al jarenlang Dalgren en Orbal en Behounek en de politie en het leger te slim af zijn geweest?'

'Noch de regering noch de president zou de gedane belofte durven of kunnen breken. Ze hebben zelfs schriftelijke garanties gegeven.'

'Dat weet ik. Maar toch... Ben je er heel zeker van dat er niet iets fout zit? Dat moet je nagaan, vandaag nog.'

'Ja,' zei hij, 'ik zal het onderzoeken. Ik ben er bijna zeker van dat je je zorgen maakt om niets.'

'Maar je belooft me toch dat je het zult onderzoeken.'

'Ja.'

Nu hij dicht bij haar was veranderden zijn gevoelens. Hij was zich bewust van haar fysieke aanwezigheid onder de witte deken. En tegelijkertijd voelde hij zich veiliger, minder bang. Er kon zelfs een glimlachje af.

'Hoe is het met je blauwe plek?' vroeg hij.

'Die zit er nog. Als het niet zo moeilijk ging, zou ik je hem laten zien, maar ze hebben me zo'n gek nachthemd aangetrokken.'

'Dan wachten we tot overmorgen.'

'Tot overmorgen?'

'Ja, ik heb gehoord dat je dan ontslagen wordt.'

'Daar weet ik niets van. Dat hoeft de patiënt zeker niet te weten. Het is hier net een gevangenis. Ze doen zelfs de deur op slot.'

'Echt iets voor militairen.'

'We hebben anders wel pech; iedere keer als we met elkaar naar bed willen gaan gebeurt er iets.'

'Overmorgen hebben we geen pech.'

'Nee, het moet nou maar eens afgelopen zijn.'

'Daniča.'

'Ja.'

'Ik mag je erg graag.'

Ze strekte haar hand uit, pakte hem met haar smalle, sterke vingers om zijn nek vast en trok hem tegen haar schouder aan. Fluisterde in zijn oor: 'Manuel ik heb je van het begin af aan gezegd dat het niet goed tussen ons kan gaan. Alles wat ik probeer loopt op een mislukking uit.'

Ze liet hem los.

'Kijk, ik wil je iets laten zien.'

Hij ging weer rechtop zitten.

'Gisteren was er post,' zei ze. 'Ik heb een brief gekregen die uit Kopenhagen doorgezonden was. Van mijn man, ja, we zijn niet officieel gescheiden. Ik hield erg veel van hem en toch ging het fout. Zie je, ik ruïneer de levens van wie ik hou en ik weet niet eens hoe of waarom. We hebben elkaar vijf jaar geleden in de hoofdstad van de republiek leren kennen. De partij was toen nog niet verboden en we maakten samen een krant. Hij schreef goed; iedereen zei dat hij een geboren journalist en propagandist was.

We hadden het heel goed samen, maar toen ging het mis. Stukje bij beetje liep het spaak en hoe we ook ons best deden de zaak weer te lijmen, het werd al maar erger. En het was bijna altijd mijn schuld, geloof ik. De laatste keer dat we elkaar gezien hebben was in Kopenhagen, anderhalf jaar geleden, het was... wel, het ging niet. Toen is hij weggegaan. Deze brief is het eerste levensteken dat ik sinds die tijd van hem heb gehad. Hier lees maar. Ik wil dat je hem leest.

Hij keek naar de envelop. Een getypt adres, Tjechische postzegels, afgestempeld te Praag.

'Ik hield meer van hem dan van wie ook,' zei ze. 'Ik wilde aardig zijn en hem geen schade berokkenen. Lees maar.'

Manuel vouwde de brief open. Hij was maar kort en leek geschreven door een kind. Het handschrift was groot en rond en onregelmatig.

Hij las:

Lieve Dana. Ik had al lang willen schrijven maar het is moeilijk voor mij en er kwam niets van maar nu zegt de dokter dat het goed voor me is als ik het doe en dus probeer ik het. Toen ik bij je wegging, ben ik naar Frankrijk gegaan en later naar Spanje en dat ging goed en daarna naar Bulgarije en vandaar de grens over naar Griekenland. Dat liep mis want ze hebben ons gepakt. Ze hebben me veel geslagen, ik geloof drie weken lang elke dag en sinds die tijd heb ik me niet meer goed gevoeld. Toen werd ik losgelaten en ben ik de grens overgegaan naar Sofia en toen hierheen. Hier heb ik het goed maar ik kan niets niets lukt en de dokter hier heeft gezegd dat ik naar buiten moet gaan en hij heeft een kostuum en ook een hoed voor me gekocht maar ik kan niet. Lieve kleine Dana deze brief is niet geworden zoals ik wou maar ik ben er al een paar dagen aan bezig en hij wil niet beter lukken en de dokter zegt dat ik hem moet verzenden. Het allerbeste. Je Felipe.

Onderaan in de kantlijn van de brief had iemand in het Engels met rode inkt en in een heel mooi handschrift geschreven:

Beste mrs. Rodriguez. Het zou om verschillende redenen goed zijn als u deze brief zoudt willen beantwoorden. Hoogachtend Jaroslav Jiráček, Dr. med. Bulovka Hospital, Praha.

Manuel Ortega legde de brief weer op het tafeltje naast het bed.

'Ben je van plan naar hem toe te gaan?'

'Toe wees eens lief en geef me een sigaret. Je mag hier vast niet roken, maar daar trek ik me niets van aan.'

Ze deed een paar nerveuze trekjes en zei toen: 'Ik weet het niet. Nee, ja, nee. Ik kan toch niets voor hem doen. Ik weet hoe het zal gaan.'

Hij had hier geen antwoord op en bleef zwijgend zitten.

Plotseling zei ze: 'Manuel, wat voeren we uit? Wat voeren alle mensen in de hele wereld toch uit?'

Op dat moment kwam de non de kamer binnen. Ze was jong en zat onder de puistjes; haar lange zwarte rok sleepte over de grond.

'Het spijt me,' zei ze, 'maar u moet nu gaan.'

Danièa sloeg haar handen weer om zijn nek en hij schikte zich gewillig, lag met zijn neus tegen haar hals.

'Vergeet je het niet?'

'Nee.'

'*Als* er iets mis is moet je ze waarschuwen.'

'Ja, tot overmorgen dan, lieveling.'

'Ja, tot overmorgen.'

In het witte kamertje met de air-conditioning was het vlies afwezig geweest, maar hij zat nog niet in de auto of het kwam weer terug. Hij zweette en drukte zich verder in de hoek.

'Mijn God, kon ik maar weg, hiervandaan,' fluisterde Manuel Ortega.

19

Het was halfnegen toen Behounek de deur opende en zei: 'Zullen we gaan eten op de club?'

Manuel Ortega had hem niet meer gezien sinds een paar uur vóór de siësta. Zelf had hij in zijn kamer gezeten, enkele gesprekken gevoerd en geconstateerd dat alles soepel en als vanzelf verliep. De voorbereidingen in Mercadal waren getroffen. Irigo zou de volgende morgen met een gecharterde helikopter arriveren. Het ging allemaal even gesmeerd.

De dag was warm en drukkend geweest, maar niet erger dan andere dagen.

Hij had ook veel aan Danička Rodriguez gedacht en aan wat ze gevraagd had en hij had zelf ook een paar vragen. Vragen die hem niet met rust lieten, maar aan de andere kant was hij in het bezit van het onloochenbare bewijs dat Danička zich moest vergissen. In zijn brandkast lagen de beloften en garanties van de liberale regering, ondertekend door Miroslavan Radamek en zijn eerste minister. Deze papieren konden eenvoudig niet vervalst zijn. De hele dag was hij bang geweest; het was geen heftige angst of agitatie, maar meer een passieve vrees, een hulpeloos, knagend gevoel van onbehagen, dat maakte dat hij zich laf en zweterig en mat voelde.

Manuel Ortega ging mee naar de club. Ze aten een duur en slecht maal en spraken over koetjes en kalfjes. Om elf uur reden ze terug naar het hoofdkwartier. In de grote hal zei Manuel Ortega: 'Kapitein Behounek, mag ik u iets vragen?'

'Zeker.'

'Is de conferentie een valstrik?'

'Zullen we naar mijn kantoor gaan?'

De chef van politie deed de luiken dicht en stak zijn bureaulamp aan. Ze gingen tegenover elkaar zitten.

'Ja,' zei Behounek.

'Ik vroeg: Is de conferentie een valstrik?'

'En ik antwoordde: Ja. Of juister uitgedrukt: een valkuil voor hyena's, voor de gevaarlijkste vijanden van ons land.'

'Wat gaat er gebeuren?'
'Ze worden gearresteerd.'
'Door u?'
'Ja. Of als u dat liever wilt, door de federale politie.'
'Ik zal het u beletten.'
'Nee, Ortega, u zult het me niet beletten.'
'U vergeet dat ik nog bepaalde bevoegdheden heb. In het uiterste geval kan ik de hulp van de militairen inroepen.'
'En waar haalt u die militairen vandaan?'
'U vergeet dat zich in de onmiddellijke nabijheid van de stad tweeduizend man geregelde infanterietroepen bevinden. U vergeet ook dat ik de minister van binnenlandse zaken en de president nog altijd telegrafisch kan bereiken. Aangenomen natuurlijk dat u geen geweld tegen me gebruikt.'
'Ortega, laten we deze zaak eens en voor altijd uit de wereld helpen. In de eerste plaats: Er zijn hier geen troepen meer. Alleen een bewakingseenheid van misschien een man of zestig, zeventig. Eigenlijk had ik gedacht dat u dat wel begrepen zou hebben. De nacht voor uw aankomst werd het derde regiment infanterie naar het noorden getransporteerd. Te zamen met de overige geregelde troepen die thuishoren in het vijfde militaire territorium, ligt het sinds acht dagen langs de noordgrens van de provincie in paraatheid. Sinds acht dagen controleren deze troepen ook alle toegangswegen en alle verbindingen. Daarom kon de arme Ruiz u niet meer dan drie auto's geven, daarom moest hij zelfs koks en geschutsmecaniciens en klusjesjongens zenden om het pompstation en de waterreservoirs gereed te krijgen. Kort en bondig: hij had geen regiment.

Daarom was ik ook bang – ja, werkelijk bang – tijdens de onlusten van een week geleden. En in de tweede plaats hoeft u de minister van binnenlandse zaken niet te telegraferen. U kunt hem bellen, hier op dit moment, en binnen de twintig minuten hebt u verbinding.'
'Is de lijn dan niet meer kapot?'
'Het is gebleken dat de lijn nooit kapot is geweest. Maar de mili-

tairen hebben aan de grens een controlepost opgezet en laten enkel bepaalde gesprekken door.'

Manuel Ortega staarde naar de man in het witte uniform.

'Maar de president kunt u niet opbellen,' zei Behounek.

'Waarom niet?'

'Omdat er momenteel geen president is. Radamek heeft vanochtend het land verlaten.'

'En de regering?'

'De regering treedt morgenmiddag om zes uur af.'

'En u bent van mening dat deze op zich zelf sensationele feiten u de vrije hand geven om alle beloften en plechtige verzekeringen van de aftredende regering aan de kant te schuiven? Nee, kapitein Behounek...'

'Een ogenblikje alstublieft, ik ben in dienst van de federale republiek, net als u, Ortega, en ik handel binnen het kader van de door mij ontvangen orders.'

'Wat voor orders? En van wie?'

Behounek stond op, deed de brandkast in de muur open en haalde er een aantal papieren uit.

'Hier,' zei hij, 'hebt u het arrestatiebevel voor de zes communistische gedelegeerden. Ondertekend door de eerste minister. Dit document werd gisteren per vliegtuig hier gebracht.'

'Jacinto Zaforteza is geen eerste minister.'

'Hij zal dat morgenavond om zeven uur zijn, als dit bevel van kracht wordt.'

'En wie wordt president?'

'Wat dacht u?'

Manuel Ortega barstte in lachen uit, een halfgesmoord, berustend gelach. Hij had zijn elleboog op de rand van de schrijftafel gezet en leunde met zijn hoofd in zijn hand.

'Ja, natuurlijk,' zei hij. 'Hoe simpel. Generaal Gami.'

'Volgens geruchten die mij ter ore zijn gekomen, hebben de bevelhebbers van negen van de dertien militaire districten de kandidatuur van generaal Gami gesteund.'

'En dat noemt u nog een kandidatuur. Een kandidaat die beschikt over dertigduizend man geregelde troepen, die paraat staan om naar de hoofdstad op te marcheren en alle vitale punten te bezetten.'

'Noem het zoals u wilt. Zo is de situatie nu eenmaal.'

'Wordt Orbal minister van defensie?'

'Nee. Maar hij wordt generaal en chef van het vijfde militaire territorium.'

'En u?'

Het duurde lang voor Behounek antwoordde. Eerst keek hij naar de landkaart, toen naar Manuel Ortega. Ten slotte zei hij: 'Mijn beloning krijg ik morgenavond.'

'Als u die arme stakkers mag arresteren?'

'Ja. Daarna hoop ik deze provincie te verlaten. Voorgoed.'

'En ik word opgeofferd?'

'Helemaal niet. Bij mijn weten hebt u uw plicht gedaan, u hebt zelfs een wonder bewerkstelligd, al gebeurde dat onopzettelijk en buiten uw wil om. Uw huidige functie zal wel niet zo lang meer bestaan, maar in overheidsdienst is er altijd plaats voor trouwe medewerkers.'

'Ik hoef alleen mijn eer maar op te offeren. Ziet u dan niet in dat...'

'Wat zie ik niet in?'

'Dat ik een enorm verraad pleeg tegenover die arme stakkers?'

'Dat is de tweede keer dat u deze formulering gebruikt, en één keer was al een keer teveel. Deze arme stakkers hebben zich in twee jaar tijds schuldig gemaakt aan de dood van vijfduizend medemensen. Hun actie was van het begin af aan zinloos, een doodgeboren kind. Ze heeft geleid tot een toestand van chaos, verwarring en vernedering, waarin sommige mensen als gekken tekeer gingen. Zoals die drie mijnwerkers in het huis van Perez. Zoals die zestienjarige zoon van kolonel Orbal. Zoals...'

'U zelf, kapitein Behounek.'

'Ja, zoals ik zelf. Dat klopt.'

Hij zweeg en trommelde behoedzaam met zijn vingers op de rand van de schrijftafel.

'Dacht u werkelijk dat ik zo'n belangrijk detail als mijzelf en mijn eigen optreden over het hoofd had gezien?'

'U bent dus zelf het bewijs dat u gelijk hebt?'

'Ja.'

'En als ik mij nu op dit moment over de tafel buig, de telefoon pak, Ellerman bel en hem waarschuw, wat doet u dan?'

'U waarschuwt Ellerman niet. En daarom zult u ook nooit weten wat er gebeurd zou zijn als u het wel gedaan had.'

Manuel Ortega zat nog steeds met zijn hand onder zijn hoofd. Hij merkte hoe het holle gevoel in hem groter werd en moest weer aan molenstenen denken.

Hij ging verzitten en leunde nu met zijn kin op zijn vuist en keek naar Behounek. De chef van politie zat stil achter zijn bureau, de onderarmen op het blad, de handen losjes gevouwen.

Manuel boog zich voorover en trok de telefoon naar zich toe. Hij draaide aan de slinger en lichtte de hoorn op.

'Hotel Universal alstublieft.'

'Ik zou graag de heer Wolfgang Ellerman spreken. Dank u wel.'

Het duurde lang voor Ellerman antwoordde. Hij had kennelijk liggen slapen, want zijn stem klonk schor en slaperig.

'Ja, met Ellerman.'

'Met Ortega, ik hoop dat u mij niet kwalijk neemt dat ik nog zo laat bel, maar het gaat om een uiterst belangrijke aangelegenheid.'

'Ja?'

En onmiddellijk daarop: 'Ja? Bent u daar nog?'

'Kunt u mij zeggen hoe laat doctor Irigo precies arriveert morgen?'

'Tussen halftien en halfelf. Exacter kan ik het u niet zeggen helaas.'

'Dat hoeft ook niet. Dank u wel. Goedenacht.'

'Goedenacht.'

Manuel Ortega legde de hoorn op de haak en schoof de telefoon van zich af. Hij zette zijn beide ellebogen op de schrijftafel, balde zijn handen en drukte deze met de knokkels tegen zijn neusvleugels. Luisterde naar zijn hart.

Behounek had zich al die tijd niet verroerd. Hij had evenmin iets gezegd en het was onmogelijk uit te maken of hij ook maar iets in zich opnam. Nu zei hij: 'Ik houd er niet van een troef achter de hand te houden. Voordat we ons gesprek voortzetten zal ik u daarom kennis laten nemen van een ander document.'

Hij trok een van de papieren uit het stapeltje.

'Deze instructie is voor u bestemd,' zei hij. 'Het was de bedoeling dat ik u die morgen zou overhandigen, één uur voor de actie begint. Alstublieft.'

Manuel nam het stuk aan en draaide dit om en om voor hij de zegels verbrak.

Het memorandum van de regering was in een aan hem persoonlijk gericht schrijven neergelegd; het begon met enkele conventionele zinsneden maar kwam al gauw ter zake:

...ten gevolge van het plotselinge aftreden van de president om gezondheidsredenen en de daaruit voortvloeiende regeringswisseling zijn de zaken in een ander licht komen te staan. De eerste maatregel van generaal Gami als president is het met de grootst mogelijke kracht neerslaan van het dreigende gevaar van de kant van 's lands binnen- en buitenlandse vijanden. In dit streven heeft hij de volledige steun van de regering. Hieraan moet nog worden toegevoegd dat het hoogste federale gerechtshof vanochtend twee principiële uitspraken heeft gedaan. Ten eerste: Het hoogste gerechtshof keurt (met verwerping van het voorstel van ex-president Radamek) het wetsontwerp van de wetgevende vergadering goed inzake het tot illegale organisatie verklaren van de reeds ontbonden communistische en linkssocialistische partijen in dit land. Dit betekent, om nader te preciseren, dat alle leden van communistische en crypto-communistische organisaties vanaf vandaag 12.00 uur beschouwd kunnen worden als officieel verdacht van het overtreden van de wet en gezien moeten worden als een bedreiging voor de veiligheid van de staat. Derhalve dienen zij onmiddellijk in hechtenis te worden genomen. Ten tweede heeft het hoogste federale gerechtshof vastgesteld dat de ideologische structuur van het zogenaamde Bevrijdingsfront zonder enige twijfel communistisch is (wat deze paragraaf betreft heeft het hoogste gerechtshof zich aangesloten bij

de zowel door de wetgevende vergadering als ex-president Radamek gehuldigde opvatting). Ik verzoek u derhalve dringend bij hierop betrekking hebbende vraagstukken te werk te gaan in overeenstemming met de hierboven aangegeven algemene juridische richtlijnen.

Teneinde een periode van overgangsmaatregelen soepel te doen verlopen wordt met ingang van 18.00 uur vandaag in uw provincie de militaire uitzonderingstoestand opnieuw van kracht. Deze zal na korte tijd wederom opgeheven worden. De federale politie heeft onbeperkte bevoegdheid de krijgswetten ten uitvoer te brengen. Ik raad u aan nauw samen te werken met de chef van de federale politie, kapitein Isidoro Behounek, die uitvoerige instructies over deze zaak heeft ontvangen.

Zaforteza, eerste minister.

Manuel Ortega vouwde het papier op en leunde achterover in zijn stoel.

'Dat is dan dat,' zei hij. 'En u heet dus Isidoro? Dat wist ik niet.'

'Ja, is het niet verschrikkelijk? Kinderen zouden volgens de wet het recht moeten hebben hun eigen naam te kiezen tegen de tijd dat ze volwassen worden.'

'Bel het hoogste federale gerechtshof op en zeg tegen de portier dat ze binnen twintig minuten een nieuwe wet dienaangaande moeten uitvaardigen.'

De chef van politie glimlachte.

'Wel, mijn beste kapitein Behounek, hier zit ik met in mijn hand een bevel dat gedateerd is op morgen en waar o.a. twee uitspraken van de hoogste juridische instantie van het land instaan, die eveneens morgen pas gedaan zullen worden. Het bevel is geschreven door een persoon die denkt dat hij morgen regeringsleider zal zijn en uitgevaardigd door een generaal die denkt dat hij morgen dictator zal zijn.'

'Vandaag, Ortega, het vindt vandaag plaats. Het is al kwart voor één.'

'Dit schijnt te betekenen dat Gami, die ik nooit ontmoet heb, maar die duidelijk alleen maar een doodgewone, door machtswaanzin gegrepen officier is, reeds voordat hij erin geslaagd is dictator te worden, de hoogste juridische en wetgevende instanties in het land naar zijn pijpen kan laten dansen.'

'U vergeet Zaforteza. Hij is in drie regeringen minister van justitie geweest.'

'Hoe ziet hij er uit, die Gami?'

'Zoals generaals er gewoonlijk uitzien. Niets bijzonders. Een tikje corpulent. Een rode neus. Dikke vrouw. Vier kinderen.'

Manuel Ortega stuitte op nieuwe bewijzen van corruptie: 'Betekent dit ook dat de doodvonnissen al gereed liggen?'

'In principe... ja. Volledig ingevulde doodvonnissen zijn er alleen maar voor "El Campesino", Irigo en José Redondo, drie stuks dus. Ik heb ook een stuk of twintig blanco doodvonnnissen. Allemaal ondertekend door kolonel Orbal.'

'En wie zal die invullen?'

'Ik.'

'Dat betekent dus dat u vanaf zes uur morgen terecht kan stellen wie u maar wilt?'

'In principe... ja.'

Manuel Ortega merkte dat de transparante cocon die hem van de wereld afscheidde nu ook de man aan de andere zijde van de schrijftafel in een vacuum hulde. Hij zei: 'Als we het gesprek op een minder formele basis kunnen voortzetten, zou ik u graag iets vragen: Door middel van welk soort pressie, denkt u dat ze Radamek tot dit plotselinge vertrek hebben kunnen overhalen?'

'Tja, informeel zou ik daar het volgende op kunnen antwoorden. Radamek en zijn liberale kabinet kwamen aan de regering in een crisis-situatie, toen het erom ging een verzoenend gebaar te maken tegenover de oppositie in het eigen land en tegelijk de schreeuwlelijkerds in het buitenland de mond te snoeren. De regering is al die tijd afhankelijk geweest van de steun van het leger en zij heeft geen enkel zelfstandig besluit kunnen nemen. De drijvende kracht in het kabinet was Zaforteza en hij is in elk opzicht de vertrouwensman van de generaals. Wat Radamek betreft ben ik ervan overtuigd dat hij het voor het geld gedaan heeft. Hij was niet bepaald platzak toen hij gisteren het land verliet.'

'Toch was hij het die het Vredeskorps opgericht heeft,' zei Manuel.

'Ja,' zei Behounek en wierp een blik op de kaart, 'hij heeft de witte politie, de federale gendarmerie, het Vredeskorps opgericht.'

'En als het Vredeskorps een dorp binnenkomt, vluchten de mensen het bos in en verbergen de vrouwen hun kinderen onder stapels vodden en brandhout.'

'Er zijn hier geen bossen, maar in principe hebt u gelijk.'

'Hoe vaak hebt u de bevolking van een heel dorp uitgeroeid, zoals in Santa Rosa?'

'Een keer of tien misschien. Altijd om dezelfde reden. Ze hadden de moordenaarsbende van "El Campesino" geholpen zich te verbergen of te vluchten, soms hadden ze ook zelf geplunderd en gemoord.'

'Als u eraan denkt, trekt u het zich dan erg aan?'

'Soms, ja. Niet vaak. Ik ben er zeker van dat u in uw fantasie de dramatiek die zich bij zulke gebeurtenissen afspeelt overdrijft. In werkelijkheid is het routinewerk; het verloopt volgens een vast schema, zonder veel uiterlijk vertoon. Meestal tegen vijf uur 's ochtends, dat is een tijdstip dat niet bepaald inspireert tot melodramatische arrangementen. Maar er zijn veel mensen omgekomen, dat is waar. En wiens schuld is dat?'

'Daar zijn we dan weer. Ik herhaal nogmaals: Het is uw schuld.'

'Omdat ik bevelen uitvoer?'

'Ja.'

'Gelukkig voor u en mij hebt u ongelijk. De schuld ligt bij mensen als die Cubaan. Bij "El Campesino", die die stumpers van analfabeten geleerd heeft te moorden. Bij krankzinnige theoretici als Irigo en Ellerman, bij ophitsers als Carmen Sánchez.'

'Bij gekken als Isidoro Behounek.'

'Tot op zekere hoogte ja.'

'Bij krankzinnigen.'

'En, Ortega, bij wankelmoedigen.'

'Je moet partij kiezen.'

'O ja, moet dat?'

'Ja, absoluut.'

'Hebt u, kapitein Behounek ooit wel eens met de gedachte gespeeld genade voor recht te laten gelden?'

'Vaak, maar niet in gevallen als deze.'

'Het is dus niet realistisch gedacht, morgen op een zekere mildheid van uw kant te rekenen? Op een soort ruil?'

'Zullen we daar een nachtje over slapen?'

Ze gingen elk naar hun kamer.

Tussen 3.00 uur en 3.03 uur in de ochtend van dinsdag de negentiende juni dacht Manuel Ortega, voordien tweede handelsattaché in Stockholm, als volgt:

Ik moet Ellerman bellen. Ik moet Ellerman bellen. Ik moet Ellerman bellen. Als ik Ellerman bel zet ik mijn leven op het spel, verknoei ik mijn carrière en raak ik mijn bron van inkomsten kwijt. Ik maak mij schuldig aan plichtsverzaking en kom in de gevangenis terecht. Eigenlijk ligt het voor de hand dat ze me onmiddellijk zullen doden. Als ik mijn beloften aan het Bevrijdingsfront niet nakom zal Sixto me doden. Ik moet vluchten, nu meteen. Toch moet ik Ellerman bellen.

Plotseling: Manuel Ortega, je bent in dienst van de federale regering. Het is je plicht orders uit te voeren tot deze orders door nieuwe vervangen worden.

Toch moet je Ellerman bellen.

Waarom moet je Ellerman bellen? Omdat je dat nou toevallig gezegd hebt tegen een nymfomane met wie je naar bed wilt? Dat doet niets ter zake. Maar je moet.

Je weet dat je Ellerman niet zult bellen. De molenstenen stonden stil. De brij was klaar.

Gesprek op de voorbank van een witgeschilderde Landrover met zeildoek bespannen, die over een stenige bergweg reed:

Ortega :'Waarom hebt u het mij gisteravond al verteld?'

Behounek : 'Omdat ik wou dat u goed beseft wat u doet. Opdat u nooit, hoe dan ook, zelfs niet tegen u zelf, zult kunnen zeggen dat u in goed vertrouwen gehandeld hebt of in een staat van verdoving door het onverwachte van de gebeurtenissen. Wat u doet, doet u in het volledig besef dat u de situatie geanalyseerd hebt, zij het dan tijdens een slapeloze nacht. Vermoedelijk zult u in de toekomst anderen hierover voor de gek kunnen houden, maar ik wil u de mogelijkheid niet laten uzelf voor de gek te houden.'

Ortega: 'U hebt een groot risico genomen.'

Behounek: 'Ik vond het risico niet zo groot. U bent ambtenaar. Op bevel doodt u met uw handtekening, net als ik met mijn pistool.'

Ortega: 'Ik heb nog een paar uur de tijd.'

Behounek: 'Het is kort dag. Bovendien kunt u geen besluit nemen. U bent bang en moe. Het gemakkelijkste besluit is altijd om geen besluit te nemen.'

Ortega: 'Tussen twee haakjes, bent u het geweest die de moord op Larrinaga in elkaar hebt gezet?'

Behounek: 'Nee. Dat was een interne militaire aangelegenheid.'

Ortega: 'Wie was Pablo Gonzales?'

Behounek: 'U hebt een goed geheugen – maar zo heette hij niet.'

Ortega: 'Hoe heette hij dan?'

Behounek: 'Bartolomeo Rozas. Hij was een communistische arbeider die we enkele dagen voor de moord gearresteerd en terechtgesteld hadden.

Ortega: 'En de echte moordenaar?'

Behounek: 'Weet ik niet. Iemand van de rechtse jongerengroepering, die ze van elders hierheen gehaald hebben. Het enige dat ik deed was voor identiteitspapieren zorgen. Ze hadden echter niet eens de moeite genomen de bevelvoerder van het escorte in te lichten. Zoals u weet, werd de moordenaar tot zijn eigen verbazing neergeschoten. Hij had verwacht dat ze... genade voor recht zouden laten gelden.'

Ortega: 'Zult *u* op enigerlei wijze genade voor recht laten gelden?'

Behounek: 'Dat is praktisch uitgesloten.'

Ortega: 'Hoe staat het met onze ruil?'

Behounek: 'Wat voor ruil?'

Ortega: 'Ik doe afstand van mijn eergevoel en waarschuw ze niet. U doet afstand van uw haat en doodt ze niet.'

Behounek: 'Dat is geen eerlijke ruil, want u waarschuwt ze toch niet. Bovendien moet ik rekening houden met mijn orders. Net als u. We zijn ambtenaren.'

Ortega: 'Ik kan ook nu Ellerman nog bellen. Enkele van deze mensen kunnen nog gered worden.'

Behounek: 'U vraagt zich nooit af of ze verdienen gered te worden. U denkt er nooit aan dat we misschien tienduizend andere mensen redden door deze zes te doden. Tussen twee haakjes, zal ik uw secretaresse arresteren?'

Ortega: 'Niet als dat vermeden kan worden.'

Behounek: 'Natuurlijk kan dat vermeden worden. Als ik dat wil. U weet toch wel dat ze communiste is, zelfs lid van de partij?'

Ortega: 'Hebt u dat al die tijd geweten?'

Behounek: 'Vrijwel vanaf het begin. Ze komt voor in ons archief. Het mag een wonder genoemd worden dat ze het ministerie heeft weten te misleiden.'

Ortega: 'Het kan dus vermeden worden. Maar bent u dat ook van plan?'

Behounek: 'Laat mij op mijn beurt nu eens een voorstel doen. Ik arresteer uw secretaresse en als tegenprestatie zullen we Carmen Sánchez niet terechtstellen. Beiden gaan de gevangenis in – voor vijf of tien jaar misschien. U kunt dus kiezen tussen de dood voor Carmen Sánchez en de vrijheid voor Danička Rodriguez – of voor beiden het tuchthuis.'

Ortega: 'Meent u dat?'

Behounek: 'Natuurlijk niet. En ik zal u ook niet voorstellen het leven van uw secretaresse te ruilen voor de zes die we vanavond terecht zullen stellen.'

Ortega: 'Dank u. Waarom moet het vanavond al plaatsvinden?'

Behounek: 'Over enige dagen zal de uitzonderingstoestand opgeheven worden. Niemand weet precies wanneer. Dan is de tijd van de doodvonnissen voorbij.'

Ortega: 'En Danič̌a Rodriguez.'

Behounek: 'Die laten we natuurlijk gaan. Ze is trouwens tamelijk ongevaarlijk. Een tikje naïef, half intellectueel. En verder gaat ze met iedereen naar bed; dat lijkt uitgekookter dan het is. Het loopt bijna altijd verkeerd af.'

Ortega: 'Bespaar me uw levenswijsheid.'

Behounek: 'Zoals u wilt.'

Ortega: 'Vreemd eigenlijk. Tot vanochtend dacht ik dat het mijn angst voor de dood was die me er onder had gekregen. Pas nu zie ik in dat u het was.'

Behounek: 'Dat is niet zo. We zijn alleen maar het slachtoffer van onszelf, van onze eigen denk- en handelwijze. Ik was het eerste dodelijke slachtoffer van mijn werkzaamheden hier.'

Ortega: 'U begint de probleemstelling te banaliseren.'

Behounek: 'Ik ben een beetje moe. Ziet u die huizen daar aan de andere kant van de steengroeve?'

Ortega: 'Ja.'

Behounek: 'Dat is Mercadal.'

Manuel Ortega, jij, achter je lessenaar op het podium. Achter je de kanselier en een secretaresse die je nooit eerder gezien hebt. En voor je zie je gezichten.

Je praat: De andere gedelegeerden hadden er al moeten zijn. Ze hadden nog het een en ander te overleggen en zijn opgehouden... waarschijnlijk een interne procedurekwestie.

Gezichten van mensen. Die namen dragen.

Irigo – wit haar, gegroefd gelaat, ouwemannenhanden, hoornen montuur. Hij beeft een tikje, hij is bang.

El Campesino – partizanenexpert uit Cuba, lang en sterk, bruine onrustige, waakzame ogen – bang.

Carmen Sánchez – slank, kortgeknipt haar, zelfbewust en uitdagend. Bijt al op haar nagels, is bang.

El Rojo Redondo – zwaar en groot en breed, behaarde polsen, droogt het zweet van zijn voorhoofd, reeds bang.

Nog twee mannen, maar Sixto is daar niet bij. Sixto niet.

Zij zullen sterven. Maar jij leeft. God zij dank. (Je moet gauw weer eens naar de mis. Dank zij Frankenheimer. Dank zij Behounek.)

Verraad. Ze hebben het al door.

Lawaai – omvergeworpen stoelen – geschreeuw. De witte uniformen – de overmacht – de machinepistolen – de glimmende schakels van de handboeien – het metaalachtige geklik van de sloten – het gegrom van de motoren – de onwezenlijke werkelijkheid – de gezichten aan de andere kant van het vlies.

Manuel Ortega bleef op het podium achter toen de gendarmes de gevangenen wegvoerden. Kapitein Behounek had zich niet in de zaal laten zien.

Al op vijftien kilometer afstand van de stad zagen ze het vuurwerk. Rode, groene, witte, violette vuurpijlen beschreven hun curves tegen de nachthemel.

In het licht van de koplampen zagen ze geelgrauw grind en veel stenen en een enkele keer een kleine hagedis. De hitte was drukkender en zwaarder geworden na het vallen van de duisternis. De nacht lag als een slapend, zwart, harig dier over het land.

Dit laatste dacht de gouverneur der provincie, Manuel Ortega.

'Ze vieren de overwinning,' zei Behounek. 'De benoeming van generaal Gami is thans officieel. Waarschijnlijk spreekt kolonel Orbal staande voor het raam van het gouvernementspaleis.'

'Schieten ze de vuurpijlen vanuit de villawijk af?'

'Nee, vanuit alle delen van de stad. Er zijn vijfduizend stuks Bengaals vuur, vuurpijlen en gillende keukenmeiden uitgedeeld. Een initiatief van de Burgerwacht.'

'Om de nieuwe president populair te maken bij het volk?'

'Natuurlijk. Dan over één of twee weken de terechtstellingen. Zodra die achter de rug zijn, herinnert hij zich zijn oude provincie en heft hij de uitzonderingsbepalingen op. De mensen zijn weer gelukkig, ze kunnen weer door hun eigen straten lopen. In enkele dagen tijds is hij bijna een volksheld geworden. Generaal Gami kent de gang van zaken. Hij is niet de eerste en ook niet de laatste die over de ruggen van deze mensen naar de macht is geklommen. Zoals ik al zei, het is routine.'

Manuel Ortega stak een sigaret op.

'Rijdt de bus met gevangenen voor of achter ons?'

'Voor ons.'

'Hebt u ze al gezien?'

'Nee, ik kan ze nog lang genoeg zien.'

Ze reden onder de eerste geschilderde en belichte leuzen door, zagen de eerste portretten en zwaaiende kartonnen plakkaten. Viva Gami! Viva Orbal! Viva la República!

'Viva Ortega,' zei de man naast de chef van politie.

'Ja, dat kan je met recht zeggen,' zei Behounek. 'Er zullen een aantal extra missen opgedragen worden. Zullen we er een bijwonen?'

20

Het keldervertrek was groot en kil en had een cementen vloer en witgekalkte wanden. Langs de ene lange zijde bevond zich een soort houten schraag waar een oude munitiekist onder stond die handgrepen van touw en met ijzer beslagen randen had. Rechts van de schraag een grijs geschilderde deur.

Langs de tegenoverliggende wand stonden de zes communistische gedelegeerden. Hun handen waren nog altijd op hun rug gebonden, maar de gendarmes hadden nu de handboeien aan haken in de muur bevestigd, zodat ze niet van hun plaats konden komen. De vrouw had zich een steun gezocht door met haar schouders en achterhoofd tegen de muur te leunen, maar de anderen stonden min of meer rechtop, balancerend op hun voetzolen.

Midden in het vertrek stond luitenant Brown, wijdbeens, met zijn hand op de kolf van zijn pistool. Langs de ene korte zijde drie gendarmes in witte uniformen. Op een rijtje op de houten schraag lagen enkele meters bij hen vandaan hun machinepistolen.

De ijzeren deur ging open en de chef van politie kwam het vertrek in.

Hij was blootshoofds maar verder volgens voorschrift gekleed: laarzen, een pas geperst wit uniform, koppelriem met pistool diagonaal over de borst.

'Goedenavond,' zei hij. 'Mijn naam is Behounek.'

Hij ging op enkele meters afstand van luitenant Brown staan en nam de gevangenen met welwillende belangstelling op.

'U bent ter dood veroordeeld,' zei hij. 'De terechtstelling zal door fusillering plaatsvinden, maar zonder militaire eerbewijzen. Het tijdstip is bepaald op halftien, dus over...'

Hij keek op zijn horloge.

'...precies vijfentwintig minuten. De officiële vonnissen zullen u vlak voor de executie voorgelezen worden.'

Hij keek een ogenblikje naar de vloer en streek met zijn rechterwijsvinger over zijn onderlip.

'En,' zei hij. 'Wie van u is "El Campesino"?'

De Cubaan richtte zijn hoofd op en keek hem aan. De man had waakzame bruine ogen; hij was bang, maar hij had zijn bravour en zijn hoop nog niet helemaal verloren.

'Maak hem los,' zei Behounek.

Daarna draaide hij zich om en liep naar de houten schraag, trok de kist naar voren en deed een keus uit de zich daarin bevindende voorwerpen. Hij nam een loden pijp van ongeveer vijfendertig centimeter lengte met een diameter van twee duim en woog deze keurend in zijn hand.

De Cubaan was vrij en had drie passen van de muur gedaan. Hij stond met gebogen hoofd zijn polsen te masseren om het bloed weer normaal te laten circuleren.

Behounek liep zeer kalm en zonder de man een ogenblik met zijn blik los te laten door het vertrek. Op één pas afstand bleef hij staan, beet in zijn onderlip en zwaaide heel licht met zijn lichaam heen en weer, zijn hielen van de grond. Toen liet hij de loden pijp met alle kracht die hij op kon brengen neerkomen op de nek van de Cubaan.

De man viel voorover en bleef enige seconden op handen en voeten liggen.

Het leek of hij nog leefde, maar waarschijnlijk was hij al dood; bijna meteen daarop viel hij op zijn zij en bleef onbeweeglijk liggen met open ogen en opgetrokken benen.

Behounek draaide zich om, deed twee stappen in de richting van de houten schraag en gooide de loden pijp weer in de kist. Daarna keerde hij terug naar de muur.

Het was doodstil in het vertrek.

Hij streek opnieuw met zijn wijsvinger langs zijn onderlip en bekeek de gevangenen stuk voor stuk. Ten slotte hield hij stil voor de vrouw die helemaal links in de rij stond.

'Carmen Sánchez,' zei hij op bijna afwezige toon. 'Mooie Carmen Sánchez.'

Het meisje had zwart kortgeknipt haar en was gekleed in een verschoten spijkerbroek, rubberlaarzen en een donkerblauwe overhemdsblouse.

Behounek pakte de blouse vast en rukte eraan, zodat de knopen eraf sprongen. Ze droeg een gewone b.h., die helder en wit afstak tegen haar donkere huid. Hij stak er vanvoren zijn twee wijsvingers tussen en trok. Ze schreeuwde van pijn toen de bandjes in haar schouders en rug sneden. Een schrille, kinderlijke kreet.

Daarna liet hij zijn handen dalen tot tussen de band van de broek en haar bruine elastische huid en rukte. Het lukte niet de eerste keer en een ader zwol op op zijn slaap toen hij met een enorme krachtsinspanning haar spijkerbroek en broekje kapot rukte.

Het enige dat in het vertrek te horen was, was het geluid van scheurende stof en van naden die barstten.

Hij deed een stap achteruit en nam haar op. Haar borsten waren niet erg stevig en haar tepels rond en klein en bleekbruin. Ze was niet zo mager als je zou denken als je haar aangekleed zag. De huid van haar buik was een tikje slap alsof ze kinderen gebaard had en het haar daaronder dun en roodbruin van kleur.

Van haar lichaam steeg een zwakke geur op van zweet en warmte die opgesloten had gezeten.

'Zo is het voldoende,' zei hij.

Daarna keek hij op zijn horloge en zei tegen de gendarmes: 'Jullie hebben nog negentien minuten de tijd. Doe met haar wat je wilt.'

Luitenant Brown boog zich over de man op de grond en zei: 'Ik geloof dat hij dood is, kapitein.'

'Geef hem toch maar de kogel,' zei Behounek en verliet het vertrek.

Manuel Ortega zat in de bezoekersfauteuil in de kamer van de chef van politie. Hij was bleek en zweette en zijn handen beefden toen hij een waslucifer aanstreek en probeerde een van zijn kurkdroge sigaretten aan te steken.

Behounek kwam de kamer binnen, knoopte zijn uniformjasje los en ging met een plof in de draaistoel achter zijn schrijftafel zitten.

Hij beet nadenkend op de nagel van zijn duim en scheen langs de ander heen te kijken naar een punt ver weg. Toen zei hij: 'Hebt u ooit iemand gedood? Ik bedoel, gewelddadig?'

'Nee.'

'Daar mag u dan dankbaar voor zijn.'

Manuel keek hem aan.

'Weet u, de eerste keer dat je iemand doodt, verbrand je alle schepen achter je. Je ontneemt jezelf voorgoed het recht op datgene dat je achter je gelaten hebt, je kunt er niets meer van ophalen of met je meenemen. Het is weg en voor altijd verloren.'

'Wat is er dan verloren?'

'Dat is moeilijk uit te leggen en bovendien schijnt het niet voor iedereen te gelden, hoewel ik dat moeilijk kan aannemen. Als ik zeg dat je nooit meer op dezelfde wijze kunt leven als voor die tijd, nooit meer kunt liefhebben, nooit meer jezelf kunt zijn en gelukkig omdat jij jij bent, dat je niet eens meer met een vrouw naar bed kunt gaan of je kunt bezatten, gelooft u mij natuurlijk niet. En toch heb ik gelijk. Je kunt dit natuurlijk allemaal wel: leven, tevreden zijn met jezelf, met vrouwen naar bed gaan, wat je maar wilt, maar alleen in technisch opzicht. Je techniek kan zelfs vooruitgaan, maar dat betreft dan alleen de buitenkant; het is een methode om je omgeving te overbluffen. Jezelf kun je niet voor de gek houden, tenminste niet lang achter elkaar, dat heb je gauw genoeg door.'

'U bent inderdaad destructief.'

Behounek stond op, lachte en liep om zijn schrijftafel heen.

'Is het niet absurd,' zei hij, 'is het niet volkomen absurd, te bedenken dat ook ik eens gelukkig ben geweest? Ja, dat is zo, ik herinner me het nog heel goed. Gelukkig met een vrouw. Soms word ik 's nachts wakker en denk dat ik weet wat voor gevoel dat was.'

Hij zweeg even.

'Nu doet het zelfs absurd aan dat ik nog een vrouw en kinderen heb die ergens in een huis wonen en het goed hebben en soms nog aan mij denken ook. Maar zo is het, die heb ik.'

'Ik ook,' zei Manuel Ortega.

'U hebt natuurlijk gelijk. Ik ben destructief, op mijn manier.

Vaak heb ik het gevoel dat ik al maanden en jarenlang vegeteer in een geestesziek, vervalst beeld van de wereld, waar alle begrippen verwrongen zijn en alles fout is óf het ieder moment kan worden. Maar wie van ons tweeën is volgens u het meest destructief, ik met mijn monomanie of u met uw ziekelijke behoefte het iedereen naar de zin te maken? Terwijl u al die tijd weet dat het niet mogelijk is? In deze provincie zijn misschien zo'n honderdduizend mensen die u met uw praatjes en optreden hebt misleid. U hebt een hoge uitzichtstoren voor hen opgericht. Van bovenaf hebben ze een blik kunnen werpen op een leven en een toekomst die voor hen nooit werkelijkheid zullen worden. En waar is dat bouwwerk nu?'

'Dat is neergehaald?'

'En wie heeft het neergehaald?'

'Ik.'

'Hebt u er wel eens aan gedacht dat als uw sluipschutter op de kroonlijst niet zo snel de trekker van zijn revolver had overgehaald, u decennia lang en misschien nog langer, de martelaar en held van deze provincie zou zijn geweest? Misschien zou u zelfs een standbeeld hebben gekregen midden op het plein.'

Het gedempte geluid van een salvo drong door de stenen muren tot hen door en daarna nog één. Behounek spitste zijn oren en telde mompelend op zijn vingers: 'El Campesino, Irigo, Carmen Sánchez, El Rojo Redondo. Acht maanden lang heb ik met hen samengeleefd. Bijna tastbaar waren ze aanwezig hier in deze kamer. Nu zijn ze weg, maar ik ben er nog.'

Hij begon zijn uniformjasje dicht te knopen en pakte zijn riem van de schrijftafel.

'En Ortega, waar gaan we eten? Op de club?'

'Dat is goed.'